JN308533

日本の歴史 二

日本の原像

平川 南
Hirakawa Minami

小学館

日本の歴史

日本の原像

第二巻

アートディレクション　原研哉
デザイン　竹尾香世子
野村恵

凡例

- 年代表示は原則として和暦を用い、適宜、西暦を補いました。
- 本文は原則として常用漢字および現代仮名遣いを用いました。また、人名および固有名詞は、原則として慣用の呼称で統一しました。なお、敬称は略させていただきました。
- 歴史地名は、適宜、（　）内に現在地名を補いました。
- 引用文については、短歌・俳句などを除いて、読みやすさ、わかりやすさを考えて、句読点を補ったり、漢字を仮名にあらためたりした場合があります。
- 中国の地名・人名については、原則として漢音の読みに従いました。ただし慣習の表記に従ったものもあります。
- 朝鮮・韓国の地名・人名は、原則的に現地音をカタカナ表記しました。ただし、歴史的事柄にかかわる地名・人名などは漢音読みにした場合があります。
- 図版には章ごとに通し番号をつけ、それぞれの掲載図版所蔵者、提供先は巻末にまとめて記しました。
- おもな参考文献は巻末に掲げました。
- 五十音順による索引を巻末につけました。
- 本書のなかには、現代の人権意識からみて不適切な表現を用いた場合がありますが、歴史的事実をそのまま伝えるために当時の表記どおりに掲載しています。

編集委員
平川　南
五味文彦
倉地克直
ロナルド・トビ
大門正克

1

伝える

書き残された古代

◉不可解な墨書土器「語―語」
渤海《ぼっかい》使の来着地で十数点出土。言葉と言葉をつなぐ通訳「訳語《おさ》」を表現したものか。（石川県金沢市畝田《うねだ》・寺中《じちゅう》遺跡出土。八世紀。直径約一四㎝）

→175ページ

2

●支配領域を告知する碑
東北支配の拠点、多賀城の外郭南門近くに立つ石碑。蝦夷《えみし》との国境を定め多賀城の四至を宣言した、古代にはめずらしく政治色の強い碑。（宮城県多賀城市。八世紀。高さ約一八六㎝）
→３４５ページ

3

◉天災・飢饉で一戸の六人死す
秋田市秋田城跡から出土した死亡帳の漆紙文書（左下。原物）と、その赤外線テレビ写真（裏焼き）。この戸では、九か月間に六人が相次いで死亡している。（九世紀。直径約二四cm）

7

4

8

5

9

6

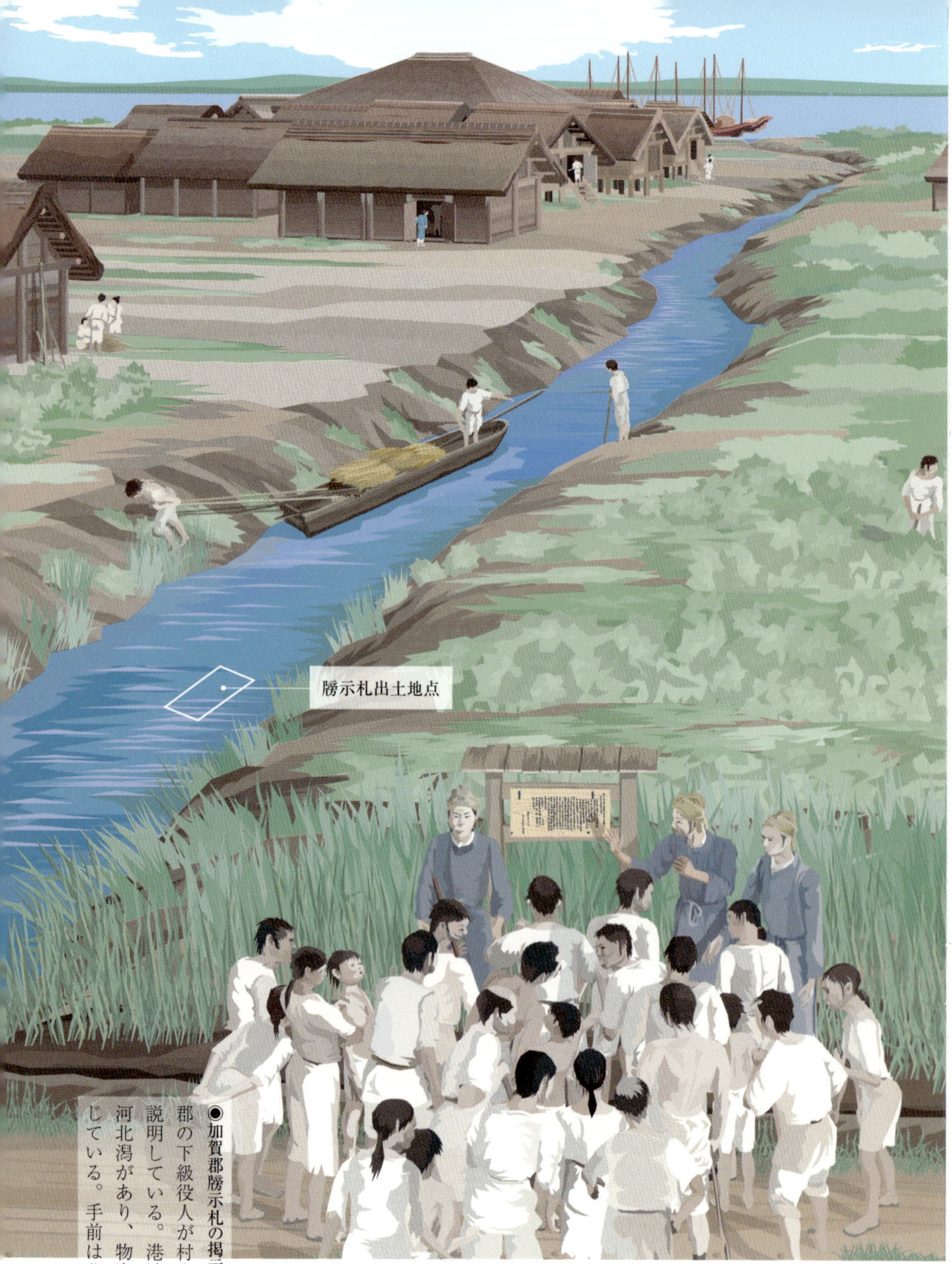

◉加賀郡牓示札の掲示状況
郡の下級役人が村人に牓示札の内容を説明している。港湾施設の向こうには河北潟があり、物資運搬用の運河が通じている。手前は北陸道。
↓171ページ

13

10

14

11

15

12

◉墨書した顔・顔・顔
日本列島各地の水辺から出土した、いわゆる人面墨書土器。この土器に邪気を封じ込め、水に流して厄祓《やくばら》いしたと考えられる。
↓199ページ

●加賀郡牓示札
文字は風化のため墨が失われ、字画部分のみが墨の防腐作用により、わずかに盛りあがって残った。（石川県津幡《つばた》町加茂遺跡出土。九世紀。幅約六〇cm）

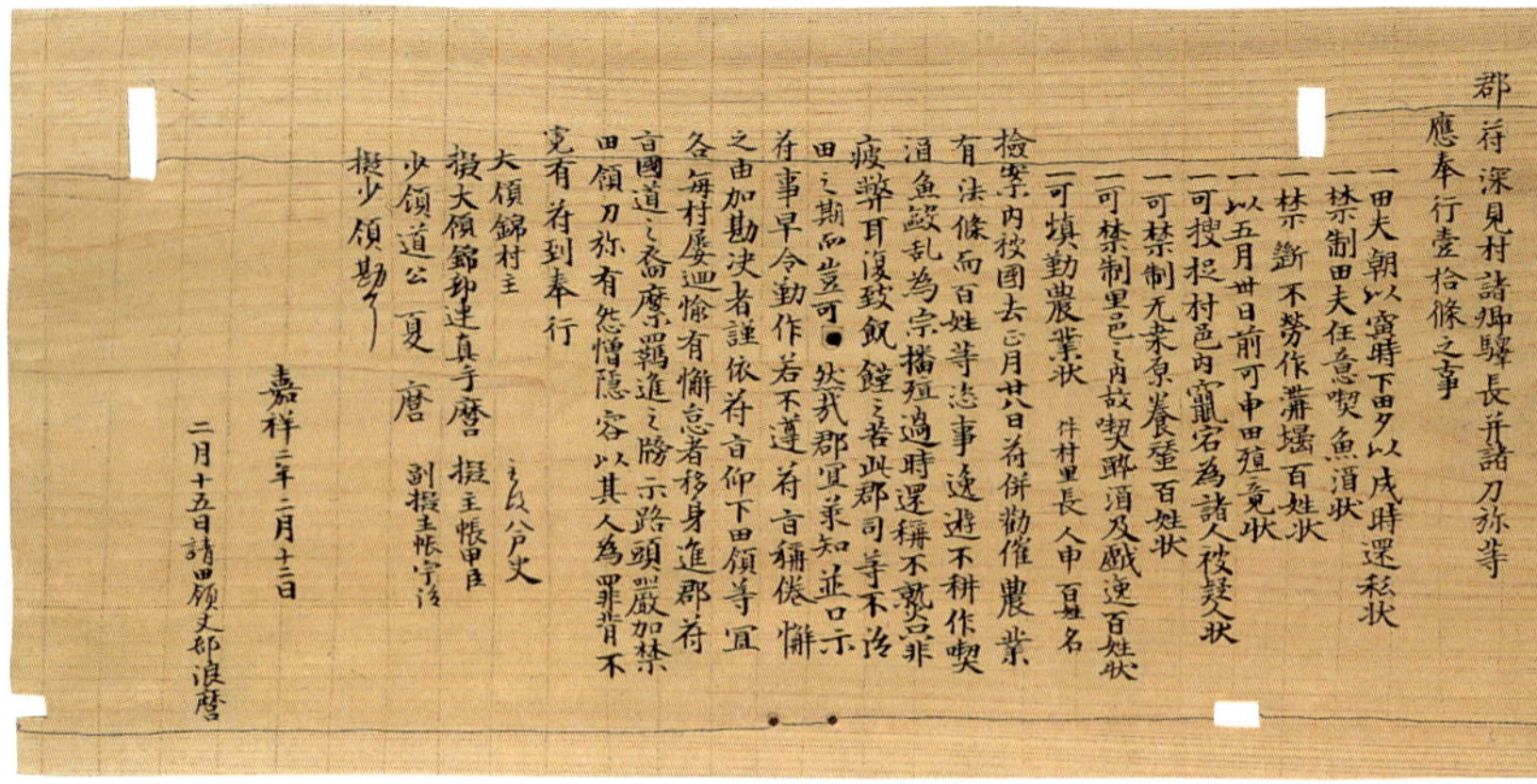
郡符深見村諸郷駅長并諸刀弥等
應奉行壹拾條之事
一田夫朝以寅時下田夕以戌時還私状
一禁制田夫任意喫魚酒状
一禁断不労作溝堰百姓状
一以五月卅日前可申田殖竟状
一可捜捉村邑内竄宕為諸人被疑人状
一可禁制无桑原養蚕百姓状
一可禁制里邑之内故喫酔酒及戯逸百姓状
一可塡勤農業状　件村里長人申百姓名
検案内被国去正月廿八日符併勧催農業
有法條而百姓等恣事逸遊不耕作喫
酒魚毆乱為宗播殖過時還稱不熟只非
疲弊耳復致飢饉之苦此郡司等不治
田之期而豈可然哉郡宜承知並口示
符事早令勤作若不遵符旨稱倦懈
之由加勘決者謹依符旨仰下田領等宜
各毎村屢廻愉有懈怠者移身進郡符
旨國道之裔縻羈進之牓示路頭厳加禁
田領刀弥有怨憎隠容以其人為罪背不
寛有符到奉行
大領錦村主　主政八戸史
擬大領錦部連真手麿　擬主帳甲臣
少領道公　夏麿　副擬主帳宇治
擬少領勘了
嘉祥二年二月十二日
二月十五日請田領丈部浪麿

牓示札復製

【牓示札本文の読み下し】

郡符す。深見村諸郷の駅長幷びに諸刀弥《とね》（禰）等、応《まさ》に奉行すべき壱拾條の事。

一、田夫《でんぷ》、朝は寅《とら》の時を以《もっ》て田に下り、夕は戌《いぬ》の時を以て私に還《かえ》るの状。

一、田夫、意に任せて魚酒を喫《くら》ふを禁制するの状。

一、溝堰《みぞせき》を労作せざる百姓《ひゃくせい》を禁断するの状。

一、五月卅日前を以て、田殖えの竟《おわ》るを申すべきの状。

一、村邑《そんゆう》の内に竄《かく》れ宕《ひそ》みて諸人と為ると、疑わる人を捜し捉ふべきの状。

一、桑原无《な》くして、蚕を養ふ百姓を禁制すべきの状。

一、里邑《りゆう》の内にて故《ことさら》に酒を喫ひ酔ひ、戯逸《ぎいつ》に及ぶ百姓を禁制すべきの状。

一、農業を塡（慎《しん》）勤《きん》すべきの状。件《くだん》の村里の長《おさ》たる人は百姓の名を申せ。

案内《あない》を検ずるに、国の去る正月廿八日の符を被《こうむ》るに併（偁《いわ》）く、「農業を勧催すること法條有り。而《しか》るに百姓等、恣《ほしいまま》に逸遊するを事とし、耕作せず酒魚を喫ひ、殴乱するを宗《むね》と為す。播殖の時を過ぎ、還《かえ》りて不熟と称す。只《ただ》疲弊するのみにあらず。復《ま》た飢饉の苦を致さん。此れ、郡司等田を治めざるの期《ご》にして、豈然《あにしか》るべけんや。郡宜《よろ》しく承知し、並びに符の事を口示《くじ》し、早く勤め作《な》さしむべし。もし符の旨に遵《したが》わず、倦懈《けんけ》の由を称さば、勘決《かんけつ》を加へよ」てへれば、謹しんで符の旨に依り、田領等に仰せ下し、宜しく各村ごとに屢《しばしば》廻《めぐ》らし愉（諭《さと》）すべし。懈怠《けたい》有らば、身を移し郡に進めん。符の旨を国の道の裔《そば》に縻羈《びき》し之を進め、路頭に牓示し、厳しく禁を加えん。田領、刀弥（禰）、怨憎隠容《おんぞういんよう》有らば其人を以て罪と為《せ》よ。背《そ》むくこと寛《かん》有（宥《ゆう》）せず。符到らば奉行せよ。

●伝えられなかった風景
河北潟はかつて、水上交通でにぎわう内海で、豊かな漁場でもあった。昭和三八年以降、埋め立てが始まり、二度とこの原風景は戻らない。

目次

日本の歴史　第二巻

日本の原像

第五章 海の道・川の道を見つめ直す

第八章 辺境世界は古代国家の理想像か

第九章 古代から中世へのターニング・ポイント

日本の原像

はじめに

いま、歴史に学ぶ

現代と歴史

戦前に活躍した東洋史研究者の内藤湖南《ないとうこなん》は、その著作『日本文化史研究』のなかで、つぎのように述べている。

大体今日の日本を知るために日本の歴史を研究するには、古代の歴史を研究する必要は殆《ほとん》どありませぬ。応仁《おうにん》の乱《らん》以後の歴史を知っておったらそれでたくさんです。それ以前の事は外国の歴史と同じくらいにしか感ぜられませぬが、応仁の乱以後はわれわれの真の身体骨肉に直接触れた歴史であって、これをほんとうに知っておれば、それで日本歴史は十分だと言っていいのであります。

現在においても室町時代を大きな転換期と見なし、現代日本の文化や社会のあり方につながるものがあるなどとする考え方が根強く存在している。

それに対して、平成五年（一九九三）七月、東京本郷《ほんごう》の学士会分館で、石上英一《いしがみえいいち》、神野志隆光《こうのしたかみつ》、義江彰夫《よしえあきお》、廣松渉《ひろまつわたる》に私を加えた五人による座談会がもたれた。その座談会は、哲学者廣松渉がつぎのような考え方に基づいて呼びかけ、開催したものである。

現代の日本が抱えている様々な社会的・精神的な問題を根本的に考え直すためには日本の歴

史を遡《さかのぼ》って考える必要がある。特に出発点にあたる日本の古代の歴史を新しい現代的な視点に立って再検討するということが重要ではないか。

残念ながら、廣松渉はその翌年に物故したが、その会は私にとって、みずからの学問を考えるうえできわめて刺激的なものであった。この座談会をきっかけとして、廣松が模索したことを私なりに少しでも探求していきたいと考えたのである。

その試みのひとつが、日本の歴史および現代社会における環境問題を、人と自然とのかかわりの歴史という視点から究明することである。すなわち、自然環境の恵みと脅威が人間生活にどのような影響を与えたか、あるいはまた、人間が環境の改変を通じてどのような問題に直面し、どのように対処してきたかということを、古代から現代まで歴史的に、かつ総合的にみていくことである。

そういう考え方に対して、「現代の環境問題を考えるのに古代史は必要ない。近代以降をみればいい」という意見もある。しかし、それは違う。

たしかに、産業革命以降の人間による自然破壊というものは、前近代社会の比ではない。では、それ以前は人間と自然は和《なご》やかに共生していたのかといえば、じつはそうではない。そのことを知るために、日本の歴史のなかで自然への人間の対応の仕方をみていく必要がある。古代より、人間が自然へどのような行為を起こし、逆にまた自然はどのような影響を人間に与えたのかを探っていくなかで、自然に対する考え方の変遷を知ることは、きわめて重要なことであろう。それは、現代人がなぜ自然と共生できなくなってきているのか、という問いに対する答えのひとつとなる。そうしてはじめて、われわれが自然というものをどのようにとらえていったらいいのかという発想が生まれ、将来の環境問題を考えていくにあたっての根本になる思想が生まれてくるであろう。

これは、なにも自然環境に限ったことではない。

現代社会における国家間の紛争の火種となっている領土問題についても、前近代の歴史研究の必要性が強調されている。たとえば、韓国の漢陽大学教授林志弦《イムジヒョン》（ポーランド史）は、日本の新聞社のインタビューのなかで、つぎのように述べている。

現代社会における緊迫した東アジア情勢を打ち破るためには、「民族主義を超えた歴史を描き出すことが必要」であり、近代国家の枠組みから歴史を見る限り、新しい歴史像は描けない。国家間の対立の原因ともなる国境についても、「近代以前において国境とは点であり、ゾーンだった。漁師たちが漂着する場であったり、文化の交流の場であったりしたのが、国民国家が線を引いたことで領土の認識ができて、紛争の場になった」のである。（「連続インタビュー　歴史認識」『朝日新聞』二〇〇六年五月一〇日掲載より抜粋）

現代の日本が抱えているさまざまな問題――戦争、生と死、宗教、都市など――を根本的に問い直すためにも、古代から現代までの歴史を知る必要があるだろう。

歴史学と資料

いまひとつ重要なことは、歴史学へのアプローチとして、文献・考古・民俗・国文学などの資料を等しく大切にしたいということである。

私自身、発掘調査というものを通じて、つまり考古学との接点から新しい古代史の研究方法を生み出そうという見通しをもって、研究活動を行なってきた。考古学の資料は断片的で、一つひとつの資料から全体像を描くことは非常に難しい。新聞ではよく「古代史を塗り替えるような発見」という報道がなされるが、実際にはそんなことはめったに起こらないのである。断片的な資料を、一つひとつきちんとつなげていく、労多くして功少なしというような地道な作業の結果、やっとなんらかの新しい知見が古代史に関していえることになる。

一方、文献資料のほうは、まとまった資料が存在するので、全体を示すものと見なされることが多い。とくに当時の中央政府が編纂《へんさん》した歴史書は、それだけで完結したかたちになっているので、資料として豊かなものにみえる。したがって、歴史を学ぶ者には、文献資料は総体的なもの、考古学などの個々の資料は断片的なものという考えがあるが、私はこれはたいへんな間違いではないかと思っている。つまり、古代社会を伝えるものとして現代に残されている文献資料も、当時の社会全体からすれば、ほんの断片にすぎない、ということである。今まで、考古学・国文学・民俗学・

自然科学などの学問から生み出された成果を、文献史学が容易に受け入れられなかったのは、そうした考えをもたなかったためではないかと思われる。

古代史に限ったことではない。たとえば近世史においては、古代史に比べ、たいへんな量の文献資料が残っている。だが、膨大な量が残っているからといって、その当時の社会の全体像を問題なく描けるとはいえない。このような認識のうえで、ほかの学問領域の諸成果を受け入れていかないと、新しい歴史学というものは生まれてこないのではないだろうか。

もともと古代史は文献資料が限られているため、具体的な歴史がみえにくい。そのため、現代につながる問題とは切り離されて考えられがちである。しかし、文献資料と同等に、出土資料一つひとつの断片からも、積み重ねていくことによって確な歴史がみえてくるのである。

以上のことをふまえて、ここで、地下から発見されたとてつもない資料を紹介しよう。

ちょうど二〇〇〇年という節目の年に、石川県金沢《かなざわ》市の北、津幡《つばた》町の加茂《かも》遺跡で出土した加賀《かが》郡牓示札《ぼうじさつ》（口絵参照）ほど、私を驚かせたものはなかった。札は長い間屋外に掲示されていたらしく、板の表面が風化し、文字部分のみが墨の防腐作用によって盛り上がった形で、三四四文字が残っていた。それには「朝は寅時《とら》（午前四時頃）に農作業に出かけ、夜は戌時《いぬ》（午後八時頃）に家に帰ること」で始まる生活の心得八か条が記されていた。つまり、この牓示札は一一五〇年前、九世紀なかばの古代の村に立てられていた「御触書《おふれがき》」なのである。

江戸時代のいわゆる「慶安《けいあん》の触書」のなかの「朝は草を刈り、昼は田畑の耕作をし、夜は縄をなうこと」などと類似した表現もみられるが、日本の歴史のなかで、政府が農民に対して、朝から夜まで一六時間にわたり農業に従事するように命じた法令などあっただろうか。古代国家はこうした法令を躊躇《ちゅうちょ》なく発したところに、きわめて特色がある。第九章でとりあげた古代国家の象徴ともいうべき道路・戸籍・貨幣の造作も、社会の成熟による要求ではなく、統一国家の証《あかし》として実施されたところに、牓示札と共通する理念がうかがえる。ただ一点で、古代国家と農民の関係をこれほど意義深く物語る文字資料は、きわめて少ない。日本史上、類例のない画期的な発見である。

また、「農民がほしいままに魚酒を飲食することを禁ずる」という第二条と、「桑畑をもたない村人が養蚕《ようさん》することを禁ずる」という第六条の背後には、社会の変化、動揺がみえる。

第二章で述べるように、古代の稲作は早・中・晩稲《おくて》だけでなく、早稲《わせ》のなかにさらに何種類もの品種が用意され、種籾《たねもみ》を入れた俵《たわら》に日付を記した札が付けられていたことから、五日から七日間隔で種《たね》まきしていたことが明らかとなった。おそらく、有力者は、その日付どおり順調に種まきを実行するための労働力として、多くの貧しい農民をご馳走《ちそう》（魚酒）で誘ったのであろう。この誘いにのって労働力を提供したために、農民はみずからの種まきの適時を逸し、それが不作につながり、結果的にはますます富める者と貧しい者の格差が増すこととなった。没落農民の発生は税収減をもたらすだけに、国家としても放置することができず、第二条に見えるような禁令となったのである。

また、大陸からもたらされた養蚕は、莫大な富を生み出した。第六条からは、養蚕のための桑を買い占める富豪が登場し、貧しい農民が桑を手放し、桑を買い占めた富豪の〝織物工場〟の労働力となっていたことがみえてくる。

この牓示札が掲げられた九世紀は、富士山だけでも三回噴火するなど、日本列島各地で火山爆発と地震が相次いでいた。さらに長雨・疫病・凶作そして飢饉《ききん》が連続した。そのような状況下で、政府は国家の経済的基盤である農業を必死に守ろうとしていたのである。

ところで、加賀郡牓示札は郡符《ぐんぷ》という文書形式で書かれているが、そのあて先は「深見村□〔諸〕郷」とある。この深見《ふかみ》村は、有名な歌人で越中守《えつちゆうのかみ》(国司の長官)であった大伴家持《おおとものやかもち》に歌を贈った越前掾《えちぜんのじよう》(国司の三等官)の大伴池主《いけぬし》が滞在した場所として、八世紀なかばの『万葉集《まんようしゆう》』に登場する。この地は八世紀には越前国であったが、弘仁《こうにん》一四年(八二三)に越前国から加賀国として分立した。加賀国の北端に位置するこの村で、北陸道《ほくりくどう》は越中国と能登《のと》国へと分岐《ぶんき》する。内灘《うちなだ》砂丘に守られた河北潟《かほくがた》は水上交通が盛んで、その港も近くに想定されている。源平《げんぺい》合戦の舞台となった倶利伽羅《くりから》峠も近い。第五章でも触れるように、深見村は交通の要衝であった。

なお、牓示札の大きさは、古代の紙一枚の規格である縦約三〇センチメートル(当時の一尺)、横約六〇センチにほぼ合致する。記された内容は、九世紀にしばしば出された個別の禁令を集めたようなものであり、紙の文書をそのままの体裁で板に書き写している。これは律令《りつりよう》国家が公文書による行政支配を村々にまで徹底させようとしたことを意味している。しかし漢字・漢文で書かれた内容は、当時の村人にわかるはずがない。そこで牓示札には、「村人にその旨を説いて聞かせるように」との郡の下級役人への命令が盛り込まれている。つまり、この牓示札によって、文書伝達と口頭伝達を組み合わせた古代日本の文字文化の特質も、見事に実証されたのである。このように、文献資料だけではわからなかった具体的な歴史の姿が、出土資料を丹念に読み込んでいくことによって明らかになるのである。

この牓示札発見が公表された直後、作家の瀬戸内寂聴《せとうちじやくちよう》は『週刊新潮』連載の「かきおき草子」というコラムで、「平安の立札」として牓示札をとりあげた（二〇〇〇年九月二一日号）。ここでその一部を抜粋し、紹介しておきたい。

最近、伝えられるニュースの中には、いやなものが多い。…ところが、長生きしていると面白いなと思うニュースも、時たまにはめぐり合う。今日も思わず、ほうと、膝を乗り出し新聞を読み直すニュースに出合った。

各新聞が写真入りで報じている平安時代の「牓示札」が、石川県の津幡町加茂から発見されたというのである。…

平安時代には木に墨で書いたお上のお達し条例が街道沿いなどに掲げられていたのだとか。…

源氏物語の六条院の女君たちが、光源氏に正月の晴着を贈られる華やかな場面があるが、倉の中から、その衣裳をつくる反物を運びこませ、源氏が女君たちの個性に合う色や柄を選ぶかげには、一日十六時間働き通している農民たちの苦労があるのだと思うのも、一つの読み方であるかもしれない。

土中の埋蔵物というのはどうやら無尽蔵のようである。

新しい古代史像のために

これからの日本の歴史研究は、幅広い分野の資料と、多角的視点からの分析が不可欠である。そのうえで、研究成果も、各種の出版物、情報メディアによる発信、講演・講座、シンポジウム、さらに展示などによって多様な表現形態を駆使し発信されるべきである。多様な資料、多角的視点、そして研究の共有・公開こそが、歴史学の閉塞を打ち破り、新たな研究の進展を生み出すことは間違いない。

その点からいえば、網野《あみの》善彦《よしひこ》はその新しい歴史研究の扉を開いたひとりといえよう。

網野は昭和四九年（一九七四）、小学館から『蒙古《もうこ》襲来』を出版し、鎌倉時代の権力の頂点から最底辺までをひとつの全体史として、鮮やかに描いてみせた。その後も一連の著作を通して、海民、遍歴職人、芸能民、無縁の原理と原始の自由、生業論、差別論、王権論など、これまでにない新たな着想と構想力によって歴史学に大きな展開を示したのである。こうした網野の研究動向は、従来のもっぱら権力構造と階級関係に主眼を置いた研究では歴史の実体をとらえることができないのではないか、という認識から生まれたものと考えられる。網野がめざした歴史学とは、自身が『日本論の視座』のなかで語ったつぎの言葉に尽くされているであろう。

われわれにとっての最大の課題は、国家の成立よりも遙かに遠い以前からこの列島に生活してきた人びとの社会、海を通じて広く周囲の社会と緊密に結びつきつつ、人類史の一環として列島の諸地域にさまざまな展開をとげた社会、自らの中から、「日本」を国号とする国家だけでなく、複数の国家、あるいは政治的統合体を成立させ、その刺激と影響を受け、またそれに抗し、きびしい緊張関係を保ちつつ、多様な生活をくりひろげてきた人びとの社会とその歴史を、できうる限り隅々まで明らかにし、列島の自然との関わりと、この歴史の中で形成されてきたこの社会の個性を明らかにすることにある。

さらに、網野は歴史学界の現状を批判し、〈これまで単純な「進歩」の追求の中で切り落とされ、見逃されてきた世界の中から人類の豊富な経験と叡智とを余すことなく汲みつくし、未来に生かすことが必要であり、学問の性質上、それを課題として負わなくてはならない現代の歴史学の責任は非常に重い〉と、現代社会における歴史学の役割の大きさを強調したのである。

こうした網野の仕事に対しては批判も多かった。たとえば永原慶二《ながはらけいじ》は、戦後の歴史学研究は、歴史的社会における権力構造と階級関係を直視し、歴史的社会の発展と統合とのかかわりを考えてきたという。それに対して、民俗学を基点とした網野の社会史は、支配―被支配の問題や、社会・国家の統合という高度に政治的な問題を守備範囲外としたとし、高度経済成長の強行による社会的諸矛盾に直面し、物質的生産力の発達がそのまま歴史の進歩と見なしえないと考えるようになったとして批判した。

しかし、現代の日本社会は戦争・環境・都市・宗教・生と死などの社会的、精神的な問題において、人間の根源的崩壊さえ招きかねない現状に立ち至っている。歴史学研究が現代的視点に立って社会や文化の深層に迫る歴史学的問いかけを怠ってきたことも、その一因とみなければならないだろう。網野の功績は、たんに「中世史像を豊かにした」というだけではなく、歴史学研究に対する根源的な問いかけであったと私は受けとめたい。

ただ、網野の研究は、原始的自由、水田中心史観の批判などにおいて端的にみられるように、従来の研究の枠組みそのものを根底から問い直すために、時には一面的強調がみられ、そのために全体像の位置づけが不明確であったり、実証性に乏しい部分も見受けられる。

また、網野が語る古代史像は、いきいきと描き出される中世に対して、律令制に縛られた閉塞感の漂うものである。しかし、彼の描いた中世の躍動感は、じつは古代の律令という大きな枠組みのなかにあったときから、脈々と息づいていたのではないか。

本書においては、以下の構成によって〝日本の原像〟に少しでも迫ってみたい。

第一章　現代日本の枠組みの原点となる「天皇」「日本」の名称は、いつ、いかなる背景のもと定められたのか。あらためてその原像を見極める。

第二章　現在にも続く、米作が国家構造の中核を占めることの原点を古代社会のなかに探り、稲の品種の問題から解き明かす。

第三章　自然と人間とのかかわりを古代から問い直し、日本人の自然認識の歴史を明らかにする。

第四章　自然が生み出す資源を人々がいかに活用したのか。あらためて古代の生産構造と権力者の経済的基盤を解き明かす。

第五章　これまで陸上交通中心に考えられてきた地域間ネットワークについて、海の道・川の道に注目することで、その実態に迫る。

第六章　古代国家の確立過程でその根幹をなしたのは文字による支配である。その文字文化が東アジア諸国間の交流のなかで形成されてきた点を述べる。

第七章　従来必ずしも明らかにされてこなかった、古代国家による中央集権体制のもとでの地域社会の実相を解明し、それが現在の地域社会に連綿とつながる部分があることを検証する。

第八章　古代国家は辺境を設定し、その支配の貫徹に驚くほどの力を注いだ。それはなぜ必要だったのかを考える。

第九章　時代の変革は、従来、政治体制や土地・税制度の変化などから説明されてきたが、より多角的な視点から考えなければならないであろう。社会の表層・深層双方のいくつかの要素から分析を試みる。

本書で扱う日本の原像を形づくるテーマは、結果的に網野が精力的に挑んだテーマ——天皇制、東西論、稲作、海民、文字など——と重なるが、日々掘り起こされる新しい資料や幅広い分野の研究成果を積極的に取り入れ、私なりに新たな視点を提示し、新しい古代史像を描いてみたい。

いま、なぜ歴史学か。日本の現状と未来への展望を注視したとき、今日ほど歴史を学ぶことの大切さを感ずることはないのではないか。現代の日本が抱えているさまざまな政治的・社会的・精神的な問題を根本的に考えなおすためには、日本の歴史を知る必要がある。このたびの小学館『日本の歴史』は、つねに現代的視点と世界史的視野に基づいて、膨大な資料に基礎を置いた高い実証性をもち、一般市民と研究者が《日本の歴史》を共有できる通史であることを、最大の特色としたい。

《歴史が、未来を切り拓く》

第一章

「王」「大王」から「天皇」、「倭」から「日本」

昭和六二年（一九八七）一一月一日の夜、国立歴史民俗博物館の同僚である永嶋正春《ながしままさはる》から、私の自宅に電話がかかってきた。千葉県市原《いちはら》市の稲荷台古墳《いなりだいこふん》群の出土品を調査していたところ、鉄製挂甲《けいこう》（甲《よろい》の一種）の一部と見なされていた約二センチメートル四方の断片に、象嵌《ぞうがん》された一文字（のちに「敬」と判読）がはっきりと確認できたという知らせであった。

もちろん、錆《さび》にすっかり覆われた鉄片の文字は、肉眼ではまったく見えず、X線透過調査によってはじめて確認できるのである。文字が象嵌されているとすれば、明らかに挂甲ではなく、鉄剣《てっけん》や大刀《たち》の一部と判断できる。となると、同じ古墳から出土した鉄剣に、この断片につながる銘文があるはずだ。その予測どおり、鉄剣に「王賜《おうし》」の二文字が鮮やかに刻まれているのを翌二日には確認した。私がヤマト「王」にはじめて接した瞬間であった。

銘文の解読作業はこの日から約二か月間にわたって、通常業務を片付けた夕方から夜にかけて実施された。この稲荷台古墳群出土の鉄剣よりちょうど一〇年前に発見され、驚愕《きょうがく》の反響を呼んだ埼玉県稲荷山《いなりやま》古墳出土鉄剣の銘文、一一五文字に比べると、この銘文の文字数は少なく、推定で表六文字、裏六文字のわずか一二文字程度である。発見当初、それで何がわかるのかという冷ややかな声もなくはなかった。

しかし、この簡潔な文章にこそ、稲荷台古墳「王賜」銘鉄剣の最大の意義があるのである。

この章では、はじめにこの「王賜」銘鉄剣ほか二本の鉄剣・鉄刀の銘文を読み解くことにより、五世紀、中国の王朝から「倭国王《わこくおう》」として承認されたヤマトの王が、「王」と「大王」をどのように使い分けたのかを考えてみたい。

七世紀に入るころから、古代王権は中国の冊封《さくほう》体制から自立しようと試みるが、その結果はどうであったか。このとき、なぜ「王」「大王」ではなく「天子」を使用し、中国側の反発を受けてしまったのか。

つぎに、「天皇」号と「日本」国号について、いつごろ成立し、どのような経緯で使われるようになったのかを検討してみたい。七世紀後半、天智《てんじ》天皇が白村江《はくそんこう》の戦いで唐《とう》・新羅《しらぎ》連合軍に敗れたあと、壬申《じんしん》の乱《らん》に勝利して権力を握った天武《てんむ》天皇は古代国家建設を推進するが、「天皇」「日本」の名称はその過程で創成されたのか。なぜ「王」「大王」ではなく「天皇」なのか。なぜ「倭」ではなく「日本」なのか。なぜ当時の中国的東アジア世界のなかで「天皇」「日本」が認められたのか。

「天皇」号と「日本」国号の成立については、従来より膨大な研究、複雑多岐な解釈が展開されてきており、きわめて難解な問題であることはいうまでもないが、「日本の原像」を描くにあたり、まずはじめに言及しないわけにはいかないので、私見を加えて整理しておきたい。

1

◉「王賜」の象嵌と、X線で映し出された「敬」 当初、挂甲の断片と思われた二〜三cmの鉄片（右上）に、「敬」とそれに続く「安」と思われる文字の一部を確認した。「敬」の特異な書体は、古代中国に類例がある。「王賜」のうち、「王」の二本目の横画は一部が欠損、「賜」は字画を省略した金石文《きんせきぶん》特有の書体。

「王」「大王」号の登場

私と「王」との出会い――「王賜」銘鉄剣

稲荷台古墳《いなりだいこふん》群は千葉県市原《いちはら》市にあり、昭和五一年（一九七六）から五二年までの調査によって、ほぼ五世紀から七世紀にかけて、少なくとも一二の円墳《えんぷん》が形成されたことが明らかになった。この稲荷台古墳群の近くには上総《かずさ》国分僧寺《こくぶんそうじ》および国分尼寺《にじ》があり、この地域が古代の上総における中心地域であったことを物語っている。

また、国分寺の南西約七キロメートルのところには、いずれも墳丘長七〇〜一三〇メートル級の大型前方後円墳《ぜんぽうこうえんふん》からなる姉崎《あねさき》古墳群があり、上海上国造《かみつうなかみのくにのみやつこ》ないしはその前身の勢力の墳墓《ふんぼ》群と想定されている。

鉄剣が出土した稲荷台一号墳は、稲荷台古墳群のなかでは最大の規模をもつ、直径約二七メートル、二段築造の円墳である。墳頂部で木棺《もっかん》直葬の埋葬施設が二基検出されており、短甲（裾《すそ》のない甲《よろい》）・鉄剣・鉄鏃《てつぞく》（矢じり）などの武器・武具類が副葬されていた。稲荷台一号墳の周溝部から出土した須恵器《すえき》の年

稲荷台古墳群の位置

代は、五世紀なかばから後半の早い段階とされ、ともに出土した短甲・鉄鏃などの年代と矛盾がないので、古墳の築造年代もほぼそのころである。いずれにしても、副葬品の組み合わせや須恵器の比較から、「辛亥《しんがい》年（四七一）」銘鉄剣出土の埼玉県稲荷山《いなりやま》古墳より確実に古い。鉄剣にはつぎのように記されている。なお、以下釈文中の□は、書かれている文字が判読できない、または、判然としないが文字があると思われることを示す。また、文字や□に付した（　）は、推定される文字を示す。

〔表〕王賜□□敬□（安）

〔裏〕　此廷□□□□

この銘文の特色として、大きくつぎの三点があげられる。

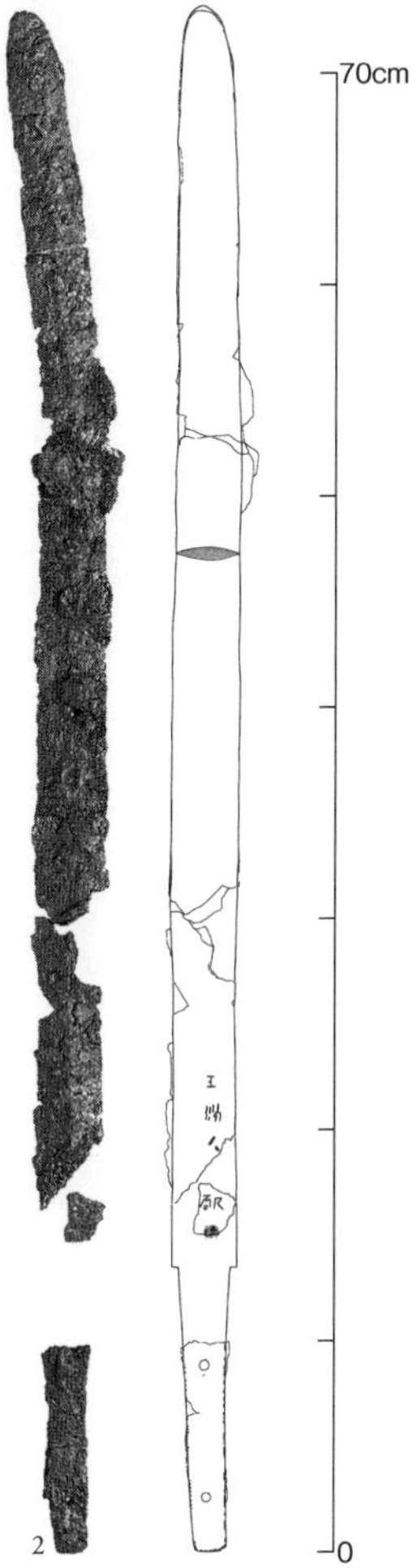

●「王賜」銘鉄剣と復元実測図
木の根が張ったことによって剣身が折れ、四片に分離している。剣の全長は約七三cmに復元できる。剣銘文は剣身の両面に記され、「王賜」のあとに常用句が続く簡潔なものである。

第一に、冒頭に年号・干支《かんし》を欠くことである。これまでに知られている五世紀以前の刀剣銘は、つぎのように、冒頭に年号・干支を記している。

東大寺山古墳出土鉄刀銘　「中平□□五月丙午…」
石上《いそのかみ》神宮所蔵七支刀《しちしとう》銘　「泰和四年□月十六日丙午正陽…」
稲荷山古墳出土鉄剣銘　「辛亥年七月中記…」

このように、ある出来事を記念して剣の授受を行なう場合、年号・干支は不可欠である。また、個人の顕彰を意図する銘文中においても、同様に時期は特定されなければならない。熊本県江田船《えたふな》山《やま》古墳出土鉄刀銘の冒頭「台〔治〕天下獲□□□鹵大王世」は年号・干支を欠くが、ワカタケル（獲□□□鹵）大王の世という表現で、時期を限定・明示している。

こうした事実から考えると、この「王賜」銘文のように冒頭に年号・干支を欠くことは、この鉄剣がある出来事を記念したり、特別に個人の顕彰を目的にしたものではないことを示唆している。また、下賜《かし》対象者を特定していないのは、同文の銘文入り鉄剣を複数の人物に下賜するためであろう。この点こそがこの鉄剣の大きな特徴であり、また、この鉄剣の性格を決定づける重要な要素となっているのである。

第二に、「王」とのみ記し、王の固有名詞がないことである。

王からの下賜刀ならば王名を記すべきであるが、王とだけ表記しても十分に通ずると製作者が判断したところに、大きな意義を認めることができる。

第三に、「王賜」を擡頭《たいとう》させ、文字の象嵌《ぞうがん》を若干太く強調していることである。

擡頭とは、貴人に関する語に敬意を表してそこで改行し、ほかの行より一段上に書くことである。たとえば、中国後漢《ごかん》の西嶽崋山廟碑《せいがくかざんびょうひ》では皇帝名がほかの行より一字分上げられており、また、漢代の居《きょ》延漢簡《えんかんかん》（元康《げんこう》五年詔書冊）では、皇帝の命令書である詔書《しょうしょ》の「制」の字が高く上げられ、擡頭されている。「王賜」が裏面の文より二字分上げられており、しかもこの二文字がほかの文字に比べてやや太く観察されることは、「王賜」を強調していると判断できる。なお、「王賜□□」以下は常用句と思われる。

以上のように、この銘文の主旨は、王が鉄剣を授けたことにある。王の〝下賜刀〟であることを表わす銘文として、わが国で製作された刀剣ではじめての典型的な文型であるといえる。

では、「王」とは誰なのか。また、剣を下賜された

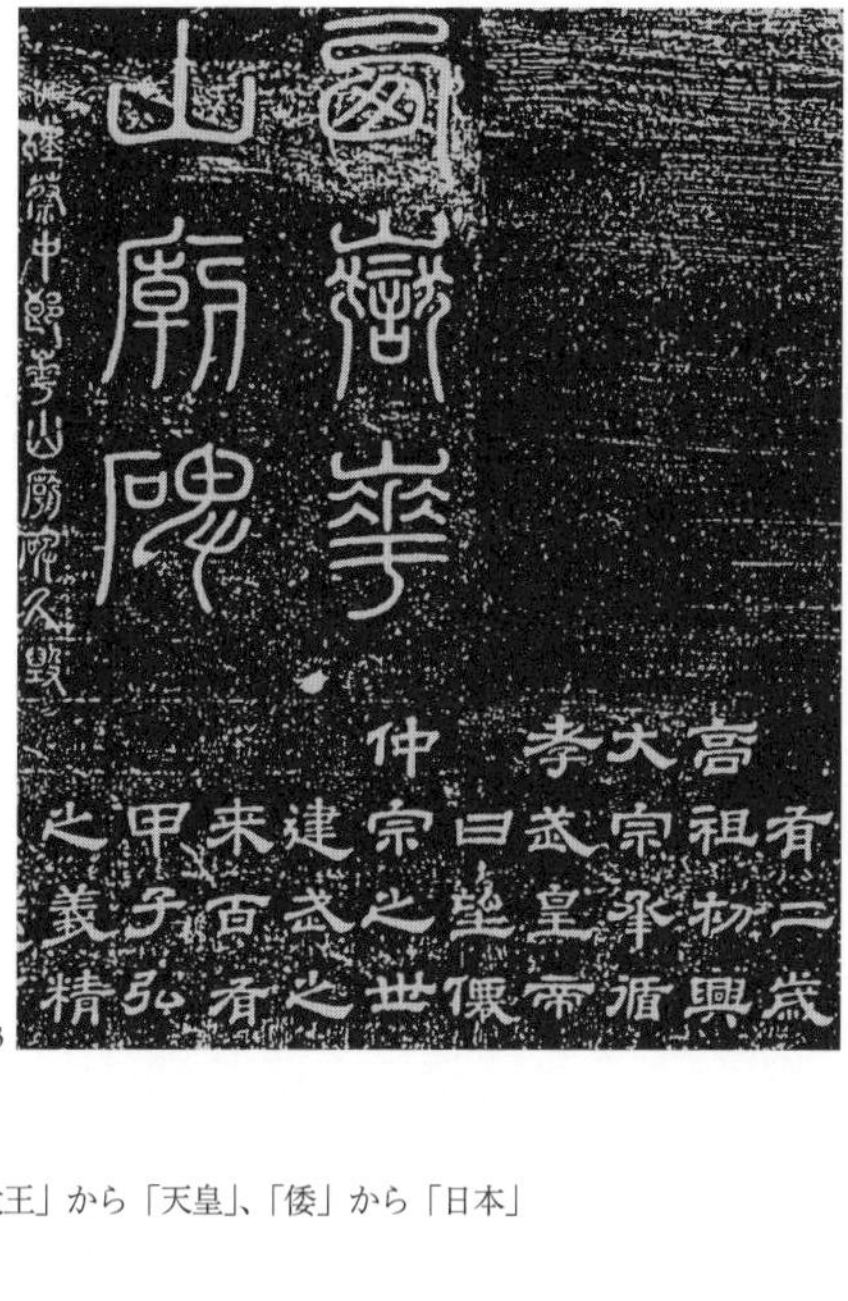

3

◉擡頭の例――後漢・西嶽崋山廟碑
碑は中国・華陰《かいん》県にある西嶽と呼ばれる山を祭る由来を記す。後漢の桓帝《かんてい》の延熹《えんき》八年（一六五）に建立されたが、現存せず、拓本のみ伝わっている。「高祖《こうそ》」「大宗《たいそう》」「孝武《こうぶ》皇帝」「仲宗《ちゅうそう》」の皇帝名が、それぞれ一文字分、上に書かれている。

者は誰なのか。

五世紀にはヤマトの大王は倭国《わこく》を代表し、代々中国の南朝に遣使し、みずからは〝倭国王〟としての地位を中国の王から承認されていた。その点から考えると、五世紀なかばから後半の早い段階において「王」と表記するのは、ヤマトの大王をおいてほかにない。この下賜刀は、銘文に「王」と表記するのみで容易に通ずる範囲内で使用されたのであろう。

「王」をヤマトの大王とした場合、銘文に「大王」ではなく「王」と表記したことの意味も問題となる。この点に関しては、大王号の成立を五世紀後半の雄略《ゆうりやく》朝とすれば、稲荷台鉄剣製作の時点では大王号が成立していなかったともいえる。しかしそれよりも、稲荷山鉄剣・江田船山《えたふなやま》鉄刀の銘文と稲荷台鉄剣の銘文では、大王号成立の有無にかかわらず、基本的な性格が異なるのではないか。つまり、のちに触れる稲荷山鉄剣・江田船山鉄刀の銘文中の「ワカタケル大王」は、ヲワケ・ムリテというそれぞれの刀剣をつくらせた人物が、自分が奉仕した王はたんなる王ではなく「大王」であることを強調したものであり、下賜主体を示す稲荷台鉄剣の「王」とは意図するところが異なると考えられるのである。

つぎに、下賜された人物についても、さまざまなケースが考えられる。

まず、このような〝下賜刀〟がわずか二七メートル規模の円墳から発見されたことから考えて、古墳の被葬者が直接にヤマト王権と政治的関係をもっていたのではなく、この地域の大首長である姉崎《あねさき》古墳群の首長墓の被葬者を介して、ヤマト王権とつながっていたのであろう。

稲荷台古墳の副葬品に、短甲や胡籙《やなぐい》（矢を入れて背に負う道具）をはじめとする武器・武具類が目立つ点、また、この地域には古墳出現期である三世紀なかばの神門《ごうど》三〜五号墳なども存在し、早くからヤマトと交渉のあった点などから考えて、被葬者は武人としてヤマト王権に奉仕し、特別の勲功をあげたためにヤマトの「王」から鉄剣を下賜されたのだと考えられる。

また、「王賜」以下の銘文は、きわめて普遍的、抽象的な内容構成である。このような銘文は、ある特定された人物のために作文された内容ではなく、同一銘文をもつ複数の刀剣が存在したことを予測させる。

このように「王賜」銘鉄剣は、その銘文がわずか推定一二文字ながら、古代国家形成期における王の下賜刀の典型的な文型であり、また、稲荷山古墳に比べてはるかに規模の小さい円墳から出土したことから、今後、同様の銘文をもつ刀剣類が各地から出土することも期待できるであろう。

稲荷山古墳出土鉄剣

昭和五三年（一九七八）、埼玉県北東部の行田《ぎょうだ》市にある稲荷山古墳《いなりやまこふん》から出土した鉄剣に、一一五文字の鮮やかな金文字が発見され、世間を驚かせた。古代史上、戦後最大の発見である。

この鉄剣銘の発見によって、〝古代国家の形成〟や〝古代社会と文字の始まり〟の議論が学界内外で大いに沸騰した。その銘文がもたらした歴史資料としての価値は計り知れない。さらに、文献史学、考古学、国語・国文学の研究者がこぞって議論に参加し、現在の学際的研究の出発点となったことでも、画期的発見であった。

稲荷山古墳は、利根川《とねがわ》と荒川《あらかわ》に挟まれた台地上に立地する埼玉《さきたま》古墳群中にある、全長一二〇メートルの前方後円墳《ぜんぽうこうえんふん》である。

埼玉古墳群は、開墾によって消滅した円墳《えんぷん》や方墳《ほうふん》を含め、南北一キロメートル、東西五〇〇メートルの範囲に、三〇基以上の古墳が密集している。五世紀末の築造と考えられる稲荷山古墳から始まり、七世紀前半とされる円墳の浅間山《せんげんやま》古墳（直径五〇メートル）などで終わるが、このなかには国内最大級を誇る円墳の丸墓山《まるはかやま》古墳（直径一〇五メートル）も含まれている。

稲荷山古墳の前方部は、昭和一二年から一三年にかけての採土工事により消失したが、平成一五年の整備事業により、築造時の姿に復元されている。昭和四三年の発掘調査では、後円部の頂上から礫《れき》槨《かく》と粘土槨の二つの埋葬施設が発見され、金属器が出土した。昭和五三年にこの金属器の保存処理を実施した際、クリーニング作業中に金線の露出した部分が発見され、X線透過調査を行なった結

4

◉埼玉古墳群
埼玉古墳群には、九基の大型古墳が現存している。丸墓山古墳は日本最大の円墳で、このほかはすべて前方後円墳である。銘文鉄剣を出土した稲荷山古墳は、古墳群最古の一基。墳頂部に稲荷社が祭られていたために、この名がある。

果、一一五の漢字からなる金象嵌《ぞうがん》の銘文を確認することができた。

〔表〕辛亥年七月中記乎獲居臣上祖名意冨比垝其児多加利足尼其児名弖已加利獲居其児名多加披次獲居其児名多沙鬼獲居其児名半弖比

（辛亥《しんがい》の年七月中記す。乎獲居《をわけ》の臣。上祖、名は意冨比垝《おほびこ》。其の児、多加利《たかり》の足尼《すくね》。其の児、名は弖已加利獲居《てよかりわけ》。其の児、名は多加披次獲居《たかはしわけ》。其の児、名は多沙鬼獲居《たさきわけ》。其の児、名は半弖比《はてひ》）

〔裏〕其児名加差披余其児名乎獲居臣世々為杖刀人首奉事来至今獲加多支鹵大王寺在斯鬼宮時吾左治天下令作此百練利刀記吾奉事根原也

（其の児、名は加差披余《かさはよ》。其の児、名は乎獲居の臣。世々、杖刀人《じょうとうじん》の首と為りて、奉事し来り今に至る。獲加多支鹵《わかたける》大王の寺、斯鬼《しき》宮に在る時、吾《われ》、天下を左治《さじ》し、此の百練の利刀を作らしめ、吾が奉事の根原を記す也）

銘文の内容は、まずはじめに辛亥《しんがい》の年七月中に記したことを述べ、ヲワケの祖先であるオホビコ

5

◉**稲荷山古墳出土鉄剣**
長さ七三・五㎝。銘文は剣身の両面に金象嵌され、表裏合わせて一一五文字の長文を、剣の中央、鎬《しのぎ》部分に記している。

からヲワケまでの八代の系譜を示し、武人として代々、宮の警護にあたる大王の杖刀人の長として仕えていたことを記している。そして、ワカタケル大王が斯鬼宮にいたとき、ヲワケは天下を治めるのを補佐していたことから、その記念として何回も練り直した立派な剣をつくり、大王に仕えている由来を刻んだという作刀の顚末《てんまつ》が、これに続く。

銘文を刻んだ「辛亥」の年は、長年の研究の結果、四七一年（雄略朝《ゆうりやく》）に落ち着き、六〇年後の五三一年（欽明朝《きんめい》）の可能性は薄れた。

ヲワケの出身については、大きく中央豪族（阿倍《あべ》氏または膳《かしわで》氏の前身集団の首長）説と地域豪族（武蔵国造《むさしくにのみやつこ》の前身集団の首長）説とに分かれており、前者はさらに畿内の有力豪族であるヲワケが鉄剣を武蔵の豪族に与えたとみる下賜説と、ヲワケが将軍として武蔵へ赴任後、当地で没したとみる派遣将軍説とがある。

派遣将軍説については、当時の古墳は被葬者の個人的墳墓というより、豪族に代表される共同体全体のモニュメントという意味合いが強く、派遣将軍など共同体以外の被葬者を安易に想定することはできないと、否定的見解が有力である。

また、多くの研究者がヲワケを阿倍氏や膳氏系の中央豪族ととらえる背景には、その上祖として銘文に現われる「意冨比垝」が『古事記』『日本書紀』に四道将軍のひとりとして登場する大毘古《おほびこ》（大彦）と同名であり、記紀や『新撰姓氏録《しんせんしょうじろく》』に阿倍氏・膳氏らの始祖として記されていることが影響している。この点について、佐藤長門《さとうながと》は、〈記紀以下の史料では孝元天皇の後裔とみえるオホビコであるが、この鉄剣ではいまだ大王系譜に連なっていない。この鉄剣にみえる「意冨比垝」を伝承上の英雄（偉大な男、勇者）を意味する普通名詞的名称と解し、のちに固有名詞化して阿倍氏らの始祖となるオホビコとは次元が異なるととらえたい〉と、ヲワケの中央豪族説を否定する見解を発表している。

このことからも、ヲワケはこの地域の豪族と考えるのが妥当であろう。

ところで、中央豪族説のもっとも大きな論拠は、銘文中の「斯鬼の宮に在る時、吾、天下を左治し」の表記である。中央豪族説を主張する研究者は、「かなりの誇張があるとしても、五世紀後半に東国出身の人物が、ワカタケル大王のもとで天下を『左治』することがありえただろうか」と、地域豪族説を疑問視している。

しかしながら、稲荷山鉄剣の銘文には、〝大王からの下賜刀あるいは杖刀人の首からの下賜刀〟を示すような直接的な授受関係の文言はない。むしろ中国に例をみない長文であることは、みずからを顕彰する意図のもとに作刀させたからであろう。「吾、天下を左治し」は、ヲワケのような東国豪族が、杖刀人として大王の宮を警護したことを誇らしげに表記したものである。

江田船山古墳出土鉄刀

稲荷山《いなりやま》古墳の「辛亥年《しんがい》」銘鉄剣が発見されたことにより、明治六年（一八七三）に発見された江田《えた》船山《ふなやま》古墳出土の「台（治《ち》）天下《てんか》」銘鉄刀の読みと歴史的意義が、にわかに注目されることとなった。

江田船山古墳は、熊本県玉名《たまな》郡和水町《なごみまち》の菊池川《きくちがわ》左岸段丘上にある全長六二メートル、後円部径四一メートルの前方後円墳《ぜんぽうこうえんふん》で、五世紀後半から六世紀初頭の築造とされる。この鉄刀は、古墳が明治六年に発掘された際、後円部の横口式家型石棺《よこぐちしきいえがたせっかん》内から金銅製の冠帽《かんぼう》や沓《くつ》、金製の垂飾付《たれかざりつき》耳飾《みみかざり》、画文帯神獣鏡《がもんたいしんじゅうきょう》や多数の武具・馬具などとともに出土した、一四本ある大刀《たち》のうちの一本である。形状は直刀で茎《なかご》（刀身の柄《つか》にはいった部分）の大半を欠いており、現存長で九〇・九センチメートルある。

発掘当初から刀背部分に銀象嵌《ぞうがん》の銘文があることは知られていた。書風は隷書《れいしょ》と楷書《かいしょ》を混交したもので七五字あり、文字のほかにも刀身側面の両側に、馬形・花形・魚形・鳥形の文様が象嵌されている。銘文には欠損部分もあって、釈読《しゃくどく》にはいくつかの説があるが、平成三年（一九九一）に施された最新の保存処理に基づく読みは、つぎのとおりである。

台〔治〕天下獲□□□鹵大王世奉事典曹人名无□〔利〕弖八月中用大鉄釜并四尺廷刀八十練□〔九〕十振三寸上好
□〔刊〕刀服此刀者長寿子孫洋々得□恩也不失其所統作刀者名伊太□〔和〕書者張安也

（天《あめ》の下治《したし》らしめしし獲□□□鹵《わかたける》大王の世、典曹《てんそう》に奉事せし人、名は无利弖《むりて》、八月中、大鉄釜を用い、四尺の廷刀を幷《あ》はす。八十たび練り、九十たび振《う》つ。三寸上好の刊刀なり。此の刀を服する者は、長寿

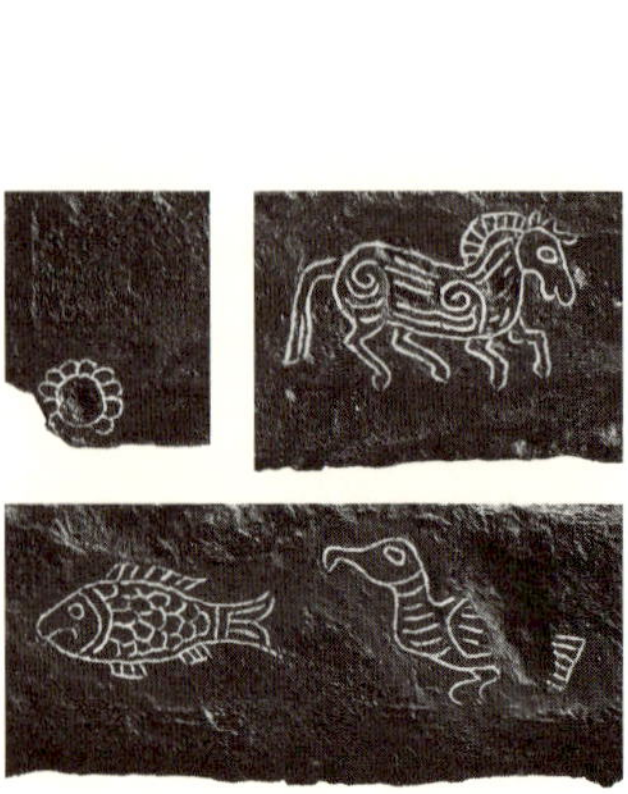

6

◉江田船山鉄刀に施された文様
文様は刀身片面に馬形と花形、反対面に魚形と鳥形が配されている。馬形は全長約四㎝で、ほかの文様よりやや大型である。魚形と鳥形は、平成三年の修理事業で、X線透過調査により新たに発見された。

にして子孫洋々、□恩を得る也。其の統《す》ぶる所を失わず。刀を作る者、名は伊太□〔和〕、書する者は張安也）

この銘文の意味は、ワカタケル大王の治世下に奉事した典曹人のムリテが、長寿と子孫繁栄、統治権の安泰を願って作刀させたというものである。銘文中の「典曹人」は「役所の文書をつかさどる人」を意味し、文官を指すのであろう。この銘文は、稲荷山鉄剣のヲワケと同様に、大王に奉仕したムリテを顕彰する意図がうかがわれ、ムリテが自己の功績を称《たた》えるためにつくらせた顕彰刀とみることができる。

国土統一と鉄剣・鉄刀銘

稲荷台古墳（千葉県）、稲荷山古墳（埼玉県）そして江田船山古墳（熊本県）などがつくられたのは、五世紀なかばから後半の古墳時代中期である。同時期には、全長四八六メートルと日本最大の

7

◉江田船山鉄刀の銘文
銘文の冒頭には「台天下獲□□□鹵大王」とある。「獲□□□鹵大王」は稲荷山鉄剣銘に現われる「獲加多支鹵大王」と同一であろう。

規模を誇る大山古墳《だいせんこふん》（仁徳天皇陵《にんとくてんのうりょう》）をはじめ、ヤマト王権の大王墓と考えられる巨大古墳が、大和《やまと》や河内《かわち》に築造されている。この時期の大王は中国の南朝に朝貢しており、その名が中国の史書に讃《さん》・珍《ちん》・済《せい》・興《こう》・武《ぶ》として現われる、倭《わ》の五王である。

倭の五王のひとり「武」が宋《そう》に送った上表文には、「昔より、祖禰《そでい》躬《みずか》ら甲冑《かっちゅう》を擐《つらぬ》き、山川を跋渉《ばっしょう》し、寧処《ねいしょ》に遑《いとま》あらず。東は毛人を征すること五十五国。西は衆夷《しゅうい》を服すること六十六国。渡りて海北を平《たいら》ぐこと九十五国」とある。昔から、祖先みずから甲冑を身に着け、山を越え川を渡って歩きめぐり、落ち着く暇もなかった。東方五五国、西方六六国、さらに海を渡り北方九五国を征服したという。この文章はもちろん中国の古典を参考につくられた征服物語であるが、五世紀当時の倭国《わこく》王《おう》の征服活動を骨子とするものであろう。

この記事に符合するように、ワカタケル「大王」（雄略《ゆうりゃく》天皇＝武）銘が、東は稲荷山古墳の鉄剣、西は江田船山古墳の鉄刀に見える。また、それに先立って、稲荷台古墳の鉄剣には「王賜《おうし》」と書かれているのである。

このことは、ヤマトの「王」の支配力がヤマトから遠く離れた東西の地域にすでに及んでおり、ヤマト王権の国土統一がかなり進んでいたことを具体的に示している。

「王」「大王」から「天皇」へ

天武朝以前に「天皇」号は存在したか

五世紀の倭国王《わこくおう》は、稲荷山古墳《いなりやまこふん》出土鉄剣や江田船山古墳《えたふなやま》出土鉄刀の銘文にみられるように、仕え奉っている人からは「大王」と呼ばれていた。しかし、稲荷台古墳から出土した鉄剣銘に「王賜《おうし》」と見えるように、倭国王自身は日本列島の内外で「王」と名のっていたのである。

大王はキミの上に位するオオキミであるという理解もある。しかし大王という称は、オオキミという和語と直接結びつくのではなく、独自に漢字の成語として成立したものであろう。その理由としては、オオキミに対するあて字ならば「大王」に限らず「大君」「大公」などであってもよいのに、称号としては大王が一般的であること、大王だけでなく王一字でもオオキミと読まれること、言語の異なる朝鮮諸国でも大王の称号が用いられていることなどがあげられる。中国の冊封《さくほう》体制下において、ヤマト王権や朝鮮諸国の君主は中国から「王」には封ぜられるが、「大王」という独自の地位があるわけではない。結局のところ、「大王」は、王に封ぜられた君主をあくまでもその支配圏内で尊んだ称号である。

六世紀になると、わが国の君主は、少なくとも国内では「大王」と呼ばれるのが一般化していたとみられている。それでは、「天皇」号はいつ成立したのであろうか。

ちょうど西暦六〇〇年（隋《ずい》の開皇《かいこう》二〇年）、倭国は隋《ずい》の都大興《だいこう》城《じょう》（長安《ちょうあん》）に使者を派遣した。四七八年に倭王武《ぶ》が宋《そう》に通交して以来、約一二〇年ぶりの中国への使者である。『隋書《ずいしょ》』倭国《わこく》伝《でん》にそのときの様子が記されている。

開皇二十年、倭王、姓は阿毎《あめ》、字《あざな》は多利思比孤《たりしひこ》、号は阿《お》輩雞弥《ほきみ》というものありて、使を遣して闕に詣る。上《しょう》（文帝）、所司《しょし》をして其の風俗を訪《と》わしむ。使者言《い》わく、「倭王は天を以《もっ》て兄と為《な》し、日を以て弟と為す。天未《いま》だ明けざる時、出でて政を聴き跏趺《かふ》して坐《ざ》し、日出づれば便《すなわ》ち理務を停め、云う、我が弟に委《ゆだ》ねんと」。高祖《こうそ》（文帝）曰く、「此《こ》れ太《はなは》だ義理なし」と。是に於て訓《さと》してこれを改めしむ。

遣隋使は国書を持参しなかったため、倭国内の政治や社会状況などを尋問された。当時の倭王はオホキミアメタリシヒコと名のったが、オホキミは大王、アメタリシヒコは「華言《かげん》は天児《てんじ》なり」と注釈があることから、「天下《あめくだ》られたお方」を意味するもので、天孫降臨の思想を背景に確立した称号であると推測されている。

7世紀初頭の東アジア

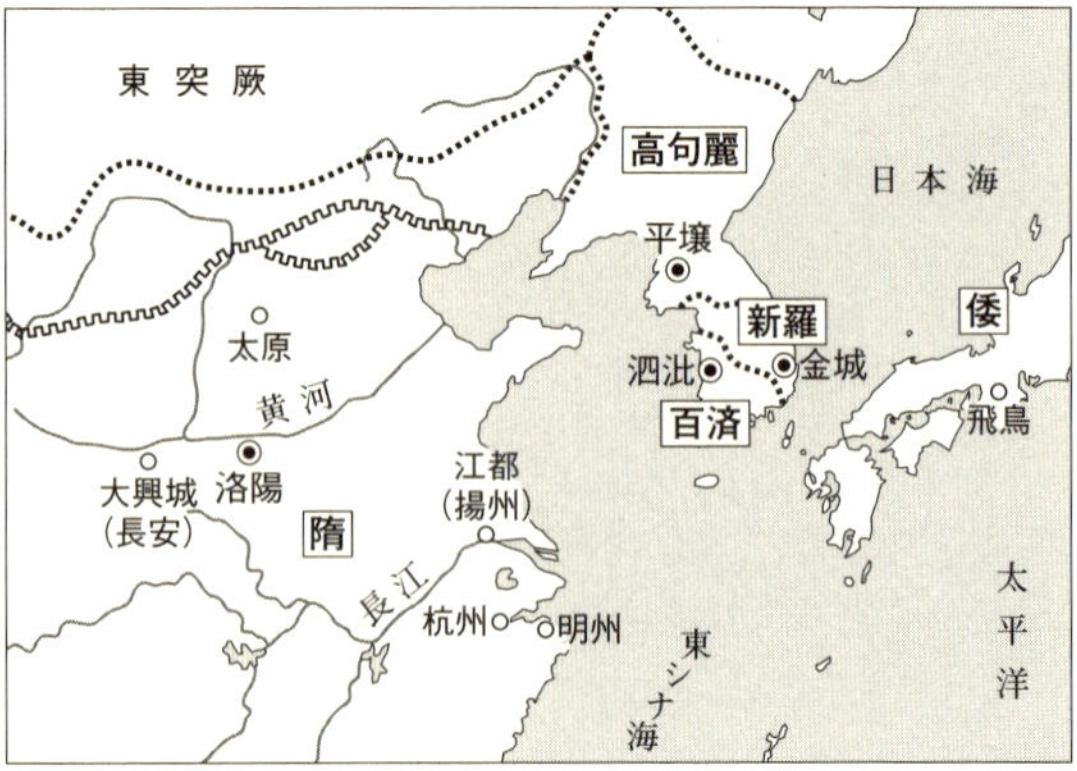

六〇七年に派遣された小野妹子《おののいもこ》は国書を携行した。その国書には、「日出ずる処の天子、書を日没する処の天子に致す。恙無《つつがな》きや云々《うんぬん》」と書かれていた。この国書を見て皇帝の煬帝《ようだい》は怒り、「蛮夷《ばんい》の書、無礼なる者有り。復《ま》た以て聞《ぶん》する勿《なか》れ（今後は取り次ぐな）」と、外交の折衝役にあたる鴻臚寺《こうろじ》の長官に語った。

これは、中国の皇帝と同じ「天子」を蛮夷の国である倭国王が名のっており、そのことを無礼としたのである。推古朝《すいこ》（五九二〜六二八）の倭国の外交政策は、かつての倭の五王時代とは異なって、中国の冊封体制を離脱して対等関係を結ぼうとしたものであった。煬帝は天子という対等関係を記した国書を許さなかったが、それにもかかわらず翌六〇八年に隋の官人裴世清《はいせいせい》が倭国に派遣されたのは、隋と対立していた高句麗《こうくり》が倭国と通交していることに警戒を示し、倭国を隋の秩序にとどめようとしたためとみられている。その後、裴世清は帰国したが、このときの記事は『日本書紀』に、以下のように記されている。

唐《もろこし》の客に副《そ》へて遣《つかわ》す。爰《ここ》に天皇、唐の帝を聘《とぶら》ふ。其《そ》の辞《ことば》に曰《いわ》く、

「東の天皇、敬みて西の皇帝に白《もう》す。…」

ここには「天皇」の語が用いられている。しかし、この国書はあくまでも八世紀に編纂《へんさん》された『日本書紀』に記載されたもので、中国側の史料によるものではなく、「天皇」などの用字はあとか

ら改められた可能性が高い。隋の時代の中国を「唐」と表記したのも、同様の改変である。

さらに「天皇」号が使われた例として、聖徳太子《しょうとくたいし》ゆかりの日本最古の刺繡《ししゅう》作品である天寿国繡帳《てんじゅこくしゅうちょう》の銘文があげられる。この繡帳に記された四〇〇字にのぼる銘文は、推古天皇三〇年（六二二）に聖徳太子が薨《こう》じてのち、その妃である橘大郎女《たちばなのおおいらつめ》が、太子往生のさまを図像によって見ることを発願《ほつがん》したという来歴を示す。銘文冒頭の「斯帰斯麻　宮治天下　天皇」（斯帰斯麻宮《しきしまのみや》に天《あめ》の下治《したし》ろしめしし天皇）をはじめ、「天皇」号が数か所に用いられており、この作品が推古朝に制作されていたとすれば、天皇号が推古朝ごろには成立していた確証となる。

しかし、東野治之《とうのはるゆき》はその研究により、現在伝わる天寿国繡帳の制作年代は天武《てんむ》・持統《じとう》朝ごろであること、この繡帳は推古朝末年につくられた古い繡帳の図様や銘文を下敷きにして制作された可能性があることを明らかにしている。したがって、天寿国繡帳の「天皇」号記載をもって、「天皇」号が推古朝に成立したとはいえないのである。

以上のように、推古朝では国内的には「王」および「大王」、対外的には「天子」を用いており、「天皇」号の推古朝使用開始は想定できない。

推古朝以降も、「天皇」号がいつから用いられたのかについては、じつに多くの議論がある。天智《てんじ》朝使用開始説は、天智朝の干支《かんし》年紀（丙寅《へいいん》年〈六六六〉、戊辰《ぼしん》年〈六六八〉）をもつ大阪府羽曳野《はびきの》市野中寺《やちゅうじ》弥勒《みろく》像《ぞう》銘や、同府柏原《かしわら》市船王後《ふなのおうご》墓誌《ぼし》銘《めい》に「天皇」号が見えることを論拠としている。

野中寺弥勒像銘

丙寅年四月大旧八日癸卯開記　栢寺智識之等　詣中宮天皇大御身労坐之時　誓願之奉弥勒御像也　友等人数一百十八　是依六道四生人等　此教可相之也

（丙寅の年四月大、旧の八日癸卯《きぼう》開に記す。栢寺の智識等ら、中宮天皇〔斉明《さいめい》天皇〕の大御身《おおおんみ》労《いたつ》き坐しし時に詣《いた》り、誓願し奉る弥勒の御像也。友ら人数一百十八、是に依りて六道の四生の人ら、此の教に相《あ》ふ可き也）

しかし、この二つの銘文は天智朝の年紀を含んではいるが、実際に刻まれたのは天武・持統朝以降とされている。たとえば野中寺像の銘の場合、元嘉暦《げんかれき》（五世紀中ごろ〜文武《もんむ》天皇元年〔六九七〕）による暦日を「旧」としているのは、それが唐の儀鳳暦《ぎほうれき》を新たに採用した持統天皇四年（六九〇）以降のものだからである。したがって、「天皇」号の天智朝使用開始説も、やはり想定できない。

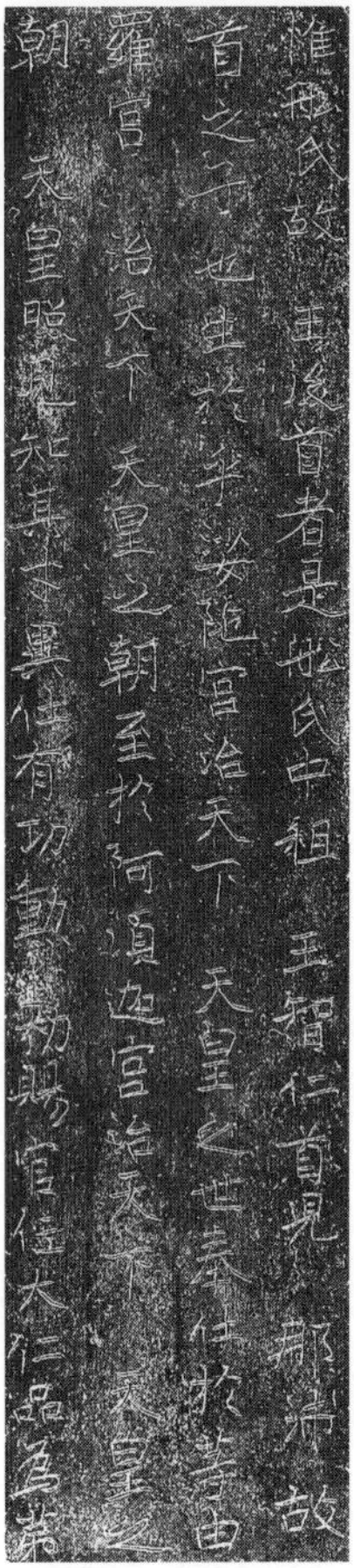

8

◉船王後墓誌銘
江戸時代に柏原市の松岳山《まつおかやま》から出土したと伝えられる。銅板製で、表裏に計一六二文字が刻まれ、船王後の出自から埋葬までが記されている。王後は敏達《びだつ》朝に生まれ、推古・舒明《じょめい》朝に仕えた。二行目に敏達を指す「乎娑陁宮《おさだのみや》治天下天皇」の文字が見える。

一方、「天皇」号の使用開始が天武朝以降であることを裏付ける積極的な根拠は、いくつかあげることができる。

第一に、持統天皇三年頒布の飛鳥浄御原令《あすかきよみはらりょう》によって、それまで「大后」とされてきた君主の妻が「皇后」と呼ばれるようになったことである。さらに、飛鳥宮跡から右下の「大津皇」など大津《おおつ》皇子のことを記した木簡《もっかん》が出土した。これらは天武天皇一〇年(六八一)前後の木簡であるという。これが正しければ、六八一年前後には「王子」の表記として「皇子」という語を使っていたわけで、国王には「天皇」という表記が使用されていたと推測される。

中国では「后」は元来、天子の妻を指したが、秦《しん》・漢《かん》以降は「皇后」がこれにとってかわり、「后」のほうは王の妻を指すようになった。「大后」はその「后」を尊んだ称である。したがって大后は大王号と対《つい》をなす称号であり、代々新羅《しらぎ》国王として冊封《さくほう》を受けた新羅の君主の妻も「大后」と称されている(韓国慶州《キョンジュ》・皇福寺石塔発見青銅函蓋銘)。「大后」が「大王」の場合と同様、たんに和語のオオキサキを漢字化した語でないことは、このことからも明らかであろう。したがって后妃の称号からいうと、飛鳥浄御原令以前の君主は、正式にはなお皇帝・天子ではなく王の位置にあったも

9

◉木簡に記された「大津皇」「天皇」の文字
天武朝の国家的な工房跡である飛鳥池遺跡からは、銅銭「富《ふ》本銭《ほんせん》」などとともに、天皇・皇族にかかわる木簡が出土している。左の「天皇聚□弘寅□」の木簡は、現在のところ、確実に「天皇」の語を記す史料としてもっとも古いものである。

のとみなければならない。このように考えると、わが国の君主の称号が公式に「天皇」と定められたのは、「皇后」の呼称の使用時期と同様、飛鳥浄御原令においてであったと考えられる。

第二に、唐《とう》の高宗《こうそう》が六七四年（上元《じょうげん》元年、日本の天武天皇三年）に皇帝の号をやめ、「天皇」を称したことである。中国で現実の君主の称号として「天皇」が使われるようになった結果、これをわが国の君主にも当てはめたとみることができる。ただし、この説についてはさらに検討したい。

則天武后と「天皇」号の使用開始

当時の東アジア世界において、中国の占めた地位は圧倒的である。わが国の君主が「天皇」を称するに至る経緯についても、中国との関係を考えてみなければならない。

当時の中国の実情は複雑である。

六四九年、唐《とう》の高宗《こうそう》が即位する。そののち、則天武后《そくてんぶこう》が高宗の後宮に入り、六五五年には武后が皇后に冊立《さくりつ》される。

六六四年、高宗は武后が道士（道教の僧）を宮中に出入りさせて厭勝《えんしょう》（まじない）をさせたことに怒り、武后を廃位しようとしたが、武后は反撃に出て、廃位の詔勅《しょうちょく》を起草した宰相上官儀《さいしょうじょうかんぎ》を獄に下した。この事件ののち、高宗が政務を執るときには武后が背後の簾《すだれ》の内からあれこれ指図するようになった。いわゆる「垂簾《すいれん》の政」がしかれ、政治の大権はすべて武后に帰し、高宗はこれを傍観するだけとなったのである。天下の人は高宗と武后を並べて「二聖」と呼ぶようになった。つまり、三〇年余に及んだ高宗の治世は、最初の数年を除けば、実質的には武后によって動かされたといってよい。

こうした状況下、六七四年、唐朝は高宗を「天皇」、武后を「天后」と称することとした。この改正はもちろん、則天武后によるものである。武后が国号や官職号などの用語の変更に異常なほどの熱意を示したことはよく知られており、この施策も則天武后ならではのものと理解できる。

天皇という語は、本来、宇宙を統治する天帝という意味である。道教思想においては北極星が神格化されて「天皇《てんこう》大帝」と呼ばれ、六世紀後半まで宇宙の最高神の地位を占めている。武后は晩年、不老長寿を願ったためか道教に傾倒したといわれている。そのために武后が「天皇大帝」から「天皇」号を用いたという可能性はあるだろう。

また、注意しておきたいのは、武后は皇帝より一階級下げた意味で「天皇」号を定めていることである。このことは、高宗が六七五年に武后の怒りを受けて毒殺された太子《たいし》弘《こう》へ「孝敬《こうけい》皇帝」の諡《し》号《ごう》を贈ったこと、また、六九〇年には武后みずから「聖神皇帝」と称していることからも明らかである。中国では、「天皇」号

10

◉唐・乾陵
中国陝西《せんせい》省乾県の梁山《りょうざん》の山上にある、高宗と則天武后の陵墓。絶大な権勢を誇った武后が造立した。唐の皇帝陵はすべて都長安の北方にある。

は「皇帝」の称号より下位に位置づけられたのである。

中国における「天皇」号がそのような位置づけであるならば、わが国が「天子」「大王」にかわって「天皇」号を使用しても、中国にとってはなんら不都合ではない。

しかし、もし仮に「天皇」号が七世紀初頭の推古《すいこ》朝にはじめて用いられたとすれば、中国ではそれ以降の六七四年になって、皇帝高宗が倭国《わこく》と同じ「天皇」号を使用したことになる。当時の東アジア情勢から判断して、このような想定はありえない。むしろ中国の唐朝とわが国において、七世紀後半にほぼ同時的に「天皇大帝」から「天皇」号を創始したとすれば、十分に可能性はあろう。

七世紀に入り、倭国が中国的世界からの自立を試みたとしても、その段階においてはまだ中国的世界は厳然と存在した。国号と同様、「天皇」号も中国の承認を必要としたであろうことは否定できない。以上の点からも、天皇号の推古朝使用開始説は、やはり成り立ちがたいのではないか。

道教思想の影響

わが国において、天武《てんむ》朝に唐《とう》と同様に「天皇」号を使用しはじめたとすれば、道教思想との関係を考えなければならない。ただ、研究者のなかには、天皇制の内実にはほとんど道教的な要素はなく、むしろ道教の輸入は意識的に避けようとしたという見解もある。しかし、天武朝と道教の関係については、新川登亀男《しんかわときお》により、つぎのような説得力のある解釈が発表されている。

ヤマト王権による古代国家を確立する過程で、みずからの深奥にはらんでしまったのが道教、もしくは道教的なものである。「浄《きよ》い」「浄らか」の価値は天武の時代からつくりだされ、広められようとした。天武天皇二年（六七三）、壬申《じんしん》の乱《らん》に勝利した天武天皇は、飛鳥浄御《あすかきよみ》原《はら》宮で即位した。飛鳥浄御原宮という宮号を正式に定めたのは天武天皇の危篤の最中であり、同時に朱《あかみ》鳥元《とりのはじめのとし》年という年号もたてられた。天武天皇一四年には明位《みょうい》・浄位《じょうい》の冠位ができた。この明位・浄位の語の由来は、文武《もんむ》天皇が六九七年に即位した時の宣命《せんみょう》で「明《あか》き浄《きよ》き直《なお》き誠《まこと》の心を以て…務め結《しま》りて仕《つか》へ奉《まつ》れ」と述べているように、天皇の治める国家の役人がすべからく持つべき勤務の心映えを、「明き浄き」心としたことである。朱鳥建元は宮号命名と抱きあわせて「浄く」あり続ける天皇と役人らの勤務関係の永続をこい願うとともに、邪気をしずめるという赤色の呪術力を呼び起こそうとしたものである。

それより以前、壬申の乱（六七二年）の際に、漢《かん》の高祖《こうそ》が赤帝（夏をつかさどる南方の神）の子であると自負して旗幟《きし》に赤を用いたことに倣い、大海人皇子《おおあまのおうじ》（天武天皇）方の軍は旗に赤色を用いたとされている。天武天皇は和風諡号《しごう》を天渟中原瀛真人《あまのぬなはらおきのまひと》という。諡号とは死後にその事績を顕彰する意味を込めて天皇などに贈られる尊号であり、和風と漢風がある。瀛真人とは瀛州《えいしゅう》に住む真人《しんじん》という意味であり、瀛州は中国からみて東海に位置する、仙人の住む海中の三神山のひとつである。また、道教では人の世と世界の根源的真理を「道《タオ》」といい、その「道」の真理を体得した人間を真人という。この天武天皇の和風諡号からも、明らかに道教思想の影響が読みとれる。

天皇の和訓はスメラミコトであるが、「スメラ」は「澄む」に由来し、聖別された称号であるという説が有力である。この「スメラ」は飛鳥浄御原宮の宮号命名、朱鳥建元などに強調される清浄を尊ぶ思想とも照応している。森公章《もりきみゆき》がすでに指摘しているとおり、七世紀初頭の『隋書《ずいしょ》』倭国伝《わこくでん》にみられるように、ヤマトの大王は天子またはアメタリシヒコと称していたが、天武朝に至ってこのアメタリシヒコから「清浄な神」スメラミコト＝天皇へと昇華したと理解できる。

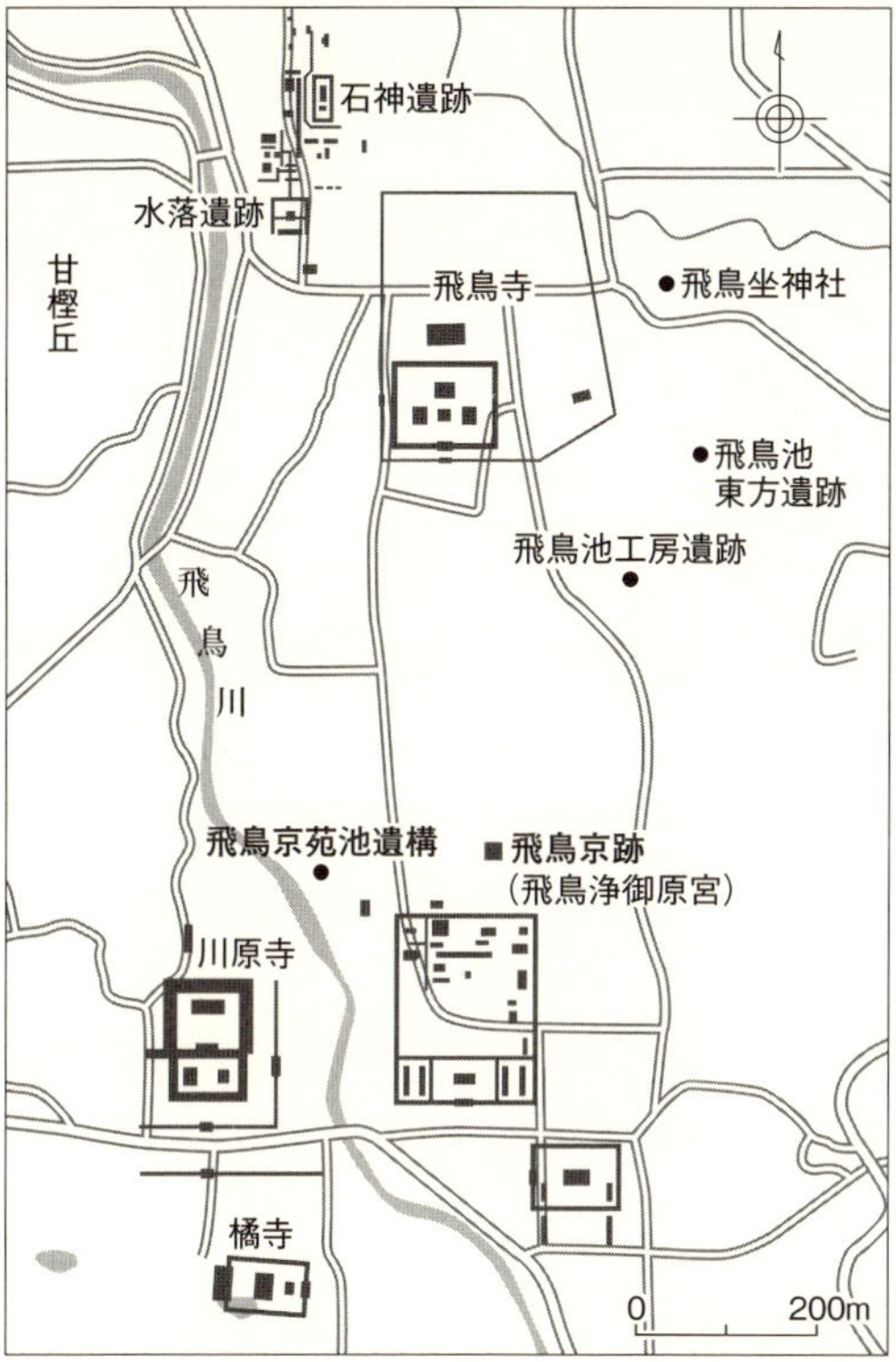

◉飛鳥浄御原宮周辺図
飛鳥浄御原宮は、天武・持統天皇の二代にわたる皇宮である。宮殿は斉明《さいめい》天皇が建てた後飛鳥岡本宮《のちのあすかおかもとのみや》を整備し、拡張したものであると考えられる。

「日本」という国号

遣唐使と「日本」

『続日本紀《しょくにほんぎ》』慶雲《きょううん》元年（七〇四）七月一日条によれば、大宝《たいほう》二年（七〇二）に出発し、慶雲元年に帰国した遣唐使《けんとうし》粟田朝臣真人《あわたのあそんまひと》は、つぎのように報告している。

「はじめ唐に着いたとき、『どこの国からの使いか』と尋ねられ、『日本国の使いである』と答えた。『ここはどの州の管内か』と尋ねたところ、『ここは大周楚州《だいしゅうそしゅう》の塩城県の地である』という。以前には大唐であったのに、今は大周というのはどうしてかと問うと、皇太后（則天武后《そくてんぶこう》）が即位して、みずからを聖神皇帝と称し、国号を大周としたということであった。問答が終わったのち、唐の役人は『海の東に大倭国《だいわこく》がある。その国は君子国だといい、人民は豊かで楽しんでおり、礼儀もあつく行なわれていると聞いていたが、いま使いの人を見ると、よく礼にかなったかたちを整えており、信じないわけにはいかない』と言った」

この記事を見ると、唐（大周）の現地の役人は今までどおり「大倭国」と呼んでいるが、真人ら大宝の遣唐使は「日本国」を名のっている。武后がそれを承認して以後、「大倭国」から正式に「日本国」となったのであろう。それは、つぎのことからも確かめられる。

平成一六年（二〇〇四）に中国の西安《シーアン》で発見された遣唐使の墓誌が、大きな反響を呼んだ。この墓誌には、井真成《せいしんせい》という日本人留学生の功績が刻まれていた。それによれば、井真成は養老《ようろう》元年（七一七）の遣唐使とともに一九歳で入唐《にっとう》し、一七年間在唐したことになる。この養老の遣唐使は、阿倍《あべの》仲麻呂《なかまろ》・下道真備《しもつみちのまきび》（のちの吉備《きび》真備）や僧玄昉《げんぼう》など、奈良朝史を飾る俊英たちが留学していることでも知られている。井真成は天賦《てんぷ》の才能をもち勉学に熱心で、唐の王朝に仕えたが、七三四年（開元《かいげん》二二年）正月、三六歳の若さで突然死んでしまった。奇《く》しくも日本からのつぎの遣唐使船が着く直前であり、おそらく彼はその船に乗って、日本に帰国するつもりだったのだろう。

墓誌には「日本」という国号が記されていた。この墓誌の発見により、七三四年当時、中国側が「日本」という国号を正式に認めていたことが確実になった。

11

◉井真成墓誌（部分）
中国西北大学歴史博物館が、建築現場から掘り出された墓誌を収集したもの。井真成なる人物が遣唐使として中国に赴き、学業なかばにしてかの地で亡くなったことを記す。墓誌の上部には欠損があるが、二行目の冒頭に「公は姓は井、字は真成、国号は日本」と書かれているのがわかる。

さらに、その発見に伴い、「日本」と記されたもうひとつの墓誌が高橋継男《たかはしつぐお》によって新たに紹介された。「井真成墓誌」より早い時期につくられたものである。それは七一三年（先天《せんてん》二年）二月二日に埋葬された唐の官僚杜嗣先《としせん》の墓誌で、台湾大学の葉国良《ようこくりょう》が報告した。墓誌の文字部分のみを採録してあるため、大きさなどは不明だが、「日本来庭」（日本の使者が来朝した）と記されている。遣唐使が勅命で饗応《きょうおう》されたことを記しているのだが、その遣唐使とは、先に触れた粟田朝臣真人を遣唐執節使とする使節団、すなわち第八次遣唐使であった。かの有名な山上憶良《やまのうえのおくら》らも随行した第八次遣唐使は、日本の大宝元年正月に任命されて翌年六月に筑紫《つくし》を出帆、周の長安《ちょうあん》二年（七〇二）一〇月に長安の宮廷で宝物を進貢している。

したがって、「日本」という国号が中国側に認知されるのは大宝二年の遣唐使のときであり、それ以前の天智《てんじ》九年（六七〇）の遣唐使の際には「倭国」と称していたようだから、倭国から日本へ国号が変更されたのも天武《てんむ》・持統《じとう》朝ごろであろう。

「日本」の由来――〝資料の属性〟から考える

「日本」という国号については、じつは日本が近代国家となった明治以降の国定教科書にも国号を教えたものはみられず、昭和に入り戦前に天皇を中心とした「国体」が強調されたときにも、国号の意味が正面に押し立てられることはなかった。現在の日本国号に対する国民的理解の曖昧《あいまい》さ、つまり「日本」の語源的由来、あるいは「にほん」なのか「にっぽん」なのかといった曖昧さも、そうしたところに根源をもつのであろう。あらためて、「日本」という国号がどのようにして生まれたかを問う必要がある。

数多くの学説のなかで、私は現段階では神野志隆光《こうのしたかみつ》の見解が妥当ではないかと判断している。なぜなら、多くの歴史学者が『古事記《こじき》』や『日本書紀《にほんしょき》』などの歴史書を史料として一つひとつの記録を取り出し、詳細に分析して解釈を加えているのに対して、国文学者である神野志は、『古事記』や『日本書紀』を、それ自体が独立した構造と論理をもつものとして、いいかえれば、ある執筆目的のもとに書かれたものとして、作品論的立場から分析する姿勢をとっているからである。

たとえば、稲荷山古墳《いなりやまこふん》出土鉄剣銘の解釈が、発見後三〇年近く経過しながらいまだに定まらない大きな要因のひとつとして、〝資料の属性〟に対する理解の欠如があげられる。

先にも触れたが、この銘文は、代々杖刀人《じょうとうじん》の首として大王に仕えてきたことと、ヲワケがワカタケル大王の統治を助けた記念としてこの刀をつくったという由来を記している。このヲワケを中央豪族とする説のもっとも大きな論拠は、銘文中の「斯鬼《しき》の宮に在る時、吾、天下を左治し」の表記である。歴史学者は、五世紀後半に東国出身の人物が、ワカタケル大王のもとで天下を「左治」することはありえないという。しかし私は、ヲワケのような東国豪族が杖刀人として大王の宮を警護したことを鉄剣に誇らしげに表記したものと解釈すれば、なんら問題はないと思う。「天下を左治し」という表記が、政府の編纂《へんさん》物としての『日本書紀』などの文中で用いられる場合と、ヲワケという一個人の事績を顕彰する鉄剣銘中で用いられる場合とでは、同じ文言でも異なる解釈をしなければならないのである。

もう一例をあげるならば、長屋王家《ながやおうけ》跡出土木簡《もっかん》と「長屋親王宮」問題も象徴的事例といえる。長屋王家木簡において、長屋王やその近親が特異な表記で呼称されていることは、木簡発見直後から注目を集め、なかでも「長屋親王宮」の呼称が問題となった。

長屋王はいうまでもなく、太政大臣《だじょうだいじん》高市《たけち》皇子と天智《てんじ》天皇皇女御名部《みなべ》内親王の子という、皇親（天皇の親族）として嫡流に近い存在である。長屋王の妃の吉備《きび》内親王は、草壁《くさかべ》皇子の娘である。長屋王家木簡の和銅《わどう》四年から霊亀《れいき》二年（七一一～七一六）の時期、長屋王は従三位《じゅさんみ》式部卿《しきぶきょう》であるが、神亀《じんき》元年（七二四）には正二位左大臣となり、皇親の代表として政界の主導者となった。ところが神亀六年、「長屋王はひそかに左道《さどう》（邪道）を学びて、国家を傾けんと欲す」との密告を受け、糾問の結果、長屋王は自尽《じじん》した。これが長屋王の変である。

この長屋王について、『続日本紀《しょくにほんぎ》』は令《りょう》規定に従い、天皇の孫の呼称である長屋「王」と記載している。一方、わが国最古の仏教説話集『日本霊異記《にほんりょういき》』には、「長屋親王」（中巻—第一）との表記がみられるが、新田部《にいたべ》親王の王子でやはり天武天皇の孫にあたる道祖王《ふなどおう》に対しても「道祖親王」（下巻—第三八）と呼んでおり、説話集のような世界では、王と親王（皇子）をあまり厳密に区別していなか

12

◉長屋王家跡から出土した木簡に記された「長屋親王」
左大臣長屋王の邸宅跡からは、約三万五〇〇〇点に達する木簡が出土している。そのなかに「長屋親王宮」に送った鮑《あわび》に付けた荷札木簡が確認された。「親王」は令の規定では天皇の子または兄弟姉妹をいい、長屋王はこれに該当しない。

ったことがわかる。
さらに木簡では、長屋王とその居所の呼称には「長屋王」「長屋王子」「長屋皇子宮」「長屋親王宮」などさまざまな表現がある。つぎの例を見ていただきたい。

①長屋親王宮鮑大贄十編　長さ二一四×幅二六×厚さ四ミリメートル

②雅楽寮移長屋王家令所　平群朝臣廣足 右人請因倭儛　二一〇×三七×三ミリメートル

①の「親王」とする呼称は、長屋王に対して鮑《あわび》を納める領民が、その領主に対しての敬意を込めて付したもので、多分に私的、身内的な意識と結びついた表記であり、少なくとも長屋王が公的に親王であった証《あかし》とはならない。②の「長屋王」とする呼称は、平城宮《へいじょうきゅう》から長屋王家あてに出された文書木簡に現われるものであり、やはりこちらが長屋王の公的地位を示すものと考えなければならない。

長屋王の呼称が『続日本紀』のような政府の編纂物では長屋「王」と記載されているのに対して、長屋王邸内から出土した木簡に「長屋親王宮」などと表記されているのは、私的、身内的な敬称表記と解するのが妥当であろう。

先の「吾、天下を左治し」とまったく同様に、「長屋親王」の表記にただちに特別な意味を見いだそうとせず、資料の性格を十分に検討し、その意義を問うべき例である。

〝資料の属性〟とは、個々の記事の解釈をする前に、まずその資料がどのような目的で記され、どのような性格をもつのかを見きわめる必要があるということである。私はこの「資料の属性」の理解こそ、歴史学を研究するうえでもっとも肝心なことと位置づけている。

その意味で、〈『古事記』には、一例も「日本」の用例がない。『日本書紀』は「日本」とともに語り、『古事記』は「日本」をもたずに語る〉という神野志の国号についての指摘は、〝資料の属性〟理解の極みといえよう。

自分たちの国（世界）について語るとき、『日本書紀』の「日本」に対して『古事記』は「倭《わ》」と呼んでいる。

『日本書紀』　　『古事記』

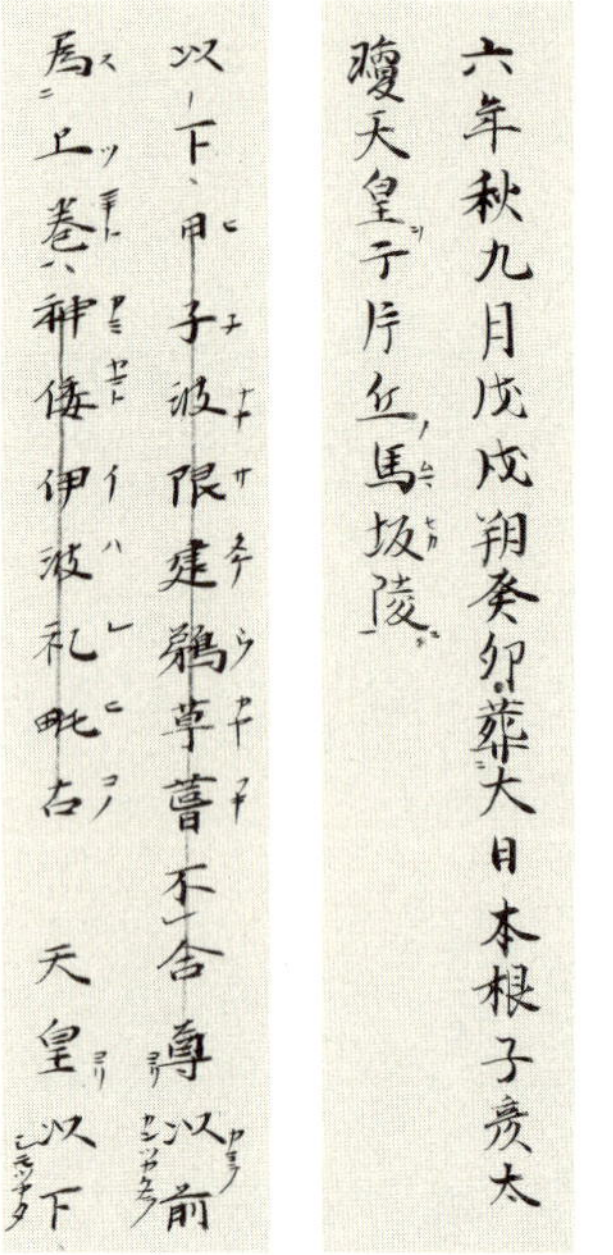

13

◉「日本」と「倭」
『日本書紀』孝元《こうげん》天皇六年条（右）では「大日本根子彦太瓊天皇《おおやまとねこひこふとにのすめらみこと》」（孝霊天皇）、『古事記』上巻序（左）では「神倭伊波礼毘古」のように、ヤマトの表記が、それぞれ「日本」「倭」と異なる。どちらも江戸時代の写本である。

「大日本《おおやまと》豊秋津《とよあきつ》洲《しま》」　「大倭豊秋津島」
「神日本《かむやまと》磐余彦《いわれびこ》」　「神倭伊波礼毘古」

「倭」は国内に向けた呼称であり、『古事記』では、新羅《しらぎ》国は馬飼い、百済《くだら》国は海の向こうの屯家《みやけ》と定め、墨江《すみのえ》大神を新羅国の守り神とすることによって大八島《おおやしま》国の延長上にそのまま包摂し、天皇の「天下」の一部であるものと考えてきた。一方、『日本書紀』における「日本」は、外部との関係においてみずからの価値を表わすものであった。この考えのもと、『日本書紀』は古代朝鮮に対しては中国にも受け入れられた「日本」の国号を用い、帝国的関係をつくりだしたのである。つまり、みずから東にある「貴き国」を「日本」と称し、「西蕃《せいばん》」（古代朝鮮）対「貴国《きこく》」（日本）という世界関係をつくりだしたのである。

「日出ずる処の天子」と日神の国「日本」説

中国においても、この「日本」の国号は承認された。古代中国の世界像においても、東夷《とうい》の世界、東の果てにある日の出の地には、「日域」「日下」などと並んで「日本」はありえたのである。

中国的世界からの自立を指向した推古《すいこ》朝の大王が、六〇七年（大業《たいぎょう》三年）の遣隋使《けんずいし》小野妹子《おののいもこ》らに託した国書には、「日出ずる処の天子、書を日没する処の天子に致す。恙無《つつがな》きや云々」と記されていた。この「日出ずる処」は、東野治之《とうのはるゆき》によれば、仏典『大智度論《だいちどろん》』によったものであるという。

経の中に説くと如《し》くんば、日出ずる処は是《こ》れ東方、日没するところは是れ西方、日行く処は是れ南方、日行かざる処は是れ北方なり。

（『大智度論』巻一〇）

「日出ずる処」以下、東西南北がセット関係で表現されており、国書もこの仏典の世界観によったのであろう。先述のとおり、隋の煬帝《ようだい》はこの国書に激しい怒りを示した。これは、隋を「日没する処」と書いたことによるのではない。煬帝はあくまでも、中国の世界観のもとでは東の果ての「蕃夷《ばんい》」の王にすぎないものが、自分と対等に「天子」と称したことが許せなかったのである。

一方、皇祖神アマテラスの神話をもとにして日神《にっしん》の国「日本」の国号が成立したという説が、現在でも有力視されている。

しかし、こうした見解にも、神野《こうの》志《し》隆光《たかみつ》が明解に反論を加えている。『日本書紀』を見ても、「日

14

◉『両界曼荼羅』（部分）
曼荼羅《まんだら》は密教における宇宙の真理を表わすもので、この胎蔵《たいぞう》界《かい》曼荼羅では中央に大日如来を、その周囲に諸尊を配する。大日は「偉大な輝くもの」を意味し、元来は太陽の光を指したが、のちには宇宙の根本仏とされた。

本」は古代朝鮮に対する帝国的関係を表わすものであって、神話的物語と結びつくかたちでは現われてこない。また、『古事記』には「日本」という称そのものが記述されていない。日神の国説がはっきりと現われるのは、平安時代も後期になってからである。状況的にみて、アマテラスの神話と結びつけるこの説は、はじめからあったのではなく、その段階で新たにつくりだされたととらえるのが妥当であろう。

日神の国説とともに「大日／本国」説、つまり、この国は大日如来《だいにちにょらい》の本国だから「大日本国（大日の本国）」というのだとする説もある。

これは、この国における密教流布の必然性を説くものとして、密教教団のなかでつくられたものである。この「大日／本国」説は平安時代、一一世紀後半に始まり、中世に広く行なわれた。イザナギ・イザナミの国づくりの神話を変奏したかたちで「大日／本国」として国号の由来を説くことが、中世には広く定着していたのであった。アマテラス＝大日如来とすることで、「大日／本国」説は日神の国「日本」説とつながりあっていた。神野志は、「大日／本国」説は日神の国「日本」説の発展形のひとつだともいえるという。

中国的世界のなかでの古代王権

中国的世界との関連や道教の影響を否定的にとらえ、天と日の王権イデオロギーがことさらに高揚した天武《てんむ》朝に、アマテラスの子孫である「天皇」と日神《につしん》の国「日本」という新たな君主号と国号が成立したとする説が、従来から根強い。たとえば吉田孝《よしだたかし》は、「日」を国号の中心に据えることに主眼があり、「日」とは日神すなわち天照大神のことで、日神の子孫である「日の御子《みこ》」の統治する国という意味で「日本」という国号が定められたという。また、熊谷公男《くまがいきみお》はつぎのように述べている。

> 「日本」とは、日神の真下にある国という意味に解するのがよいと思う。つまりは世界の中心にある国ということで、王権神話に裏打ちされた日本的中華思想の産物なのである。

天と日の王権イデオロギーが高揚した天武朝に、「天皇」と「日本」という新たな君主号と国号が成立する。両者に「天」と「日」の字が含まれるのは、むろん偶然ではない。〝神〟に飛躍した強烈なカリスマ性の持ち主である天武のもとで、天照大神の子孫である〝現御神《あきつみかみ》〟「天皇」と、天で照り輝く日神の真下にある国「日本」が誕生するのである。「天皇」も「日本」も、天武の人格と不可分なものとして産み出されたといってよい。

しかし、天武・持統《じとう》朝政権は、七世紀初頭の対中国外交政策をふまえたうえで、七世紀後半に中国の律令《りつりよう》制を導入した古代法治国家建設を行ない、同時に新たな国家にふさわしい統治者の呼称と国号の制定をめざしたはずである。そして、東アジア的世界秩序のなかで古代国家建設を推進したわが国は、あくまでも中国の強力な影響下で「天皇」と「日本」を創成したと考えるべきであろう。もちろん、「天皇」号も「日本」国号も、その大前提として中国の承認が必要であり、中国にとって不都合でないと認められたものを選ばなければならなかったのである。

その点、「天皇」号はまさしく中国から採用した語でありながら、中国の「皇帝」「天子」の権威とは抵触しない。

米谷匡史《よねたにまさふみ》によれば、東アジア世界においては複数の「王」が同時に存在しうるが、天命を受けて天下に君臨し「王」たちの上位に立つ「皇帝」は、原則としてただひとりであるという。

倭《わ》国王は、東アジア世界に秩序づけられた「王」「大王」にかわり、独立した世界の最高位を表わす称号を望んだ。そこで、道教思想において宇宙の最高神を示す「天皇」という語を、日本の国王の称号として用いた。そしてこの「天皇」号は、則天武后《そくてんぶこう》時代は明らかに「皇帝」より下位に位置づけられた称号であったがゆえに、その武后によって「王」「大王」にかわる国王の称号として承認を得られたのである。

これが日本の「天皇」号の始まりである。

同様に「日本」という国号も、古代中国の世界像における東夷《とうい》の世界、東の果ての地として、「日の土台」という意味で採択された。

七世紀後半に新たな国家の国号を制定するにあたり、七世紀初頭の遣隋使外交以来の「日の出の地」に終始執着したのは、仏典の説く「日出ずる処は是れ東方」という位置づけを重んじたからであろう。日本国号は、みずからをあくまでも中国的世界像の東方に位置づけたもので、それゆえに中国の承認も比較的容易に得られたのではないか。

一方でこれは、古代朝鮮に対して大国であること、つまり、古代朝鮮を服属させる帝国であることを強調するものでもある。「西蕃《せいばん》」（古代朝鮮）―「貴国《きこく》」（日本）という世界関係を成り立たせるものとして、みずから東にある「貴き国」のイメージを求め、それを「日本」と呼んだのである。

極論すれば、古代国家は中国的世界を前提としながら、中国的世界からの自立の象徴として「大王」ではなく「天皇」、「倭国」ではなく「日本」を欲したのである。その「天皇」および「日本」が、道教や仏教という外来思想に基づいて制定されたところに、中国側が容認した理由があったのであろう。

第二章

米作国家の始まり

私は、甲府の南郊の農村で育った。農家は稲作と養蚕《ようさん》で生計を立てていた。しかし、夕食どきになると、ほとんどの農家の台所からはホウトウの匂いがしてきた。私の家は非農家であったが、米をほぼ毎食のように食していただけに、米をつくる人が米を食べないことを子供心にとても不思議に感じていた。

いま考えてみれば、答えは単純である。当時、農家にとって米は貴重な換金作物だったので、一粒でも多くの米を売るために、農家自身は裏作で小麦を栽培し、その小麦でつくったホウトウを代用食としていたのである。

米づくりは政治の傘下《さんか》に置かれ、ほかの農作物とはまったく別格である。政府は米作農家を手厚く保護する一方で、時として減反を強制する。現在のこのような稲作行政のあり方は、そのルーツを遠く古代に求めることができるのではないか。

ちなみに、平成一九年現在使われている高校の日本史教科書では、室町《むろまち》時代の稲作について「農業の発達」の項に、つぎのように記述されている。

この時期の農業の特色は、民衆の生活と結びついて土地の生産性を向上させる集約化・多角化が進められたことにあった。灌漑《かんがい》や排水施設の整備・改

◉江戸時代の農書に描かれた刈り取りの図

『成形図説《せいけいずせつ》』は江戸時代後半、薩摩藩主島津重豪《しげひで》の命により編纂《へんさん》された農書・博物誌。田植えの図は巻四農事部、刈り取りの図は巻五農事部に収められている。

善により、畿内では二毛作《にもうさく》に加え、三毛作もおこなわれた。また、水稲の品種改良も進み、早稲《わせ》・中稲《なかて》・晩稲《おくて》の作付けも普及した。

肥料も刈敷《かりしき》・草木灰《そうもくばい》などとともに下《しも》肥《ごえ》が広く使われるようになって地味《ちみ》の向上と収穫の安定化が進んだ。（山川出版社『詳説日本史B』）

この教科書の記述、なかでも稲の品種に関する記述は、各地から出土する古代の木《もっ》簡《かん》に基づく近年の研究を十分に反映したものであろうか。あらためて歴史学研究と教科書を含む歴史教育との関係を問わなければならない。

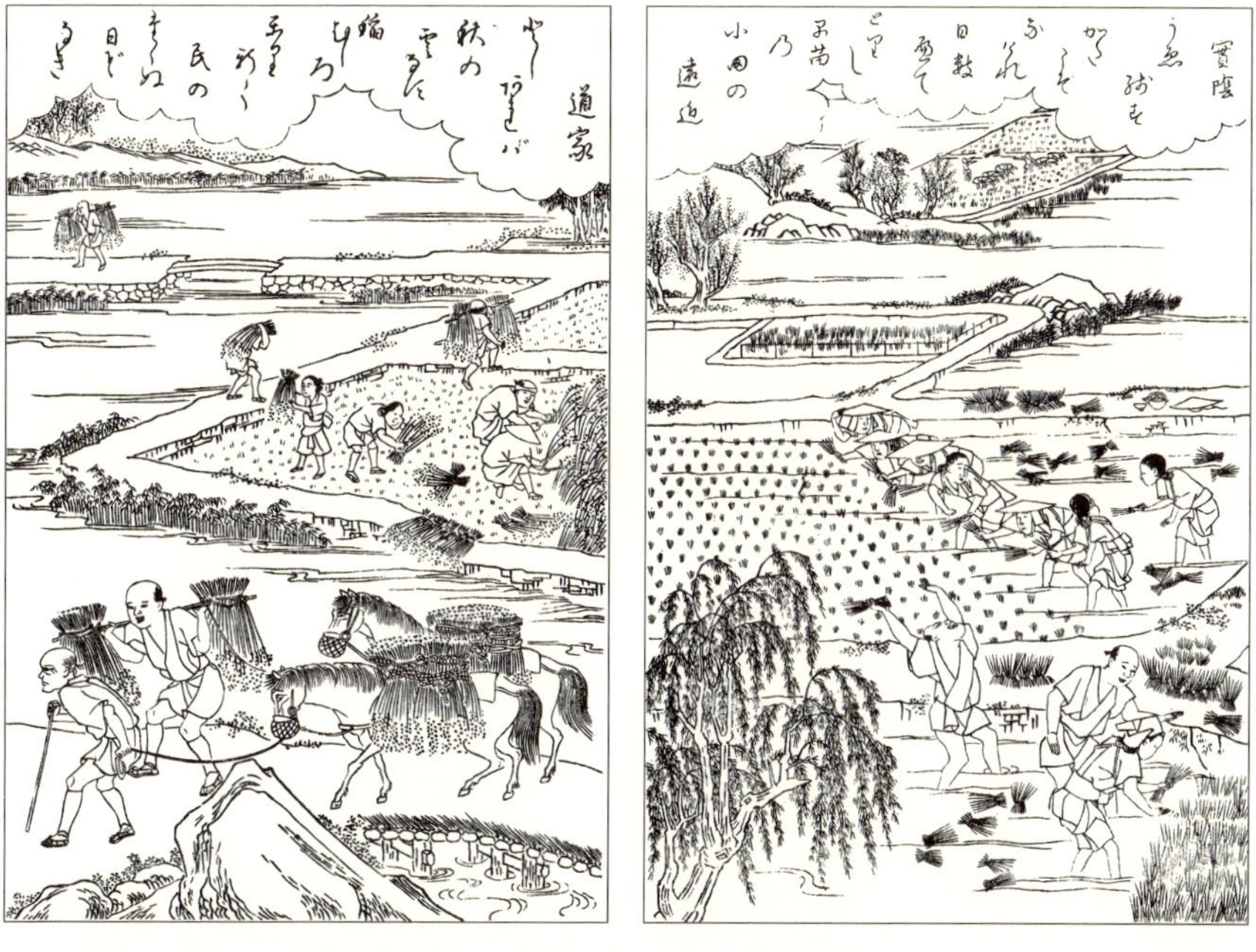

1

一二〇〇年前の種子札の発見

私が最初に稲の品種名を記した木簡《もっかん》である種籾《たねもみ》の付札《つけふだ》「種子札《たねふだ》」を確認したのは、平成三年（一九九一）、東大寺領横江庄《よこえのしょう》の庄家の一部とされる、石川県金沢市上荒屋《かみあらや》遺跡においてであった。付札に「大根子籾種一石二斗」と墨で鮮明に記されていた。ただ、このときは「大根《おおね》子《こ》」が稲の品種名であると理解するまでには至らなかった。

「畔越」との出会い

平成一一年二月二六日、私は京都で開かれた総合研究大学院大学文化科学研究科の教授会に出席し、終了後、福岡県小郡《おごおり》市から依頼されていた井上薬師《いのうえやくし》堂《どう》遺跡の木簡調査のため、京都駅一七時一二分発の新幹線に乗り、博多《はかた》へ向かった。列車が山口県の小郡《おごおり》駅（現在の新山口駅）にさしかかったころである。車中で見ていた日本最古の農書とされる『清良記《せいりょうき》』第七巻「親民鑑月集《しんみんかんげつしゅう》」（一七〇二～三一年頃成立）に記されていた「畔越《あぜこし》」という品種名の二文字に眼が釘《くぎ》づけになった。つぎの瞬間、「これだ！」と思わず叫んでしまった。三年前に鳥海山南麓《ちょうかいさんなんろく》の山形県飽海郡《あくみぐん》遊佐《ゆざ》町上高田《まちかみたかだ》遺跡から出土した九世紀頃の木簡のなかに、「畔越」と二文字だけ記した付札があったことを思い出したのである。この「畔越」とは、稲の品種名だったのだ。しかも、それが九世紀から一八世紀まで栽培されつづけていたのかもしれない。

三月一日に国立歴史民俗博物館に戻ると、さっそく検証にとりかかった。調査中だった福島県会《あい》津《づ》若松《わかまつ》市の矢玉《やだま》遺跡出土木簡にある「〇〇〇一石」と書かれた「〇〇〇」の部分が品種名ではないかと思い、近世の農書や古文書の類を手当たり次第に調べてみた。その結果、「足張《すくはり》」「荒木《あらき》」「白和《しろわ》世《せ》」などの品種名を相次いで確認することができた。

平成一一年夏、はじめて種子札の発見を公表した時点では、確認できた種子札は全国で総数一五点であった。その後、各地の遺跡から出土した木簡のなかから、種子札と見なすことのできるものを、金沢市畝田《うねだ》ナベタ遺跡出土木簡「須（流）女一石一斗」ほか一〇点、追加することができた。この章では、まず稲の品種にかかわる文献資料を概観し、つぎに全国各地の木簡のなかから、稲の品種名を記したおもなものを検討しながら、これまで十分に解明されていなかった古代の稲の品種と農作業、そして古代の稲作の統制・管理の実態とその意義について考えてみたい。

文献資料に見える稲の品種

古代においてすでに稲に固有の品種名があったことがうかがえる史料として、最初にあげるのは律令《りつりょう》（養老令《ようろうりょう》）である。その規定（仮寧令《けにょうりょう》給休仮条）によれば、都《みやこ》の役人には一か月に五日の休暇を与えるとともに、それぞれの地域の田植えと刈り取りにあわせ

2

◉稲の品種札「畔越」
平成八年、山形県の上高田遺跡から出土。長さ一三cm、幅三cmほどの小さな付札で、裏には文字がない。最近の調査結果では、畔越は平安時代初期から江戸時代を経て現代まで、一二〇〇年にもわたって栽培されてきたと考えられる。

て、中稲《なかて》を基準として農繁期の五月と八月には休暇を給すると定めている。

奈良時代に都の置かれた大和国《やまとのくに》では、田植えと刈り取りの時期が郡によって異なり、添下《そうのしも》郡・平群《へぐり》郡などでは四月に植えて七月に刈り取り、葛上《かずらきのかみ》・葛下《かずらきのしも》・内《うち》（宇智）などの郡は、五月・六月に植えて八月・九月に刈り取りを行なっている。

これは、稲に早稲《わせ（さ）》・中稲・晩稲《おくて》の三種があり、郡単位で時期をずらして栽培していたことを示している。また、多くの下級役人は都の周辺に土地をもち、農業にも従事しているので、役所の業務に支障が起こらないように、それぞれの地域の農繁期に時差を設定していたといえる。農繁期における労働力の確保も目的のひとつで、他地域（郡）からも恒常的に供給されたのだろう。

つぎに、正倉院文書《しょうそういんもんじょ》の「賀茂馬養啓《かものうまかいのけい》」をみてみよう。同文書は、二町のうち一町に「稲依子《いなよりこ》」、六段《たん》に「越持子《こしもちこ》」をそれぞれ植えるようにと記しているが、この「稲依子」「越持子」は、ともに稲の品種であろう。さらに、刈り取りついては「今日明

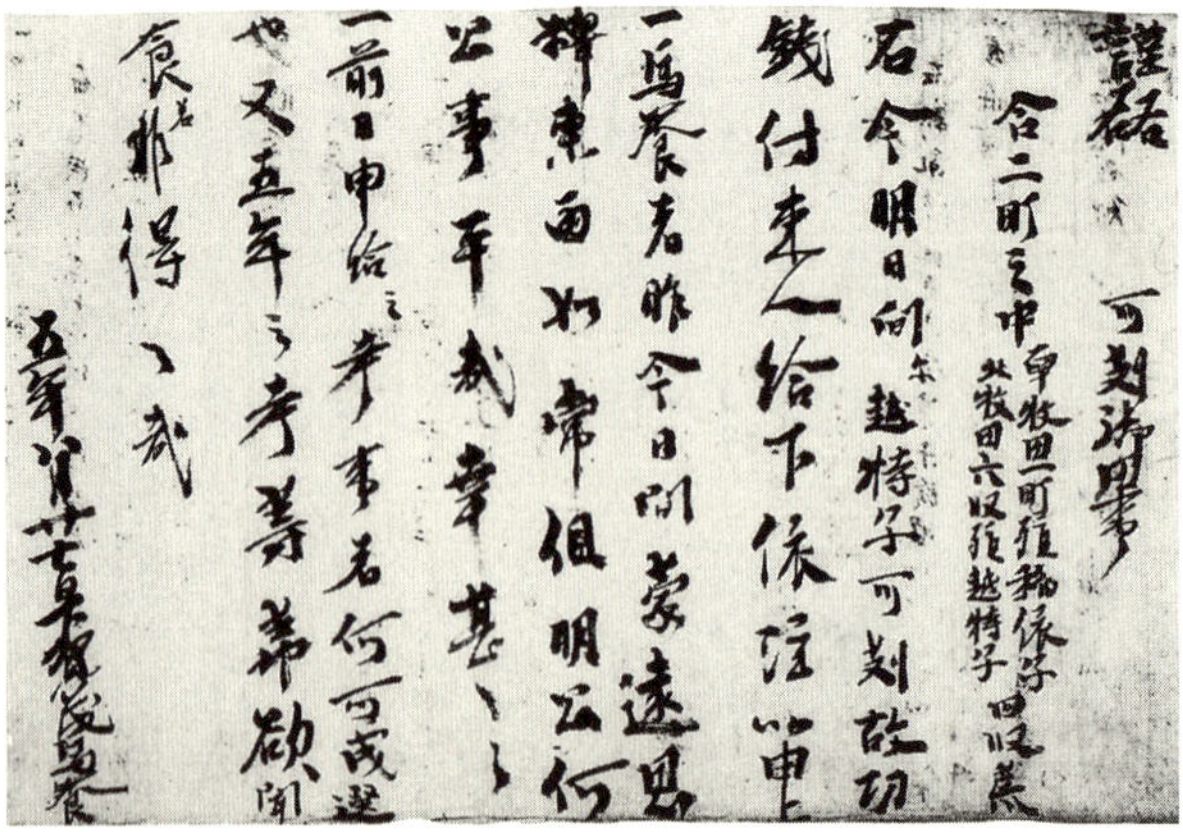

3

◉「賀茂馬養啓」に見える稲の品種名
造東大寺司（東大寺を造営する役所）の役人・賀茂朝臣馬養が差し出した稲刈りについての書状（啓は書式名）。田二町のうち、四段は荒廃し、残り一町六段に「稲依子」「越持子」品種を栽培している。

日の間に越持子を刈るべし」とあり、文書の年月日は天平宝字《てんぴょうほうじ》五年（七六一）八月二七日となっている。先の仮寧令給休仮条を参照すれば、畿内において八月二七日に刈り取られる「越持子」は中稲の品種であり、このときに「越持子」のみの刈り取りが指示されていることから、稲依子は越持子とは収穫時期の異なる品種であろう。

さらに、稲の品種は、なぜか『万葉集《まんようしゅう》』をはじめとする和歌に数多く詠《よ》みこまれている。

『万葉集』
娘子《をとめ》らに　行《ゆ》きあひの早稲を　刈る時に　なりにけらしも　萩の花咲く　（二一一七番）

『好忠集《よしただしゅう》』（歌人曾禰《そね》好忠《よしただ》の家集。平安時代末期までに成立か）
我守る　なかての稲も　のぎはおち　むらむら穂先　出でにけらしも　（一九七番）

『躬恒集《みつねしゅう》』（平安時代中期の歌人、凡河内躬恒《おおしこうちのみつね》の私家集）
あきののにたかがり
みやまだの　おくてのいねを　かりほして　まもるかりほに　いくよへぬらむ　（一五四番）

『万葉集』の「早稲」、『好忠集』の「なかての稲」（中稲）、『躬恒集』の「おくてのいね」（晩稲）

は、古代において、稲の品種が大別して早・中・晩稲の三種存在したことを明確に示している。また、この三種類が細分されて、固有の品種名も詠まれている。

『散木奇歌集《さんぼくきかしゅう》』（平安時代末期の歌人源俊頼《みなもとのとしより》の私家集）

ほうしこの　いねとみしまに　もちぬれば　みそうづまでも　なりにけるかな　（一五五三番）

『夫木和歌抄《ふぼくわかしょう》』（鎌倉時代後期の私撰類題集。撰者は遠江《とおとうみ》国の豪族勝間《かつま》田《た》長清《ながきよ》）

かぞふれば　かずもしられず　君が代は　ながたにつくる　ながひこのいね　（一六八二八番）

以上は古代から中世にかけての史料であるが、時代が下って近世の史料にも稲の品種が見える。『清良記《せいりょうき》』は、伊予《いよ》国宇和《うわ》郡の戦国武将土居《どい》清良《きよよし》の一代を記した全三〇巻の軍記物語であるが、第七巻「親民鑑月集《しんみんかんげつしゅう》」は当地の農事を記している。成立年代は一八世紀前半とされており、日本最古の農書である。そこには、稲の品種だけでも九〇種以上があげられている。

疾中稲《となかて》の事（中稲のなかでも刈り取りの時期が早い品種）

一仏の子　一一本干　一備前稲　一小備前

一畔越《あぜこし》　一小畔越　一野鹿《やろく》　一大白稲《おおしらしね》

一小白稲　一大下馬　一栖張《すくはり》　一疾饗膳《ときようぜん》
右一二品は疾中稲にして上白米也。はせ（早稲《わせ》）の次に出
一内蔵《うちくら》　一今大塔《いまだいとう》　一上蜆《えび》の毛　一小法師
一番饗膳　一大とご　一半毛　一白我社《はれこそ》
一清水法師　一定法師　一小けば　一大ち子
右合廿四品何も上米にて、早稲、疾中稲、はん中稲と巡に植。又そのなりに熟する。三月初に種子をまき、四月末に植て、八月末にかり取也。

このように、稲の品種名は古来、和歌や農書など、さまざまな文献に記されてきた。このことは、国家経済の根幹である稲作に対し、人々がつねに強い関心を寄せてきたことの現われだといえる。

古代の「種子札」木簡

ここまでみてきた文献資料をふまえたうえで、つぎに稲の品種に関する古代の木簡を具体的に紹介していきたい。

山形県の北西端、飽海《あくみ》郡遊佐《ゆざ》町にある上高田《かみたかだ》遺跡は、古代の出羽《でわ》国府《こくふ》比定地である城輪柵《きのわのさく》跡の北六キロメートルに存在する。その遺跡からつぎの①②の木簡《もつかん》が出土した。

①畔越　長さ一三三×幅二九×厚さ五ミリメートル
②〔表〕和早種
〔裏〕一斛　六一・五×三〇×三・八ミリメートル

①の「畔越《あぜこし》」は、先に掲げた近世の農書『清良記《せいりょうき》』に見える中稲《なかて》の品種名のひとつ「畔越」と完全に合致する。また、駿河《するがの》国駿東《くにすんとう》郡茶畑《ちゃばたけ》村柏木家《かしわぎけ》文書の『籾種《もみだね》帳』（一七四九〜七二年）には「あせ（あぜ）越」「あせこし」「畔（畦）越」などと見えることから、「畔越」木簡は稲の品種名を記した種子《たね》札《ふだ》であると判断できる。ちなみに、平成九年から一三年にかけて農林水産省が行なった稲遺伝資源特性調査でも、和歌山県・奈良県産の「あぜこし」種の栽培試験が行なわれている。

②の「和早」は「わさ」と読み早稲《わせ》のこと、「一斛《こく》」は種籾一石《こく》のことであろう。

福島県会津若松市の矢玉《やだま》遺跡は、奈良時代後半から平安時代前半にかけての官衙《かんが》施設で、付近には古代の会津郡家《ぐうけ》比定地である郡山《こおりやま》遺跡がある。ここから出土した木簡が③から⑦である。なお、以下、法量表記の（　）付きの数字は、木簡の一部が欠損して

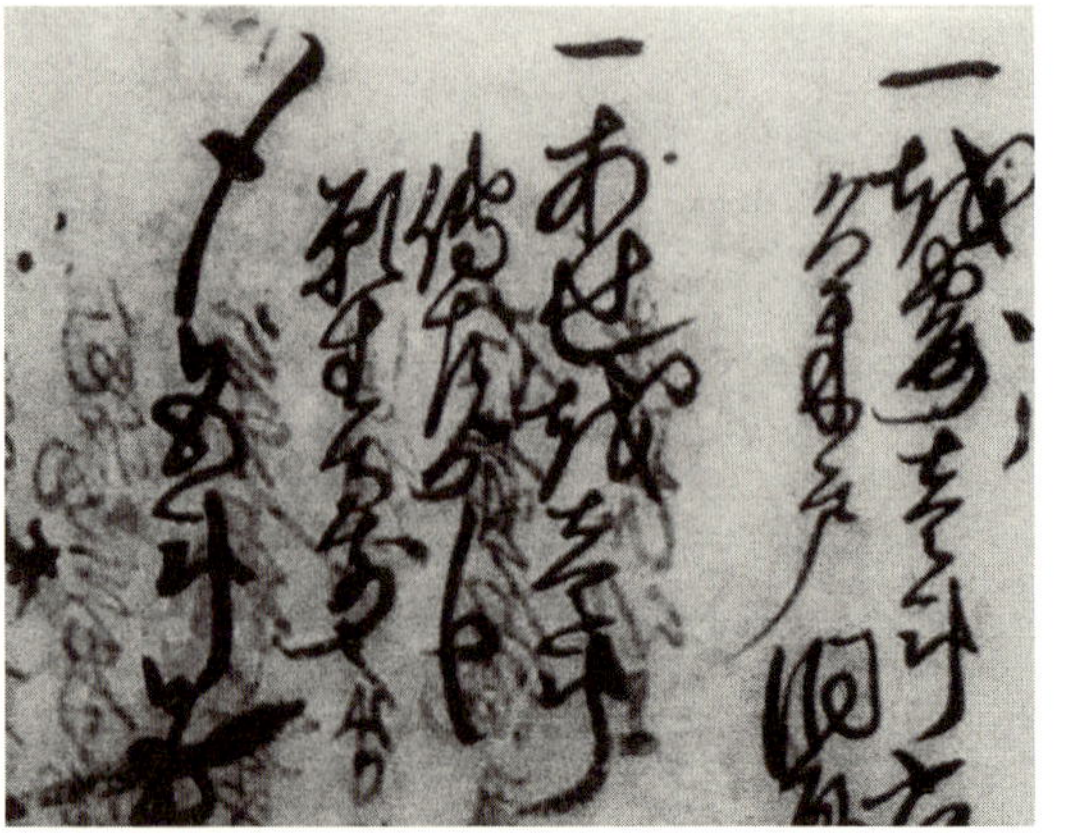
4
●江戸時代の『籾種帳』に記された「あせ越」
駿河国駿東郡茶畑村の柏木家文書の『籾種帳』には、数か所ある苗代の場所ごとに種籾の品種と数量が記載されている。そのなかに「あせこし」「あせ越」「畔越」と表記された品種がある。

古代における稲の種子札一覧

	品種名	出土遺跡名	品種名の掲載文献
1	畔越（あぜごし・あせごし）	山形県上高田遺跡（九～一〇世紀）	『清良記』（一八世紀前半）
2	足張（すくはり）	福島県矢玉遺跡（九世紀前半）	『清良記』
3	長非子（ながひこ）	福島県矢玉遺跡	『夫木和歌抄』（一一世紀後半）
4	荒木（あらき）	福島県矢玉遺跡	『三国地誌』（一七世紀末～一八世紀初め） 『両国本草全』（一八世紀前半）
5	白和世（しろわせ）	福島県矢玉遺跡	『八戸弾正知行所産物有物改帳』（一七世紀前半）
6	古僧子（こほうしこ）	福島県荒田目条里遺跡（九世紀なかば）	『散木奇歌集』（一二世紀前半）・『清良記』
7	白稲（しろいね・しらしね）	福島県荒田目条里遺跡	『清良記』『八戸弾正知行所産物有物改帳』
8	女和早（めわさ・めわせ）	福島県荒田目条里遺跡	『万葉集』（八世紀後半）
9	地蔵子（ちくらこ？）	福島県荒田目条里遺跡	『散木奇歌集』『清良記』
10	小白	滋賀県柿堂遺跡（八世紀後半～九世紀）	『享保書上』（一八世紀前半）
11	はせ	大阪府上清滝遺跡（一二世紀後半）	『清良記』
12	和佐（わさ）	福岡県高畑廃寺遺跡（八世紀前半～一〇世紀）	『万葉集』
13	大根子（おおねこ）	石川県上荒屋遺跡（九世紀なかば）	
14	許庭（こば？）	石川県上荒屋遺跡	『清良記』
15	富子（とこ？）	石川県上荒屋遺跡	『清良記』
16	酒流女（するめ）	石川県畝田ナベタ遺跡（九～一〇世紀）	
17	須充女（するめ）	石川県畝田ナベタ遺跡	
18	否益（いなます）	石川県畝田ナベタ遺跡	
19	比田知子（ひたちこ）	石川県畝田ナベタ遺跡	
20	須留女（するめ）	石川県西念・南新保遺跡（八世紀後半～九世紀前半）	
21	三国子（みくにこ）	石川県吉田C遺跡	
22	狄帯建（えみしたらしたける）	山形県古志田東遺跡（九世紀後半～一〇世紀）	
23	和世種（わせ）	奈良県下田東遺跡（九世紀初頭）	
24	小須流女（こするめ）	奈良県下田東遺跡	

いることを示す。

③足張種一石　（一六一）×三一×六ミリメートル

この種子札は、「足張《すくはり》」の種籾一石という意味である。

第一章で紹介した五世紀後半の埼玉県稲荷山《いなりやま》古墳出土の鉄剣《てつけん》銘文に「足尼《すくね》」という表記がある。宿禰《すくね》を「足尼」と表記していることから、「足」は「すく」と読むことができ、「足張」は『清良記』に見える中稲の品種名のひとつ「栖張《すくはり》」に相当すると判断できる。「すくは（ば）り」は「すくよか」と同義であり、丈夫でまっすぐ伸びる意味から名付けたのであろう。

④白和世種一石　一六〇×二五×八ミリメートル

⑤白和世種一石　（一五六）×三〇×七ミリメートル

④⑤にある「白和世」は「白早稲」の意である。『地方名目《じかたみょうもく》』（一七五五年、岩代《いわしろ》・磐城《いわき》）に「白早稲」とあるように、近世における各地の農書類に「しろわせ」という品種名が見える。

⑥荒木種一石　二一七×三七×五ミリメートル

「荒木」という品種名も、近世の文献に数多く例を見いだすことができる。たとえば「天明《てんめい》四年（一七八四）遠江《とおとうみ》国周智《しゅうち》郡中田村・村鑑明細書上帳《むらかがみめいさいかきあげちょう》」に「荒木」の名が見える。

⑦長非子一石　　一三五×一八×四ミリメートル

「長非子」を「ながひこ」と読むとすれば、平安時代以降、和歌のなかでさかんに詠《よ》まれている、稲の異名とされてきた言葉「長彦（ながひこ）」に該当する。

『新続古今和歌集《しんしょくこきんわかしゅう》』正二位隆教《たかのり》（暦応《りゃくおう》元年〈一三三八〉）

万代《よろずよ》の　ためしにぞつくや　田上や　秋のはつほの　ながひこのいね　（八一三番）

「ながひこ」の場合、本来は稲の品種名であったものが、平安時代後半以降、和歌の世界で親しまれるようになるにつれて、稲の異名のように位置づけられたのであろう。

福岡市にある高畑《たかばたけ》遺跡は、弥生《やよい》時代の初期稲作の代表的遺跡である板付《いたづけ》遺跡の北方五〇〇メートルにある。高畑遺跡は、板付遺跡において水稲耕作が開始された前後に集落が形成されている。水田は未検出であるが、水利のうえでは板付遺跡と同一水系（御笠川《みかさがわ》・諸岡川《もろおかがわ》）を利用し、かつ上流に位置している。

この高畑遺跡の台地上に、奈良時代創建の寺院跡、高畑廃寺《はいじ》が確認された。木簡《もっかん》が出土した高畑廃寺は、筑前《ちくぜん》国那珂《なか》郡家《ぐうけ》推定地（福岡市博多区那珂）から南へ約一・五キロメートルと近接した位置にあり、郡寺的な性格が想定されている。

木簡が出土した大溝《おおみぞ》は、八世紀前半から一〇世紀頃までの時期に存続していたとされる。

〔表〕和佐□一石五升
〔裏〕三月十日　　一八二×二一×三ミリメートル

「和佐」は「早稲《わせ》」のことである。

古代の木簡は通常、文書木簡、付札《つけふだ》、その他の三つに大きく分けられる。稲の品種名を記した種子札《たねふだ》は付札である。通常、米の付札は五斗《と》（一斗は約一八リットル）単位、つまり五斗俵に付けられる。それに対して、種籾《たねもみ》に付ける種子札は一石単位を特徴とする。種籾一石は精米すると米五斗に相当するため、種子俵は一石入りである。したがって、これらの種子札はいずれも種籾

5

◉品種札をつけた種子俵
昭和四〇年代のもので、下端を尖《とが》らせ、品種名を書いた付札を種子俵の縄に差し込んである。江戸時代の農書には、「取り違えぬため二枚の札にしるし、俵の中にもいれ外にも建置くべし」とある。

一俵ごとに稲の品種名を明記したものである。

また種子札は多くの場合、表に「品種名＋数量」のみを記し、その形状は短型のものが多いが、多様な形状を呈しているのが特徴といえる。正倉院文書《しょうそういんもんじょ》中の題簽《だいせん》（文書を巻きつける軸の上端をヘラ状につくり、そこに文書名などを書き記したもの）が、その文書内容に応じて形態を異にするのと同様に、意図的に品種ごとに形状を変えた可能性があり、この方法は文字と形状による品種の二重チェックをねらいとしたものであろう。

次節で具体的にみていくように、稲作では播種《はしゅ》から刈り取りまでの各作業について、適切な時期というものが厳密に定められている。確実な収穫のためには、品種名を正確に把握することが欠かすことのできない重要なポイントなのである。

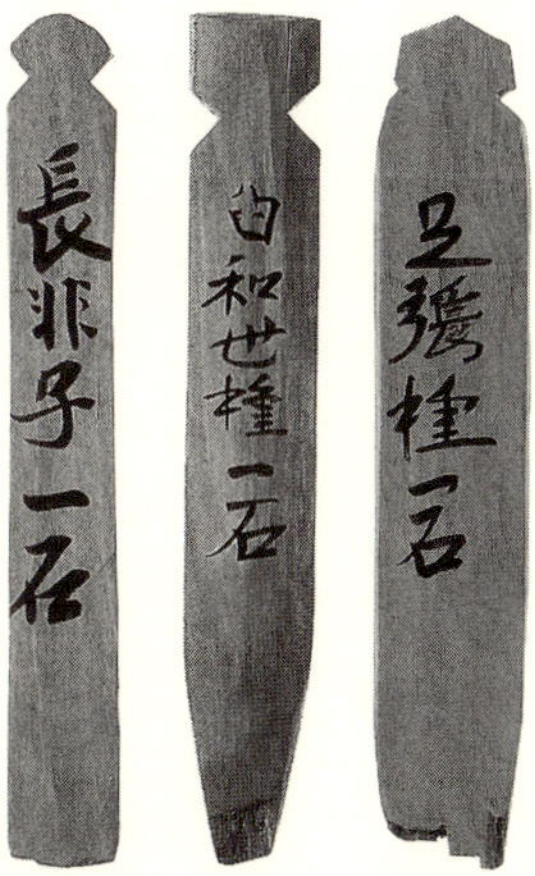

6

◉古代の会津地方で栽培された稲の種子札（複製品）
木札には稲の品種名と数量が記されている。俵は種籾一石入り。札の頭部に注目すると、品種名ごとに固有の形状を呈している。これは文字だけでなく、形状でも品種を識別できるように工夫されていたものと思われる。品種の取り違えは播種時期の誤り、さらに不作へとつながる。

稲の品種と農作業

中世・近世の農作業との比較

ここまで、古代にすでに数多くの稲の品種が生み出されていたことを示す事例をみてきた。では、その農作業の実際とはどのようなものだろうか。古代の農業技術について解き明かすために、まず、中世・近世の農作業と比較してみたい。

次ページの表は、農書などの文献資料や種子札《たねふだ》に見える稲の品種と、それらの播種《はしゅ》（種まき）・田植え・刈り取りの時期を示したものである。

この一覧表からは早・中・晩稲《おくて》の三種が存在したことと、筑前国《ちくぜんのくに》から陸奥《むつ》国までの地域差により、播種・田植え・刈り取りの時期が異なっていたことが確認できる。もっとも平均的なものは、中稲《なかて》の三月播種・五月田植え・八月刈り取りである。これが仮寧令給休仮条《けにょうりょう》の田仮（農繁期のための休暇）を五月（田植え）、八月（刈り取り）に給する規定の根拠となっているのであろう。

これらの早・中・晩稲、およびその農作業の時期について、農書などの文献と出土資料の例をみてみよう。

まず、中世の文献資料を見ると、永正《えいしょう》一四年（一五一七）の春日《かすが》神社の記録には、つぎのように書かれている。

潤種《じゅんしゅ》三月一九日―（五二日間）―田植え五月一〇日―（九九日間）―刈り取り八月一七日

潤種四月八日―（五七日間）―田植え六月四日―（一〇七日間）―刈り取り九月一九日

種籾を水に浸《ひた》し発芽を促す潤種（浸種《しんしゅ》）から田植えまでの期間は五二日および五七日で、田植え適期を播種後四〇日から五〇日としている。そして田植え後一〇〇日前後で刈り取られるという。潤種から刈り取りまでに要する期間は約一五〇日間となる。

近世の農書（佐瀬与次右衛門《させよじえもん》著『会津歌農書《あいづうたのうしょ》・上之本』宝永《ほうえい》元年（一七〇四））によれば、播種から刈

農書や木簡に見る稲の品種別耕作時期

	資料名	品種名	早・中・晩	播種	田植え	刈り取り
筑前国	高畑廃寺出土木簡	和佐	早稲	三月一〇日		
伊予国	清良記		早稲	二月彼岸	四月初め～二〇日	六月末～七月初め
			疾中稲	三月初め	四月末	八月末
			晩稲	三月なかば	五月なかば	九月はじめ
大和国	令集解古記（葛上・葛下・内郡）（添下・平群郡）		早稲	二月	四月	七月
			中稲	三月	五月	八月
			晩稲	四月	六月	九月
	賀茂馬養啓	越持子	中稲	三月	五月	八月二七日
陸奥国	荒田目条里遺跡出土木簡	古僧子	晩稲	五月一〇日		
		鬼□□□	晩稲	五月一七日		
		地蔵子	晩稲	五月二三日		
			早稲		五月三日	

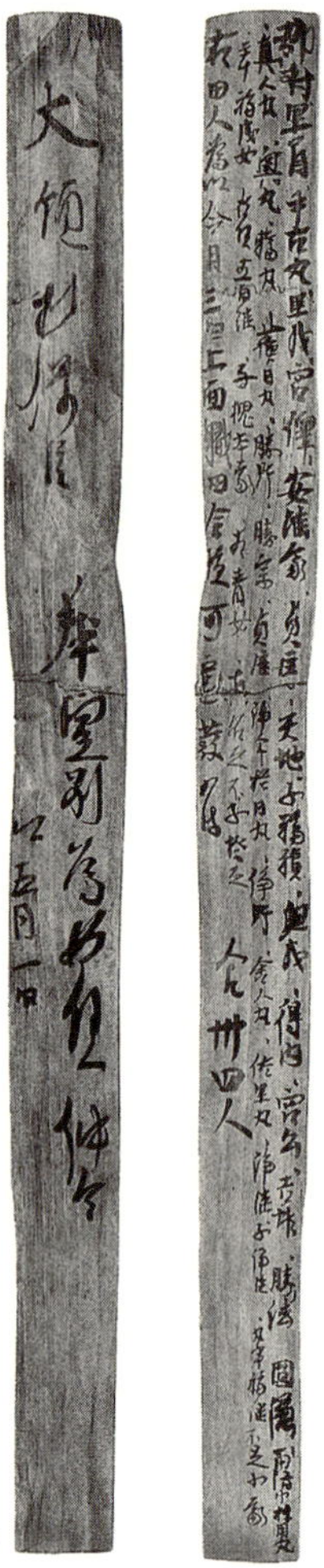

7

◉田植えの農民を徴発する命令書
里刀自以下三六人の名が書かれ、それぞれ名前の右肩の部分に黒点が打ってある。二行目と三行目の末尾の人物のみ黒点がなく、かわりに不参加の「不」と薄墨で記し、最後に総参加者三四人と記載。

り取りまで、つぎのように述べられている。

　種子浸す　定法附早稲実
種子籾を浸す日数は元よりも　三十日を法とする也
たねあげ《（種子揚げ）》て萌す日数の定法ハ　いつれの里も十日とそ云
種子蒔《まき》て日数三十五日過　早《さ》苗《なえ》をとるハ法の定り
苗植て日数七十五日めに　みのるハいつもわせ《（早稲）》の定法
定法の日数は凡《およそ》百五十　七月中にあたりこそすれ

早稲の場合、潤種三〇日、萌芽一〇日、播種三五日、田植えから刈り取りまで七五日、合わせて一五〇日間で、播種から刈り取りまでは約一一〇日間となる。
また、出土資料では以下にあげる木簡《もっかん》から、稲の播種・田植え・刈り取りなどの時期、さらには播種から刈り取りまでの日数が判明している。

右の木簡は、郡司《ぐんじ》などがその管下のものに命令を下す際に用いた郡符《ぐんぷ》木簡である。その内容は、三六人の田人（農民）を五月三日に郡司職田《しきでん》（郡司に支給される田）の田植えをする労働力として雇用するという命令である。この木簡が出土した福島県いわき市の荒田目《あつため》条里《じょうり》遺跡は、郡家《ぐうけ》の中心施設の置かれた根岸《ねぎし》遺跡の西北にある。磐城《いわき》郡大領《だいりょう》於保《おお》（磐城）臣《おみ》は、その郡司職田（大領は六町支給される）をおそらく荒田目条里内に所有し、従来からの強い支配関係に基づいて、里人を動員することを磐城郷の里刀自《さととじ》（里長《りちょう》の妻）に命じたのである。

東北地方南部における五月の田植えは、早稲種と判断してよいだろう。

古代稲作技術の完成度

奈良盆地の西部に位置する下田東《しもだひがし》遺跡は、馬見《うまみ》丘陵の南西端の沖積低地にあり、平成一七年（二〇〇五）に行なわれた調査の結果、全長二一メートルの帆立貝式《ほたてがいしき》古墳や飛鳥《あすか》時代から平安時代にかけての掘立柱《ほったてばしら》建物、室町時代の環濠《かんごう》居館などを検出した。この遺跡では「年魚《あゆ》」（鮎）など川漁の生業活動があったことも漁撈《ぎょろう》施設遺構や木簡《もっかん》からうかがわれ、古墳時代から室町《むろまち》時代を通して、有力者の拠点施設が設けられていたようである。

この遺跡から出土した長楕円形の曲物《まげもの》の底板を転用した木簡には、興味深い内容が含まれている。

〔表〕 種蒔日　和世種三月六日

小須流女十一日蒔

〔裏〕 小支石上日七月□

十二日十四□十七日□

小支石田苅五日役又（以上、釈文抜粋）

三六八×（一一二）×一〇ミリメートル

表面には、「和世《わせ》」という品種は「三月六日」、「小須流女《こするめ》」という品種は「（三月）十一日」が播種《はしゅ》日として記されている。裏面には、「小支石」という人物が田（稲）苅のために「（七月）十二日」「十四（日）」「十七日」など、五日間働いたことを記録している。つまり、播種日が三月初旬から中旬にかけて、刈り取りは七月中旬に行なわれている。この木簡の登場により、古代における早稲種の場合、播種日から刈り取りまでの日数が約一二〇日前後であることがはじめて明らかになった。しかもこの一二〇日という日数は、『清良記《せいりょうき》』第七巻「親民鑑月集《しんみんかんげつしゅう》」などの近世の農書とほぼ近似しているのである。このことは、

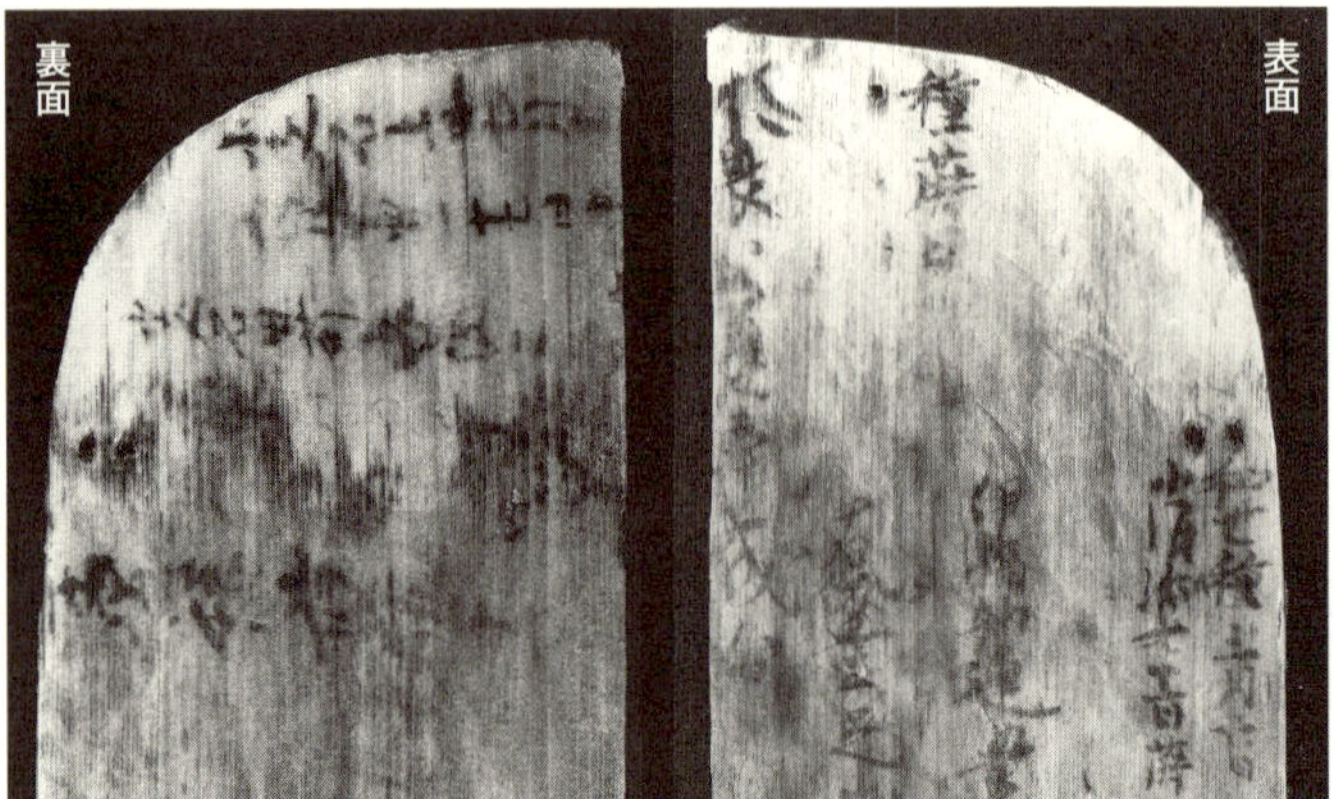

8

◉稲の品種ごとに播種日を記した木簡

下田東遺跡の木簡は、曲物の底板を農作業のメモや上申文書の下書きなどに利用したもの。「和世種三月六日」「小支石上日七月」はともに曲物の縁にあり、対応する部分と判断できる。

古代から近世にかけての稲作の変遷を考えるうえで、きわめて重要な事実である。

大和国《やまとのくに》における「和世」品種の播種日が「三月六日」と判明したことにより、これ以前に出土していた福岡市高畑廃寺《たかばたけはいじ》出土木簡との関連が注目される。

〔表〕和佐□一石五升

〔裏〕三月十日

一八二×二一×三ミリメートル

「和世」と「和佐」はともに早稲《わせ》のことで、「小須流女」という品種と並記されていることから、山形県上高田《かみたかだ》遺跡の「和早種」も含めて品種名と理解できる。下田東《しもだひがし》遺跡では「和世種」の播種日が三月六日、高畑廃寺も「和佐」をほぼ同時期の三月一〇日にまいていることがわかる。

種子《たね》札《ふだ》の裏面には文字が記されていない例が多いが、先にあげた福島県荒田目《あつため》条里《じょうり》遺跡などの出土木簡では、裏面に月日が記載されている。その月日は、荒田目条里遺跡出土木簡では、「五月十（日）」「五月十七日」「五月廿三日」、福岡市高畑廃寺出土木簡では「三月十日」と書かれている。三月は筑前《ちくぜん》国の場合は早稲、五月は陸奥《むつ》国の場合は晩稲《おくて》の、それぞれ播種時期を示しているといえる。荒田目条里遺跡出土木簡の五月の異なる日付は、おそらく同じ晩稲のなかでも、さらにいくつかの品種を少しずつずらして播種することになっていたためではないか。

また、下田東遺跡出土木簡と、つぎに掲げる石川県金沢市畝田《うねだ》ナベタ遺跡出土木簡からは、同一系統の品種が大和《やまと》と加賀《かが》で栽培されていたことが判明した。

金沢市畝田ナベタ遺跡は金沢市西部の海岸平野にあり、周辺には戸水《とみず》C遺跡、金石本町《かないわほんまち》遺跡、畝田・寺中《じちゅう》遺跡など古代の官《かん》衙《が》関連の遺跡や、少し離れて横江庄《よこえのしょう》跡、上荒屋《かみあらや》遺跡などの八世紀から九世紀の荘園遺跡が集中する区域である。ここでは同一内容の二点の木簡（下の写真）を紹介したい。

酒流女一石余　　一六〇×三一×三ミリメートル
須亢女一石一斗　一四七×二四×二ミリメートル

類例として、近接する金沢市西念《さいねん》・南新保《みなみしんぼ》遺跡出土木簡の「須留女」（〈二八五〉×二三×七ミリ）があげられる。「酒」は「須」と同様に「ス」の字音として用いられる。「酒流女」「須亢女」「須留女」はともにスルメと読むのであろう。畝田ナベタ遺跡の二点の木簡は全体的な形状に差違があるが、頭部の形状は合致する。これはおそらく、先に述べたように、品種名と形状による識別の二重チェックを考慮したものであろう。また、種子札に記載された数量は「一石《こく》余」が端的に物語っているように、播種の際に発芽状態がよくなかった場合を考慮して、一斗《と》から二斗範囲内で増量していたのであろう。

9

◉稲の品種「スルメ」
北陸の荘園で栽培されていた「スルメ」種は、「酒流女」「須亢女」「須留女」など種子札の表記は異なるが、頭部の形状は一致している。77ページに掲載した三点の種子札の頭部の形状と比較していただきたい。

品種名に込められた願い

ところで、古代における稲の品種名の付け方には、一定の傾向を見いだすことができる。

全国各地の遺跡から出土した稲の種子《たね》札《ふだ》のうち、もっとも多いのは稲の生長を願って名を付したと考えられるものである。

畔越《あぜこし》　山形県上高田《かみたかだ》遺跡
足張《すくはり》　福島県矢《や》玉《だま》遺跡

「畔越」は文字どおり田の畔を越す勢いで育つことを、「足張」は足＝直で、まっすぐ張るような生育を願ったのだろう。また、「須充（流）女」は、駿河国《するがのくに》の国名の原義が、速い川の意の「するどがわ」の略とされることから、「須流」は速い、「女」は発芽の「芽」と解し、早い発芽を願ったと解釈できる。

さらに、「小須流女」の「小」については、近世の稲の品種名から、以下のように考えられる。

『清良記《せいりょうき》』には、「畔越→小畔越」「備前稲《びぜんいね》→小備前」「大白稲《おおしらしね》→小白稲」のように、同一名に「小」

稲の品種と命名意図の解釈案

命名の意図	品種
早・中・晩稲の別	白和世・白わせ、女和早
生長への期待	畔越（畔を越す）、足張（まっすぐ張る）、酒流女・須留女・須流女・小須流女（すばやく伸びる）、長非子（長く伸びる）、比田知子（まっすぐ伸びる）
丈夫さへの期待	狄帯建（蝦夷のような強靭さ）
豊作への期待	否益（否《いな》＝稲が増す）、稲依（稲に頼る）
地名＋子	三国子（加賀・能登・越中の境界地域で作出された）
稲や籾の形状	古僧子（芒《のぎ》がない）、白稲（稲穂が白い）、長非子（籾が細長い）

を付けたものが見える。こうした品種名の付け方は品種改良に伴うもので、同一系統の品種において、畔越→小畔越のような品種名が登場するのではないか。

これらの例から推して、金沢市の畝田《うねだ》ナベタ遺跡および西念《さいねん》・南新保《みなみしんぼ》遺跡出土木簡「酒流女」「須流女」「須留女」と、奈良県の下田東遺跡出土木簡「小須流女」の関係は密接であるといえよう。貴族層の本拠である大和《やまと》国と、彼らが初期荘園をもっていた北陸地方の加賀《かが》国とにおいて、同一系統の品種の稲が栽培されていたのである。

古代国家と稲

国家による高利貸し――出挙制

ここでいったん種子《たね》札《ふだ》を離れ、班田《はんでん》と稲に関する税負担をみておきたい。現存する奈良時代の戸籍（正倉院文書《しょうそういんもんじょ》）のうち、養老《ようろう》五年（七二一）の下総国《しもうさのくに》葛飾《かつしか》郡大嶋《おおしま》郷の戸籍から、孔王部《あなほべの》黒秦《くろはた》の戸《こ》（郷戸《ごうこ》）を例にあげよう。

孔王部黒秦の戸は、四つの房戸《ぼうこ》から構成され、戸口数は全部で二五人である。この郷戸が班田や徴税などの行政単位となった。公民が満六歳に達すると、男子には二段《たん》（古代の一段は三六〇歩）、女子にはその三分の二にあたる一段一二〇歩、賤民《せんみん》の奴婢《ぬひ》にはそれぞれ公民男・女の三分の一ずつの口分田《くぶんでん》が班給されることになっている。

　孔王部黒秦の戸では、班田の年である二年後の養老七年には二〇人（男子九人・女子一一人）が班田の受田資格をもっている。そのうち九・一〇・一一歳の三人の小女（律令制で四歳以上一六歳以下の女子）と一二歳の小子（同じく男子）計四人は、はじめての口分田班給となる。この戸の口分田の総面積は、三町二段二四〇歩になる。

　人々は口分田を耕作して、一段あたり穂刈りした稲で約三〇束（下田《げでん》）から五〇束

孔王部黒秦の郷戸

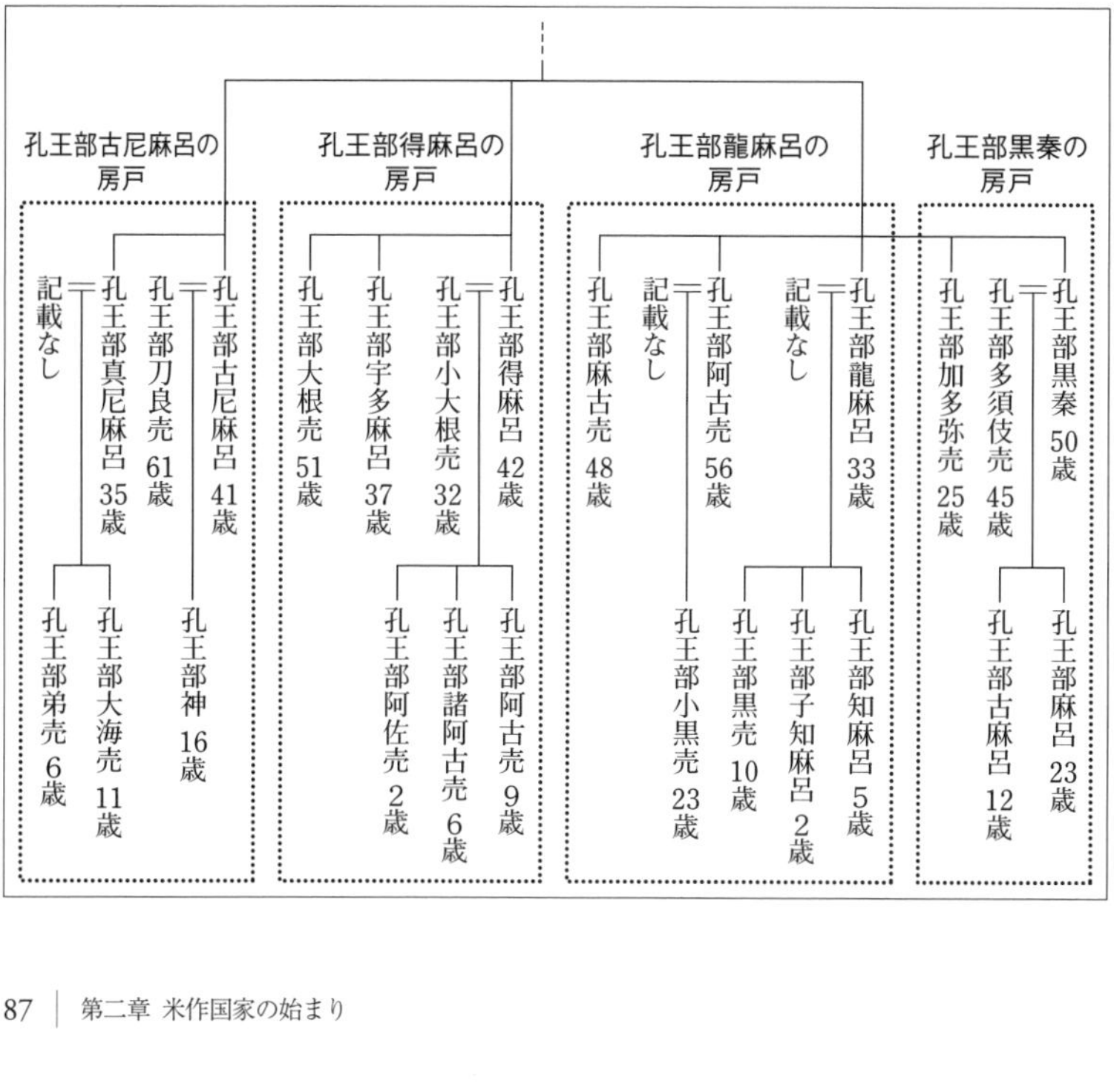

（上田《じょうでん》）の収穫量を得たが、これは米に搗《つ》くと現在の六斗《と》から一石《こく》にあたる。黒秦の戸の口分田三町二段余が下田であれば、九六〇束ぐらいの収量が得られることになる。これを精米すると、現在の量で約一九石（一・三八キロリットル）である。

その収量から、まず来年の種籾《たねもみ》として段別二束、総量で六五束ほどの稲を残しておかなければならない。また田租《でんそ》は段当たり一束五把《は》（現量米三升）が課されていたので、黒秦の戸は約四八束を納めなければならない。

律令制における税負担、祖・庸《よう》・調《ちょう》のうち、調はふつう絹・絁《あしぎぬ》・麻布などの繊維品や各地の産物を納める。調布の規定は長さ二丈六尺（約七・八メートル）、幅二尺四寸（約七三センチメートル）であった。庸は二丈六尺の布かそれに相当する米または塩を納める。その調庸を都まで運ぶのも彼らの負担（運脚《うんきゃく》）であった。

物納の税ばかりでなく、さまざまな力役も農民を苦しめた。まず正丁《せいてい》（成年男子）四人に一人の割合で徴発された兵士役がある。また、雑徭《ぞうよう》（労役奉仕）は正丁一人を年間六〇日徴発してよいことが認められており、徴発された正丁は国司や郡司の指揮のもとで、国内の土木工事などに従事した。

これらの税負担に加えて、さらに重くのしかかったのが出挙《すいこ》である。毎年、春三月と夏五月に国家が農民に稲を貸し付けて、秋の収穫後にふつうは五割の利息とともに徴収する制度である。国家財政を支えたのは、この出挙制にほかならない。じつは、これまでみてきた種子札と農作業の時期も、この出挙制と密接にかかわっている。

田租は各国の経常費に使わず、籾で納めてもっぱら蓄積したが、正税《しょうぜい》の稲は出挙し、その利稲収入で国の財政をまかなった。正税とは正倉《しょうそう》に蓄えられた国家の稲、つまり官稲《かんとう》である。しかし、なかなか円滑に運用されずに年々未納がかさんだため、政府は天平《てんぴょう》一七年（七四五）に、それぞれの国が毎年出挙しなければならない正税の額を決めた。その翌年には、出挙の未納や正税全体の欠損の穴埋めを目的として、大国四〇万束、上国三〇万束、中国二〇万束、下国一〇万束とそれぞれ国の規模に応じた巨大な額の出挙を行なうこととし、その収益が余ったならば国司たちが分配し、自分たちの収入としてよいものとした。この方式には、国司の収入を保障するかわりに、正税の管理を請け負わせようというねらいがあった。

　この膨大な量の出挙を運用するためには、多くの農民に一律に稲を貸し付ける必要があった。それを見事に証明する資料が地下から発見されている。茨城県石岡《いしおか》市鹿《か》の子《こ》C遺跡出土の「漆紙文書《うるしがみもんじょ》」である。昭和五五年（一九八〇）、常磐《じょうばん》自動車道建設の際に発見された鹿の子C遺跡は、武器・武具類などを生産する常陸《ひたち》国府直属の工房であった。その工房内で、生産品に塗る漆《うるし》を入れた容器の蓋紙《ふたがみ》に、郡家《ぐうけ》の公文書の反故《ほご》が使用された。それらの漆の付着した蓋紙が、漆の耐水性・耐酸性により地下に遺存したのである。この「漆紙文書」総点数三〇〇点のなかの一点

10

●漆紙文書が残存する仕組み
漆液は乾燥や埃《ほこり》を嫌うため、曲物の桶に反故紙で蓋をする。この蓋紙が遺存したものが漆紙文書。右下は漆を漉した布。桶は復元品。

〔表〕

⊔〇廿
⊔三月〇卅 五月〇卅
□マ宗足三月〇廿 五月〇廿
刑マ子宗万呂三月〇卅 五月 卅
刑マ□〔綱〕人三月〇廿〇 五月〇廿
占マ羊三月〇廿 五月〇卅
刑マ直⊓⊔ ⊓⊔〇□ ⊓⊔〇□
〔十一人〕
□□□□□
〔仝〕□刑マ□宿奈万呂三月〇卅 五月〇卅
刑マ千法女三月〇廿 五月〇廿
刑マ尼女三月〇廿 五月〇廿
⊔三月〇卅 五月〇卅
⊔三月〇廿 五月〇廿
⊔□月 廿 □月〇□

〔裏〕

⊔□月 十 □月〇十
⊔女三月〇□ 五月〇□ 九月廿八日布一段
〔人〕
⊔□□□ 稲五百五十束
⊔マ廣足三月〇卅 五月〇廿 九月十二日卅 九月廿九日□□ 九□
〔布〕
若櫻マ尼□女三月〇廿 五月〇廿 九月廿二日卅 九月廿八日一段 二
刑マ三成女三月〇十 五月〇十
刑マ直廣足三月〇卅 五月 卅
刑マ綾万呂□月〇廿 五月〇□〔十〕
刑マ廣主□月〇卅 五月〇卅
⊔□稲虫女三月 五月 □□
⊔□三⊓⊔ 五□〇□
⊔ □

◉郡家で作成された出挙帳
この帳簿は表裏両面に書かれている。通常、正式な一連の帳簿を両面に記すことはない。朱筆によるチェックマークや、九月の収納（布による代納もある）の書き込みもある。おそらく、鹿の子遺跡の郡家《ぐうけ》で出挙の事務用に作成され、郡家内に留め置かれたものであろう。

に、右に示す出挙の帳簿があった。

この帳簿から、注目すべきつぎの三点を読みとることができる。

①それぞれの名の下に記された月名が、すべて「三月」と「五月」であること。

②それぞれの末尾の数字が、「十」から「卅」まで、すべて十を単位としていて端数のないこと。
③それらの数字の上には朱筆で圏点《けんてん》（○印）が打たれ、この帳簿作成後に勘検（検査）を受けていること。

これにより、出挙は春「三月」と夏「五月」の二度にわたって強制的に行なわれ、男女を問わずに一律に出挙されていたことが明らかになった。

五割の利息はやはり国家財政にとって魅力であった。さらに、地方の有力者にとってもこれ以上に私富の蓄積につながるものはない。その反対に、国家・地方有力者双方からの出挙（公出挙《くすいこ》・私出挙《しすいこ》）は、農民にとってはあまりにも過重な負担となったに違いない。

これまで出挙に関する資料が少なかったこともあり、その実態は不鮮明であった。しかし、出挙がいかに広範に実施され、国家財政の根幹を支え、農民生活を圧迫したきわめて苛酷《かこく》な制度であったかが、その後も続々と地下から発見される「漆紙文書」や

●古代の役所の二重帳簿
新潟県長岡市の下ノ西遺跡には、越後国古志《こし》郡の郡家が置かれていた。木簡は曲物《まげもの》の蓋を利用したメモ書きである。実際には農民から五割（貸稲三五〇束に対し利息一七五束〔一〇九＋六六〕）の利息を徴収した裏帳簿に、「十四」というダミー数字を追加することで、当時の公定利息である三割（貸稲三六四束〔三五〇＋一四〕に対し利息一〇九束）という、中央への報告用の表帳簿をつくったのであろう。

木簡《もっかん》などの新しい古代史の資料によって証明されてきている。地方の役所の遺跡から木簡が出土すれば、必ず出挙関係のものが含まれているといっても過言ではない。こうした状況から判断すると、農民によって生産された稲が、出挙によって支配者側に回収される強力なシステムが古代社会のなかに確立されていたといえよう。

日々の労働により収穫した米が、農民自身の口に入ることは、ほとんどなかったのである。

権力者による品種管理

種子札《たねふだ》に記された品種名は、古代末期の和歌の世界、および近世の農書・古文書にもその名を見いだすことができることはすでに述べた。

九世紀の山形県上高田《かみたかだ》遺跡出土木簡《もっかん》の種子札「畔越《あぜこし》」は、近世の農書『清良記《せいりょうき》』「親民鑑月集《しんみんかんげつしゅう》」に中稲《なかて》の品種名のひとつとして見えるのをはじめ、近世において各地で栽培された稲のなかでも、もっとも普遍的な品種のひとつである。同様に、全国各地の古代遺跡で発見された種子札が、近世の農書などに記されている稲の品種名と十数例も合致することは、古代から近世まで一貫してほぼ同一品種が栽培されていたことを示している。もちろん品種名が同じであっても、さらなる品種改良の可能性は考慮しなければならない。しかし、播種《はしゅ》から田植え・刈り取りまでの日数が約一二〇日前後である点も、古代から近世までほとんど変わらない。このことは、日本列島における稲作農耕は古代において大部分の骨格が形成され、中・近世に継承・発展したことを物語っているであろう。

多数の品種が計画的に毎年栽培されるためには、権力による完全な管理が必要であった。つまり、古代国家の稲作は、支配者層により想像以上に統制・管理されていたのである。

この品種に関する疑問として、先に触れた「ながひこ」のように稲の品種名であったものが、なぜ平安末期の貴族たちの和歌に稲そのものの異名のごとくに一般化して詠《よ》みこまれたのか、ということがあげられる。その疑問は、古代社会において、稲作が天皇や貴族、そして地方豪族による強力な統制下に置かれ、それが品種管理にまで及んでいたゆえに、各地に広大な農地を所有した貴族たちには稲の品種名が強く意識され、和歌に詠みこまれたと考えることによって氷解する。

それでは、なぜ古代において多様な品種が存在したのであろうか。以下に、その理由と考えられる三点をあげておこう。

第一に、近世の農書類、たとえば長尾重喬《ながおしげたか》の『農稼録《のうかろく》』には、つぎのような指摘がある。

「よい種子であっても、毎年同じ土地につくれば、その土地になれて収量が少なくなる。とにかく土地になじみのないよい種子を、かわるがわるつくること。自分の田であっても、一か所に同一の品種を毎年つくってはいけない。あちらこちらと年ごとに田を変えてつくることである」

この同じ田に同一品種を毎年つくらないという鉄則は、稲作本来の定法であるとされている。この点においても、稲の品種は数多く用意する必要があったのではないか。

第二に、先にみた仮寧令給休仮条《けにょうりょう》および荒田目条里遺跡《あっためじょうり》の種子札の月日記載からも明らかなように、農繁期の時期をずらして播種・田植え・刈り取りなど一連の農作業の労働力を確保することを意図した対策であろう。

第三に、多品種を作付けするのは、風水害に対する措置と考えられる。江戸時代の農学者である宮永正運《みやながせいうん》は、『私家農業談《しかのうぎようだん》』でつぎのように指摘している。

先大概《たいがい》某所に古来より作り来れるを、其歳々の豊凶を考て作るべき事肝要なり。何《いず》れにも農人は種子の数早稲《わせ》より晩稲《おくて》まで十四五種二十品も作るべし。左《さ》あれば歳の気候によりて遅速の豊凶或《あるい》は風難水難にも品多く作れば、五品は災に懸りても五品は遁《のが》る、あり。一概に一品斗《ばかり》を作るべからず。

つまり、品種ごとの生長時期のずれにより、風倒などの被害の危険性が分散されるわけである。風水害だけでなく、病害虫に対する備えとしても多品種の作付けは有効であったろう。いわば食糧安全保障としての意味合いも考えられるのではないか。

ところで、先述した「種子札」の出土遺跡の性格を整理すると、つぎのとおりである。

福島県会津若松市矢玉遺跡　陸奥国会津郡家関連遺跡
福島県いわき市荒田目条里遺跡　陸奥国磐城郡家関連遺跡
福岡市高畑廃寺　筑前国那珂郡家関連遺跡

遺跡の性格が判然としない上高田遺跡を除くと、種子札出土遺跡はそれぞれの地域支配の拠点に位置し、郡家《ぐうけ》関連施設と考えられる。地方における稲作農耕にもっとも深く関与し、指導的役割を果たしたと考えられる郡司《ぐんじ》層の拠点的場から種子札が出土している点は、大いに注目すべきであろう。つまり、地方社会においては郡司層が、稲の品種を統制・管理していたのである。

種稲分与と農耕具の専有

種籾《たねもみ》を管理し、分け与えること、つまり種稲分与《しゅとうぶんよ》は、これまではもっぱら出挙《すいこ》の起源論に関して主張されてきた。出挙の起源については、原始農耕において種稲を村落の首長や司祭者から授けられる農業慣行が残存しているという説などがある。

しかし、その一方で、大王─首長、首長─農民という二重構造による種稲分与が、王権および在地首長権の確立に実質的な意味をもちつづけたという、岡田精司《おかだせいし》らの指摘も重要である。岡田は以下のように述べている。

大王の新嘗《にいなめ》に、初穂《はつほ》と紬《つむぎ》を持って参集した地方首長やその代理は、それぞれ大王から種稲を授けられて下向していた。地方に種稲を下賜《かし》する

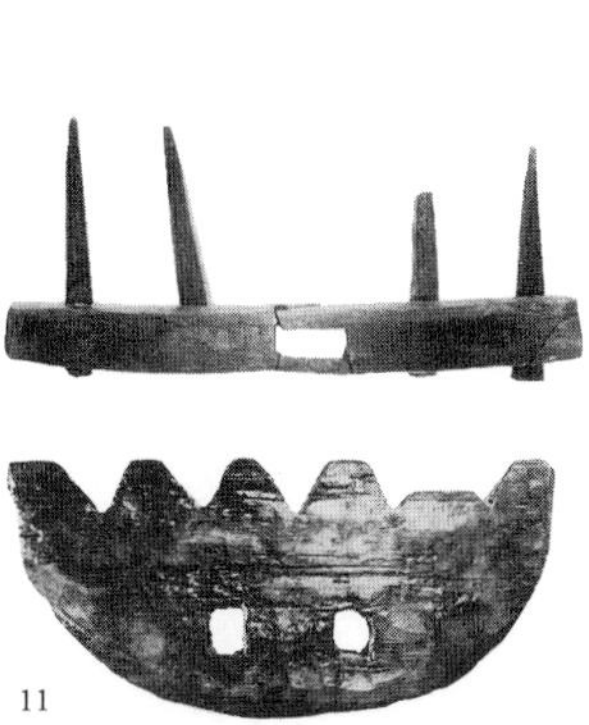
11

◉農耕具を多量に保有した郡家
駿河国志太《しだ》郡家跡では、鍬（上／土を起こす）、えぶり（下／水田の土をならしたり、穀物の実などを掻き寄せる）など多くの生産用具が出土している。

古代から現代へ——国家と稲作

令《りょう》制の祈年祭《きねんさい》の班幣《はんぺい》も、この性格を継ぐものである。大王は農耕儀礼を掌握することによって、宗教的に国土支配を行なおうとしていた。それは即位儀礼が新春の予祝《よしゅく》（前祝い）のかたちをとり、大王が穀霊のように扱われることにも現われている。大王の手による初春の種稲分与は、大王家の稲《いな》魂《だま》を頒《わか》つという意味をもち、それによって農業生産そのものが大王に宗教的に支配されるという重要な意味をもったのであるとする。

一方、地方社会において圧倒的な権力を誇った地方首長（郡司《ぐんじ》層）も、地方における生産機構を十分に掌握していたに違いない。なかでも、農耕具の専有はきわめて重要な要素であった。考古学的事例としても、たとえば、丹波国氷《たんばのくにひ》上《かみ》郡の郡家《ぐうけ》別院と想定される山垣《やまがき》遺跡（兵庫県丹波市）では、縦《たて》杵《きね》・鋤《すき》・えぶり・鍬《くわ》・槌《つち》の子《こ》など、未製品も含めて農耕具の木製品が数多く出土している。また、駿河《するが》国志太《しだ》郡家跡（静岡県藤枝市）でも、鍬・大足《おおあし》・えぶりなどの農耕具が発見されている。このような郡家による多量の農耕具の専有は、稲作農耕が郡司層によって統制・管理されていたことを示唆しているのであろう。

以上、出土した種子札《たねふだ》を手がかりとして古代の稲作の実態を浮き彫りにしてきたが、この問題はさらに、古代国家構造の本質に迫る以下のような可能性を有していることを確認しておきたい。

稲を早・中・晩稲《おくて》に三区分し、それぞれに多様な品種をつくりだしたうえで、少しずつずらして作付けするなど、古代の稲作が想像以上に統制・管理されたものであることがわかった。こうした統制と管理によって、はじめて稲の生産量と品質の安定が保証され、その安定した生産量と品質が、稲を国家財政の基盤および流通経済の物品貨幣として位置づけることを可能としたのである。

八世紀なかばの諸国から東大寺《とうだいじ》への奴婢《ぬひ》の貢進文書には、二四歳の男子が九〇〇束、一九歳の女子が一〇〇〇束などと、稲による買い上げ価格が明記されていた。ちなみに、名馬の産地とされる陸奥国《むつのくに》の上級の馬は一頭六〇〇束で売買されていた。いずれにしても、古代において稲は、繊維製品と並ぶ物品貨幣としての役割を果たしていたのである。

近年、稲作に偏重した見方を批判し、畑作や山野

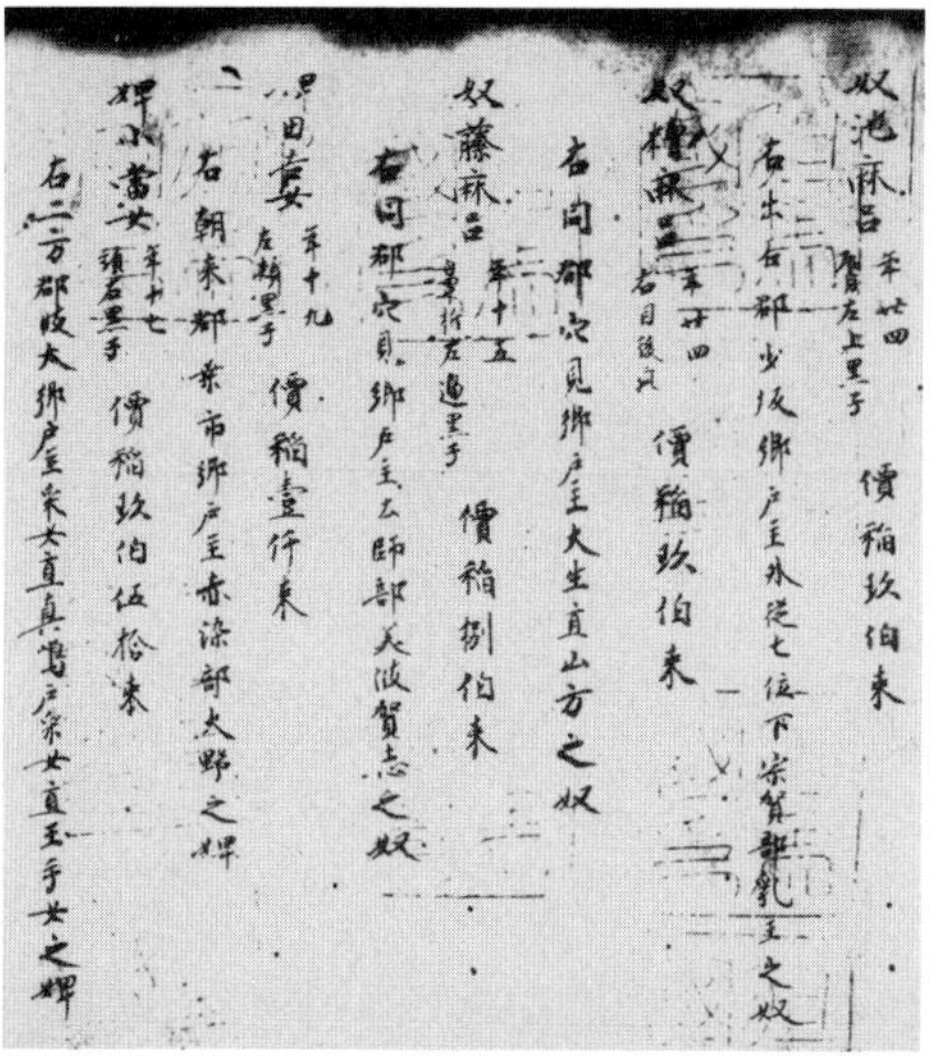

12

◉但馬国からの奴婢貢進文書
奴婢の買い上げ条件は、容姿端麗な一五歳以上三〇歳以下の者、購入経費は諸国の正税（国費）とされた。

河海の資源についてももっと重視すべきであるという見解が相次いで発表されている。それに対して、「弥生《やよい》・古墳《こふん》時代には米の生産量も多く、その役割は十分に大きく、弥生人は米を常食としていた」「弥生時代から一二、一三世紀にかけての人口急増の波は、主食が米に集中した結果である」と、あらためて稲作中心論が展開され、反論が提示されている。

しかし、稲が古代国家そのものを支えた生産物だったとすると、古代の農民の生活を支えた食料は雑穀や木の実・魚類・動物など、山野河海のあらゆる資源がその対象となったであろう。稲の種子札の発見は、逆に従来の稲作中心の農業生産から、古代社会の多様な生産に眼を向ける必要性をひじょうに高めたといえる。

さらに、稲の種子札の発見は、古代国家構造そのものを解き明かす鍵《かぎ》であり、それによって品種名が一〇〇〇年以上も受け継がれてきたと推定された。また、古代に始まり、近世、さらに現代まで続く〝政治と米づくり〟の強い結びつきも鮮明になった。

現在、米づくりは徹底した市場性・商品性の追求により、「コシヒカリ」「ササニシキ」「ひとめぼれ」「あきたこまち」といった、コシヒカリ系のいわゆるブランド米が中心となっている。最近では、アメリカのカリフォルニア州で「あきたこまち」が、中国で「コシヒカリ」の改良種の栽培が行なわれはじめたという。このような傾向は今後もさらに強まるであろう。平成五年（一九九三）の米不足を想起するまでもなく、こうした特定品種に偏った作付けのもつ危うさについては、熟考の必要があるだろう。

第三章

古代人は自然とどのように向き合っていたか

いまや、環境問題は地球規模で問われている。日本においても、際限のない環境破壊は、自然のみならず人間性を無視し、さらに地域の自立的発展を阻害するものへと拡大している。これまでの歴史学は、人間とその社会的関係のみを対象として扱い、自然との関係を不問に付してきたのではないだろうか。

ある自然科学者が、雑誌につぎのような要旨のことを書いていたのを思い出した。

「気候が歴史を変える。そう聞くと『そんなことはない。歴史は人間がつくるのだ。気候の変動は、千年、万年の単位のものだ。人間の歴史とはタイムスケールがかみあわないではないか』と歴史学者は反論した。しかし、この風潮はここ数年大きく変わった。その背景には、近年、古気候の復元精度が格段に向上したことがあげられる…」

このような気候変化や植生の遷移《せんい》などの長期的な環境の変化のみならず、火山噴火・洪水・地震など、制御できない環境の短期的激変に人々がどのように対処してきたのかを明らかにすることこそ、歴史の真実に迫る新しい視角といえる。

1

◉『出雲国風土記《いずものくにふどき》』の原風景
八世紀の『風土記』に記された「朝酌《あさくみ》の促戸《せと》の渡《わたり》」は、島根県松江市の大橋川《おおはしがわ》がせばまる地点にあたる。入海の豊富な水産物に恵まれた、にぎやかな港町であった。現在も岸辺の葦原が幻想的な風景をとどめ、矢田《やだ》の渡しが生活を支える。

日本の歴史における一つひとつの事象は、政治的、社会的な側面からだけでは解明することが困難であり、自然環境との関連をもっと重視しなければならない。資源としての自然、また、大きな災害をもたらす脅威としての自然に対して、日本列島に住む人々がこれまでの歴史のなかで、どのように対処してきたかを明らかにする必要があろう。

火山噴火によって埋もれた村

軽石の下から現われた生活の痕跡

伊香保《いかほ》風　吹く日吹かぬ日　ありしといへど　我《あ》が恋のみし　時なかりけり　（三四二二番）

（伊香保風は吹く日も吹かぬ日もあるというが、私の恋の心ばかりは、いつという定まった時もなく襲ってくる）

子持山《こもちやま》　若《わか》かへるての　もみつまで　寝《ね》もと我《わ》は思《も》ふ　汝《な》はあどか
思《も》ふ　（三四九四番）

（子持山の楓《かえで》の若葉が紅葉するまで、一緒に寝ていたいと私は思う。お前はどう思う）

『万葉集《まんようしゅう》』にあるこの二首の歌枕、伊香保と子持山が、火山灰に埋もれた村、「日本のポンペイ」といわれ全国の人々の眼を釘づけにした、群馬県渋川《しぶかわ》市黒井《くろい》峯《みね》遺跡・西組《にしぐみ》遺跡・中筋《なかすじ》遺跡などの所在地である。

黒井峯遺跡は群馬県のほぼ中央にあり、吾妻川《あがつまがわ》に面した標高約二五〇メートルの河岸段丘の上、子持山のふもとにある。イタリアのポンペイ遺跡はベスビオ山の噴火で埋もれた都市の遺跡であるが、黒井峯遺跡は六世紀なかば、吾妻川を挟んで南西約六〇キロメートルにある榛名山《はるなさん》の噴火によって埋もれた集落の遺跡である。

草津《くさつ》温泉や伊香保温泉などの名湯に恵まれた群馬県は、全国でも指折りの火山県でもある。県中央に複雑な山容を見せる榛名山も、かつて活発な火山活動をした時期があった。二ツ岳《ふたつだけ》付近で、今から一五〇〇年ほど前の古墳《こふん》時代中期から後期に、三回の噴火を繰り返したのである。

2

一回目の噴火は五世紀末の古墳時代で、小規模なものだった。

二回目の六世紀初めごろの噴火は、大規模なマグマ水蒸気爆発で、爆発のあとには、平成三年（一九九一）の長崎県雲仙普賢岳《うんぜんふげんだけ》の噴火をはるかに上まわる規模の火砕流《かさいりゅう》が発生した。水蒸気爆発と火砕流は一二回ほども繰り返され、その火山灰は東京や福島などの遺跡でも発見されている。水蒸気爆発で始まった噴火に続いて、舞い上がった火山灰が雨とともに降り注ぎ、一帯を火山灰の泥で埋め尽くした。そのあとに時速三〇〇キロ以上、摂氏一〇〇〇度以上の超高速・高温の火砕流が山すその集落を襲った。渋川市中筋遺跡の調査によって、この火砕流でなぎ倒され、燃え上がってしまった家屋の跡が発見されている。

三回目の噴火は、大きな被害を出した二回目の噴火の三〇年から四〇年後、六世紀中ごろに同じ二ツ岳付近の火口で発生した。この噴火は、軽石《かるいし》を大量に噴き上げながら二五回以上も繰り返され、噴出した軽石は、二センチメートル前後の小さなものから、ソフトボール大のものまであった。降り積もった厚さは、黒井峯遺跡付近では二メートルほどで、火口に近い伊香保温泉あたりでは二〇メートルにも達している。

この軽石は、火山爆発で噴出したマグマである。噴出するとき大量の水蒸気とガスが混じって、少なくとも十数キロメートルの上空まで噴き上げられるので、冷えると気泡のある軽石になる。

現在、子持村ではこの豊富な軽石を軽量ブロックの製造に用いている。軽石の混じった土壌では

◉噴火で埋まった古墳時代の村
黒井峯遺跡では、榛名山（右上）の噴火によって村全体が軽石にすっぽりと埋まっていた。遺構の周囲の高まりが、二mの厚さをもつ軽石層である。軽石を除去すると、家・田畑・道などがくっきりと残されていた。

コンニャクが栽培されており、収穫が終わる冬場になると、かわって軽石採取工事が始まる。その軽石採取作業中に古代の墓や住居などが出現したのが、昭和六一年（一九八六）の黒井峯遺跡発見のきっかけであった。

二メートルも積もった軽石層は集落全体をすっぽり包みこみ、驚くことに当時の田んぼの畔《あぜ》や畠《はたけ》の畝《うね》、地面を踏みしめた道、人や家畜の足跡に加え、建物の屋根や柱、柴垣や柵などまでも当時の姿を残して保存してくれた。

今までは、「竪穴《たてあな》住居と掘立柱《ほったてばしら》建物がまとまって存在するところ」というのが古墳時代の集落のイメージだった。ところが、黒井峯遺跡とそれに隣接した西組遺跡の発見は、この古墳時代の集落像を一変させたのである。

まず、集落の建物が竪穴住居と掘立柱建物だけではなかった。竪穴住居は、地面を深く掘って、その底に床をつくるものを指す。また、掘立柱建物も柱穴《はしらあな》を掘り、これらの穴が遺構として残る。これに対して平地式建物は、地表下に柱を据える穴をもたないので通常は確認できないが、黒井峯遺跡などでは軽石層に守られたために数多く発見されたのである。

3

黒井峯遺跡と西組遺跡で、竪穴住居が六棟、倉庫と考えられる掘立柱建物が一一棟、それに対して平地式建物は、なんと四九棟も見つかっている。平地式建物は円形や方形など形態も大きさもさまざまで、家畜用・作業用など、用途に応じて建てられていたようである。そのひとつは、屋根が崩れているためにもともとの高さはわからないが、炭になった壁が地面から一メートルほどの高さまで残っていた。直径一〇センチメートルほどの柱を三〇センチおきに立て、これに横木を結《ゆ》わえてカヤを綴《と》じつけた、厚さ三〇センチほどの壁である。南側に入り口があり、東側の窓には棒で支えた跳ね上げ式の覆いが付けられていることまでわかったのである。こうした建物は、八棟から一〇棟ずつが柴垣に囲まれてまとまっており、そのなかの中心的な人が竪穴住居に住んでいたのであろう。

そのまわりは一面の畠で、五〇〇〜二〇〇〇平方メートルの敷地をそれぞれ占有していた。畠は道や低い畔状の土盛《ども》りで区切られており、きれいに畝が立てられている区画は今年作付けされた畠、畝がつぶれて低くなっているところは前年の畠と考えられる。畠ではムギやオカボ、アズキやソバ、ヒョウタン、アサなどがつくられていた。

台地端の斜面部では、二か所の水場《みずば》が見つかっている。井戸は見つかっていないので、生活用水はこうした水場から汲《く》まれていたのであろう。その先の浅い谷には、小さく区画された水田がつくられている。さらに、台地の下には水田遺跡が広く残されている。台地に住む黒井峯遺跡の人々も

◉火山灰に埋まった村の復元
この模型は西組遺跡の遺構から復元した。遺構からは、田畑・竪穴住居・平地式建物がいくつかのグループに分かれ、それぞれ柴垣で囲まれていたことがわかった。写真右下の大木の根元では、火山の鎮静を祈ったと思われる祭祀《さいし》の跡が確認されている。

水田をつくっていたのである。

水田耕作や畠作は六世紀初め以前から行なわれていたが、火山灰に覆われたのちは水系の変化から水田の復旧はせず、別地点で耕作を行なっている。また、畠は火山灰を耕土として積極的に利用しており、痩《や》せ尾根《おね》上にも焼畑《やきはた》らしい耕地が存在する。さらに、調査した範囲内から樹木が十数本確認されているが、その半数は移植されたものであった。

黒井峯遺跡を襲った噴火は、初夏に起こった。軽石に埋もれた水田の様子を詳細に分析した結果、田植えが始まる時期の作業が行なわれていたことがわかったからである。

また、噴火が起こったそのときに、ある竪穴住居の中に人がいたことがわかっている。二人の人間が、竪穴住居の中に入り込んでくる軽石を、鋤《すき》をふるって防ごうとしていた様子が、竪穴住居の床に残された掘り跡や、軽石の堆積《たいせき》の乱れから復元されている。

ところで、注目すべき点に、遺跡内に何か所も土器《どき》や玉《たま》（臼玉《うすだま》や管玉《くだたま》）がまとめられている遺構が検出されていることがある。

その遺構は、倉庫や道のわきや交差点に置かれている。また、村でいちばん大きなものは五メートル四方の土盛りがされ、その南の端に一本の木の根の跡があり、この木を中心に重ねたり壊されたりした土器が二〇〇個ほども確認されている。噴煙を上げる榛名山に対する恐怖から、火山を鎮めようと祈る祭りが、この木の根元で何度も行なわれたのであろう。

黒井峯遺跡一帯は、六世紀初めの火山災害によって集落のみならず周辺環境の隅々まで被害を受け、一度は災害を乗り越えて復活することができたが、数十年を経て三回目の噴火にあい、降下した軽石によって埋もれてしまったのである。

柴垣で囲まれた建物群や、道沿いに検出される各種祭祀《さいし》遺構、住居に隣接した畠と村落を複雑に走る道路遺構などは、通常の東国各地の台地や低地上では、ほとんど検出することができない遺構である。今後は、古墳時代はもちろん、奈良・平安時代の村落跡をみてゆくとき、黒井峯遺跡や西組遺跡などの村落形態を抜きにしては語れない。

古代の都市づくりと自然環境

乱開発で土砂に埋もれた港・難波津

天平宝字《てんぴょうほうじ》六年(七六二)四月、遣唐使《けんとうし》船が難波津《なにわづ》で座礁する事件が起こった。安芸国《あきのくに》でつくった遣唐使船をいったん難波津に廻航し、難波から遣唐使の一行が乗り込んで、瀬戸内海を筑紫《つくし》に赴くのだが、それが廻航のとき難波の入り口で座礁してしまったのである。その原因は、淀川《よどがわ》などの河川が運んでくる土砂の堆積《たいせき》によって、難波津が浅瀬となったためとみられている。

難波津は古くから大陸との交渉の玄関口として機能し、大化《たいか》元年（六四五）には難波の地に都が置かれた。藤原京《ふじわらきょう》や平城京《へいじょうきょう》へ遷都したのちも、延暦《えんりゃく》三年（七八四）に廃都とされるまで、難波京はつねに副都としての役割を果たしつづけた。この難波京廃都の理由について、これまでは桓武《かんむ》天皇の長岡京《ながおかきょう》への遷都による緊縮財政政策に基づく副都制廃止のためとされてきた。藤原京や平城京の場合には、実際の遷都は造都の数年後であったが、長岡京の場合はわずか六か月で遷都が可能となった。遷都まで短期間ですんだ要因のひとつが、難波宮の殿舎の移築である。難波から長岡への材木

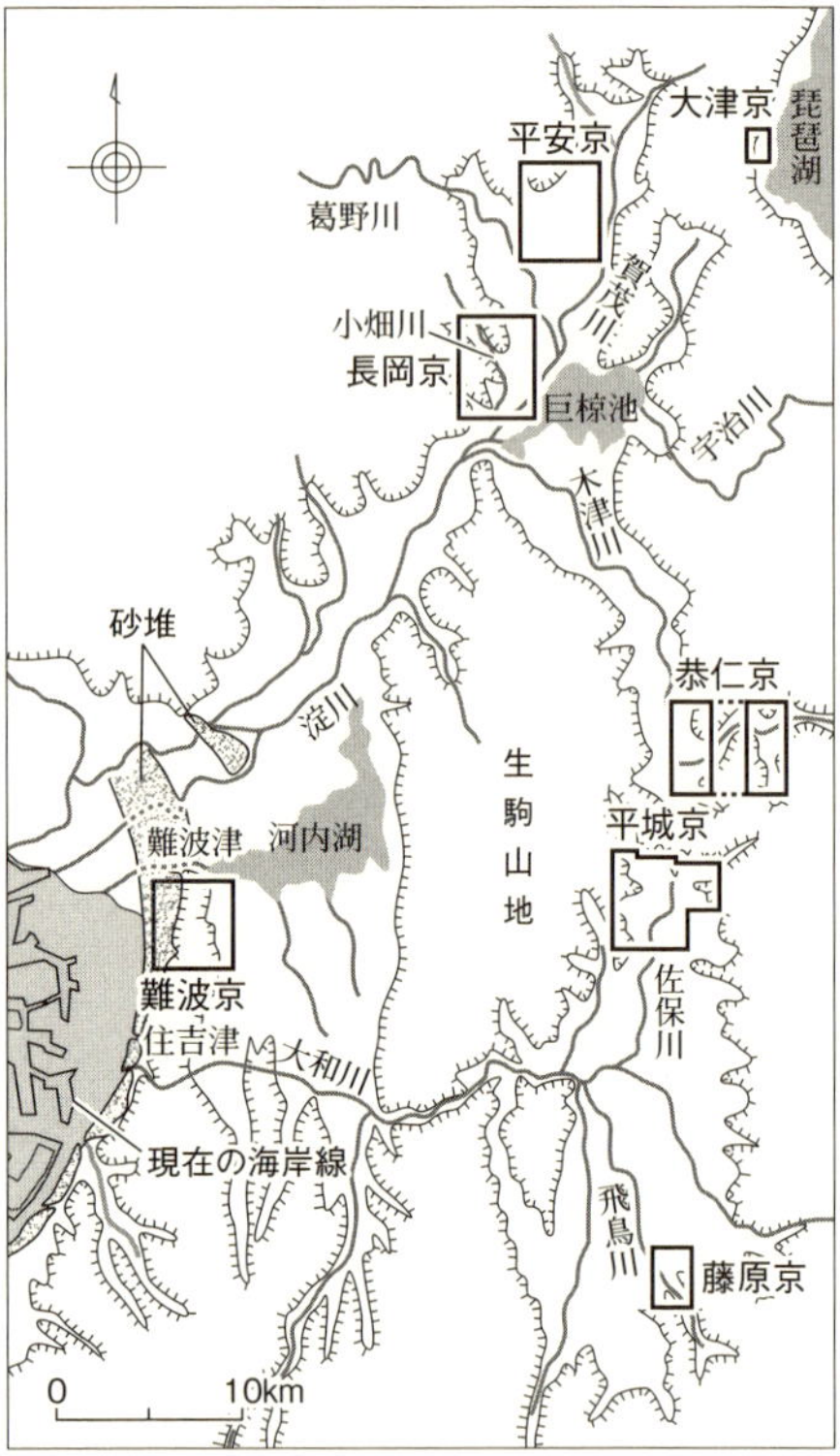

◉古代の宮都と地形の概要
内陸に立地した藤原京・平城京、その外交施設として機能した大阪湾岸の難波津と難波京、大阪湾に注ぐ大河淀川およびその支流の水運を利用した長岡京・平安京。相次ぐ遷都と自然環境との密接な関係にも注目が必要である。

や瓦《かわら》などの輸送は、淀川の水運を利用し、船に乗せたり筏《いかだ》に組まれたりして行なわれたのだろう。実際に発掘調査の結果、難波宮の主要建物を壊して、長岡京に朝堂院《ちょうどういん》として移建した事実が判明している。しかしながら、難波京の廃止問題については、もう少し別の理由も考慮しなければならない。

古代の河内《かわち》平野形成過程に関する近年の地質学の研究成果によると、淀川および大和川《やまとがわ》による大阪湾への流入物の堆積は、七世紀から八世紀にかけて著しくなるという。その原因は何か。

七世紀以降の古代国家建設に伴い、都城《とじょう》や大寺院などが相次いで造営された。その空前の造営規模は、通常の杣《そま》（木材を採る山）の木材供給をはるかに超えるものだった。

平城京を例にとってみよう。平城京には数百棟の建物が建てられた。それには約三〇万立法メートルにも及ぶ木材を必要とした。その主要な伐《き》り出《だ》し場となった滋賀県田上山《たなかみやま》の場合、伐り出された木材は筏に組まれて宇治川《うじがわ》を下り、木津川《きづがわ》を通って木津で陸揚げされ、奈良坂《ならさか》を越えて都に運ばれた。また、屋根に葺《ふ》いた瓦の総数は、五〇〇万枚とも六〇〇万枚ともいう。奈良山《ならやま》丘陵に瓦製作所をつくり、集中的に焼いては運んだ。瓦を運ぶときの一人あたりの運搬量を書いた木簡《もっかん》が見つかってい

4

◉長岡宮を飾った難波宮の転用瓦
新都長岡京は、副都難波京を解体して造営された。その際、難波宮の瓦のほとんどが長岡宮に搬入されている。この瓦も、朝堂院《ちょうどういん》地区から出土した難波宮の重圏文《じゅうけんもん》系の軒瓦である。重圏文とは、同心円を二重または三重に巡らせた意匠をいう。

る。これによると、軒《のき》丸瓦なら八枚、軒平瓦なら六枚で、重量にして約三〇キログラムがひとりの運ぶ量であった。

建築用材や瓦・土器などの窯《かま》燃料を得るための淀川上流域および支流域での森林伐採、大量の瓦や土器生産などのための粘土採掘により、周辺環境には大きな変化が生じたであろう。そして、こうした流域の乱伐や、粘土採掘などの環境破壊による淀川および大和川への土砂の大量流入が、難波津を埋め、その機能を停止させてしまったのではないだろうか。そのため難波京は廃止され、ついには延暦八年、難波津の公的な使用が止められたのである。

長岡京——水陸交通と洪水、そして遷都の真相

古代の宮都のなかで、河川とのかかわりがもっとも密接であったのは長岡京《ながおかきょう》である。長岡京は京内を大きな河川が貫流し、水運に恵まれた半面、つねに河川の氾濫《はんらん》に悩まされた都市である。

延暦《えんりやく》三年（七八四）、桓武《かんむ》天皇は七〇余年間栄えた平城京《へいじょうきょう》から、長岡の地（京都府向日《むこう》市・長岡京市・大山崎《おおやまざき》町）に遷都した。平城京は大和《やまと》盆地の北端にあり、東方は段丘を隔てて春日《かすが》山地、北と西は標高二〇〇メートルたらずの丘陵地に接している。平地は南に向かって緩く傾斜する扇状地性《せんじょうち》の低地であるが、平城宮は低地の頂部にあたるので、地形環境は比較的よい。

一方、長岡京は山城《やましろ》盆地の中央部西寄りに位置する。段丘がほぼ中央部にあり、河川によって大きく三つの部分に分けられている。段丘の東に広がる低地は、緩やかな扇状地・氾濫原・後背湿地

などが占めている。宮域はほぼ西から東へ傾斜しており、宮の西端がもっとも高く、最高地点は元《もと》稲荷《いなり》古墳《こふん》の標高六〇メートルである。

桓武天皇は新たな都をつくるにあたり、なぜ長岡の地を選んだのであろうか。

延暦六年一〇月の詔《みことのり》には、「朕《ちん》、水陸の便を以《もつ》て、都を此《こ》の邑《むら》に遷《うつ》す」とある。長岡京の南郊にある山崎の地は、葛野川《かどのがわ》（桂川《かつらがわ》）・宇治川《うじがわ》・木津川《きづがわ》（泉川《いずみがわ》）の三河川の合流地で、下流の淀川《よどがわ》の大き

長岡京と河川

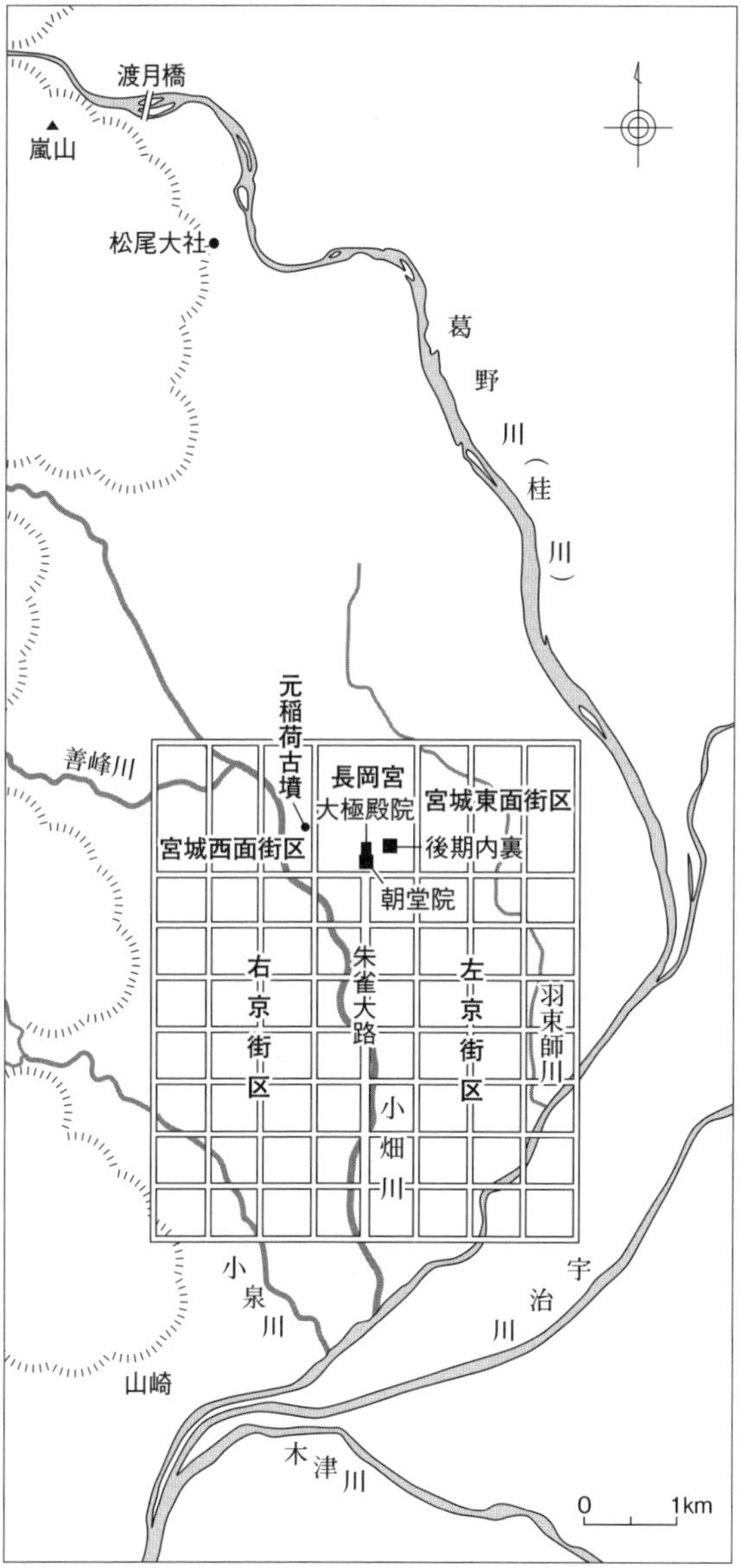

な流れはかなりの大型船舶も就航可能であり、難波《なにわ》との交通はたいへん便利であった。ただ、東から南にかけて流れる葛野川、その支流の羽束師《はづかし》川《がわ》、西側の小畑川《おばたがわ》はいずれも氾濫の恐れがあり、それはまもなく現実のものとなった。

『日本紀略《にほんきりゃく》』によると、長岡京は延暦一一年、二度にわたる大洪水に見舞われた。六月の洪水は雷鳴を伴った大集中豪雨とみられ、小畑川の氾濫と推定されている。川の水が大量にあふれだし、その被害は長岡宮の式部省《しきぶしょう》の南門が倒壊するほどであった。小畑川は通常は水量の少ない川であるが、集中豪雨の際は鉄砲水のかたちで水勢を増し、沿岸の家屋田地が流失した。

「大雨洪水」と記録される続く八月の洪水は、葛野川の氾濫であった。天皇は赤目《あかめ》埼《さき》まで出て、葛野川の洪水の様子を視察した。この川は上流域の近江《おうみ》・伊賀《いが》・南山背《みなみやましろ》に大雨が降ると、山崎の合流点付近で水位が上がり、長岡京左京流域に逆流する地形となっている。

また、葛野川は嵐山《あらしやま》の下、松尾大社《まつのおたいしゃ》付近で流れを南東に変え、さらに長岡京の東で南西に方向を変えて、左京地域を三方から取り囲むようなかたちとなっている。過去の大洪水は松尾付近で堤防が決壊し、長岡京左京の中央部へと溢水《いっすい》が真南に突入してくる例が多いという。おそらく、延暦一一年八月の水害もこの道筋を通って氾濫し、標高一五メートル以下の長岡京左京の八割が被災したと推測されている。

葛野川は、平安京の時代でも「防葛野《ぼうかどの》川使《がわし》」などを任命して治水にあたらせたほどで、賀茂川《かもがわ》と並ぶ暴れ川である。長岡京では葛野川の治水が重要な鍵となる。すでに当時、大規模な堰《せき》（大堰）が構築されていたが、その堰を築くのに大きく貢献したのが秦《はた》氏である。その祖である秦河勝《かわかつ》は、一族を率いて暴れ川を見事にコントロールしたと評されて〝河勝〟を名のったという。

その後も、秦氏はこの大堰を補修して相次ぐ氾濫の危機を防いだ。この大堰は、現在の嵐山の渡《と》月橋《げつきょう》あたりから松尾にかけての流れを調節するために築かれた。嵯《さ》峨《が》・松尾のあたりの葛野川が大《おお》堰川《いがわ》（大井川）と呼ばれているのはそのためである。

長岡の地に新しい都城を選んだ大きな理由は、水陸交通の便がよいことであった。つまり、長岡京の地理的条件は完全に河川に頼るものであり、その繁栄は治水にかかっていたのである。その意味で、延暦一一年の二度にわたる大水害が長岡京の廃都問題に大きな影響を与えたことは明らかであるが、この長岡京廃都については、複雑な事実があるようである。

長岡京に遷都して足かけ一〇年の延暦一二年正月には、新京の地の視察が行なわれている。幾多の困難を乗り越えて造営をすすめた長岡京を、なぜ一〇年にも満たないのに廃都としなければならなかったのか。この問題は長岡京遷都とともに、歴史上の大きな疑問とされている。

宮都の変遷

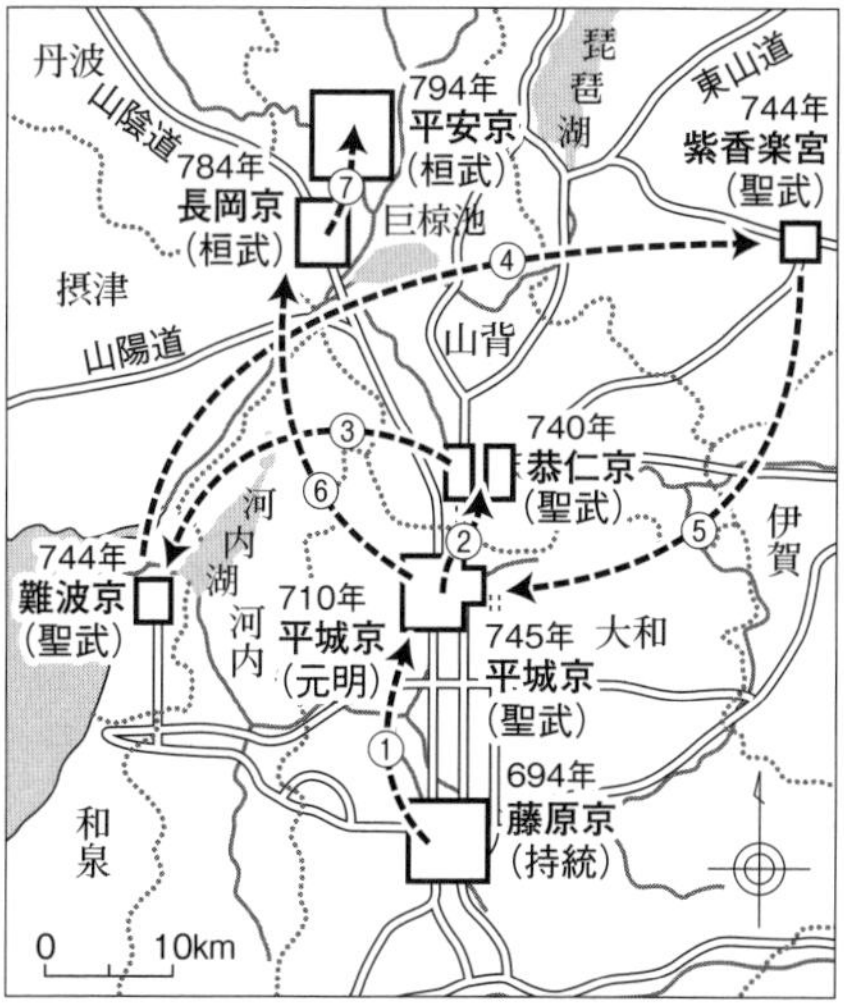

その理由については一般的に、藤原種継《ふじわらのたねつぐ》暗殺事件に関与したとされて憤死した早良《さわら》親王の怨霊《おんりょう》の恐怖から逃れるためという怨霊説と、延暦一一年に長岡京を襲った大洪水被害説の、いずれかをもって説明されている。しかし、この二つの理由だけでは、猛反対を押し切って遷都した長岡京を廃して新都造営に踏み切った説明としては、若干物足りなく思える。

たしかに早良親王の怨霊に対する桓武天皇の恐怖は尋常でなく、近親者の相次ぐ死など身辺の忌《い》まわしい出来事に際して、怨霊の充満する都を逃れ、新しい清浄の地に移りたいと願ったことは容易に想像できる。新しい都を「平安京」と名付けたのも、そうした背景があったとされている。

しかし、桓武天皇が怨霊を恐れ、心やすらかでなかったのは、むしろ平安京遷都後の時期であり、晩年のほうが強烈であった。また、早良親王に崇道《すどう》天皇と追号するなど、怨霊を鎮める数々の施策も平安遷都後に行なわれている。一方、洪水被害説についても、長岡京造営の計画段階で十分に予測しえたことである。延暦一一年の二度にわたる洪水は、怨霊回避説とともに遷都の一要因とはなりえても、主たる要因と見なすことはできないであろう。この主たる要因を明らかにするためには、今後、長岡京遷都そのものに対する本質的な問いかけが必要となるのではないか。

長岡京は旧都平城京を旧勢力の反対を押し切って強引に遷都したもので、そのために延暦四年九月には、長岡京造営の推進者藤原種継が暗殺されたのである。長岡京遷都とともに平城京の副都難波京を廃することができたが、平城京廃都は容易ではなかったようである。七〇余年間の都である平城京を廃し、いきなり同等またはそれ以上の都城建設を行なう余裕は、経済的にも政治的にも、延暦三年当時にはなかったのではないか。そこで、難波宮の廃都材料を用い、長岡京を造営し、平城京からいったん遷都した。そして、長岡京の整備も続けながら平城京を完全に廃し、さらには洪水などの被害を直接的な契機として、念願とする平城京を上まわる大都城、平安京への遷都に着手したと考えることもできるであろう。

志波城・徳丹城造営と水運・洪水

岩手県を流れる雫石川《しずくいし》は、奥羽《おうう》山脈から東進して雫石盆地を形成し、烏泊山《からすとまりやま》と箱ヶ森《はこがもり》の間の北《きた》の浦《うら》付近で急激に流路をせばめて、この狭窄部《きょうさくぶ》を抜けて北《きた》上《かみ》盆地に注ぎ、北上川に合流する。志《し》波城《わじょう》の遺跡は、狭窄部から東へ約六キロメートルの地点にある。現在の雫石川は、遺跡の北約二キロを東流する。志波城跡の地域は、雫石川の旧河道がいく筋も認められ、この地域の沖積段丘がつねに河川の影響を受けた不安定な地形であったことを物語る。

志波城は延暦《えんりゃく》二二年（八〇三）に坂上大宿禰田村麻《さかのうえのおおすくねたむらま》呂《ろ》によって造営された、陸奥国《むつのくに》最北端の城柵《じょうさく》である。

5

◉復元された志波城外郭南門
間口一五m、高さ一一・一mという大規模な門。両側にも土を固く積み上げた築地塀が高さ四・五m、長さ二五二mにわたって復元されている。

志波城跡の基本構造は、約八四〇メートル四方の築地《ついじ》で区画される外郭線と、その内部の築地で区画される約一五〇メートル四方の政庁地区からなる。また、外郭築地の約四五メートル外側に大溝と土塁《どるい》がある。大溝線は約九三〇メートル四方となり、城柵全体では多賀城《たがじょう》に次ぐ規模である。遺構は政庁正殿・西門・官衙《かんが》建物の一部を除いて、建て替えられた痕跡がない。

『日本後紀《にほんこうき》』弘仁《こうにん》二年（八一一）閏《うるう》十二月十一日条は、征夷将軍《せいいしょうぐん》文室朝臣《ふんやのあそん》綿麻呂《わたまろ》の奏言として、志波城廃絶の事由をつぎのように述べている。

それ志波城は、河浜に近くしばしば水害を被《こうむ》る。すべからくはその処を去り、便地に遷《かえ》し立つべし。伏して望むらくは、二千人を置き、しばらく守衛に充《あ》て、その城を遷し訖《おわ》らば、則ち千人を留《とど》め永く鎮戍となし、自余はことごとく解却に従わんことを。

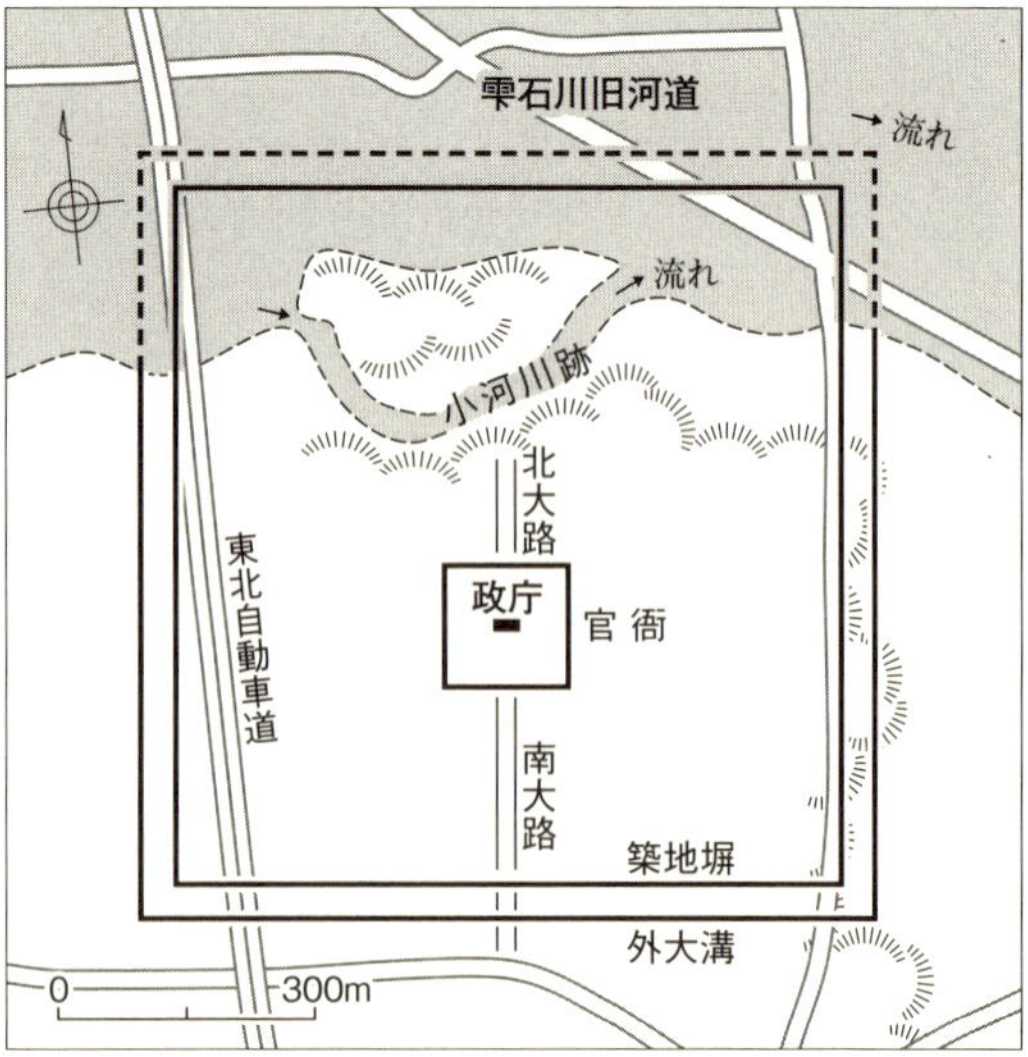

●志波城の基本構造と水害の痕跡
外郭と政庁の規模は鎮守府胆沢《いさわ》城を上まわり、国府多賀城に匹敵する。これは陸奥国最北端の行政府として、また北狄《ほくてき》に対する拠点として、志波城の役割がいかに重要であったかを示している。城内北部に水運のための河川跡が残る。

つまり、水害を理由に、建置されてからわずか八年にして志波城移転の議が起こったのである。

志波城跡の発掘調査の結果、多数の掘立柱《ほったてばしら》建物の柱が抜き取られていることが確認された。また、雫石川は大きなものだけでも現在までに五回も流路を変えている。文室綿麻呂の奏言のごとく、志波城の外郭北辺一帯は雫石川の浸食により削りとられ、残存しない。外郭西辺や内城南辺にはかなり急激に土砂が流入していることから、大きな洪水をこうむったことも確認されている。

志波城は、水害記事を最後に史料上からその名を消し、かわって弘仁五年に徳丹城《とくたんじょう》の名が登場してくる。このことから、徳丹城は志波城を移した城柵とみてよい。

徳丹城は、北上川右岸の標高一〇六メートル前後の沖積地に形成された、川に向かって三角形に突き出す比高《ひこう》差三メートル前後の砂礫《されき》段丘にある。志波城からは南に約一〇キロメートル、東へ大きく蛇行《だこう》する北上川から約一・五キロの地点である。段丘下には、北上川が増水した際、北上川の流水とは逆に北流する「逆堰《ぎゃくぜき》（逆さ川）」と呼ばれる河川が入り込んでいる。

城の基本構造は、約三五六メートル四方の外郭線をもち、東・西・南辺が丸太材の柵列で、北辺のみが築地《ついじ》である。内部には一本柱列で囲まれた約七五メートル四方の政庁地区がある。

近年の発掘調査によれば、従来知られていた徳丹城の本格造営以前に、一辺約一五〇メートルの大溝で四角く区画され、数棟の掘立柱建物で構成された一画が確認された。この施設は外郭東門近くに位置しており、しかもその規模は志波城の内城とされる政庁地区と同じである。

その外郭東門のある地区は、地形的に沖積台地が舌状《ぜつじょう》に突き出しており、その先端部の位置に取り付くように現在も水路が東にのび、約四〇〇メートルほどのところで「逆堰」を経て、北上川に通じている。

平成一二年（二〇〇〇）に、その運河状遺構確認のために発掘調査した結果、沖積台地取り付き部分では、推定幅約一五メートルの人工掘削した運河状遺構を検出し、また、その地点から東に約二〇〇メートル付近でも、運河状遺構の一部を確認した。

調査結果をふまえて推測するならば、弘仁二年に志波城移転の議が起こり、志波城の南、徳丹の地が選ばれた。そして、志波城の政庁域とまったく同じ規模の一辺約一五〇メートルの区画溝で囲まれた簡易な先行官衙をまず造営し、城柵の移転によって政務が停滞しないようにした。その後、志波城の建物の廃材を利用して、本格的な徳丹城を造営したようである。

志波城の発掘調査では、廃城時にほとんどの柱が抜き取られ、運び去られていることがわかっている。これは〝旧材を以《もっ》て充《あ》てる〟ためであり、徳丹城では「由北角柱」と刀子《とうす》で刻まれた柱が外郭西門の北東角から出土し、それを裏付けている。これら志波城で解体された木材は、筏《いかだ》に組んで雫石川から北上川、そして逆堰へと流され、

徳丹城と北上川の位置関係

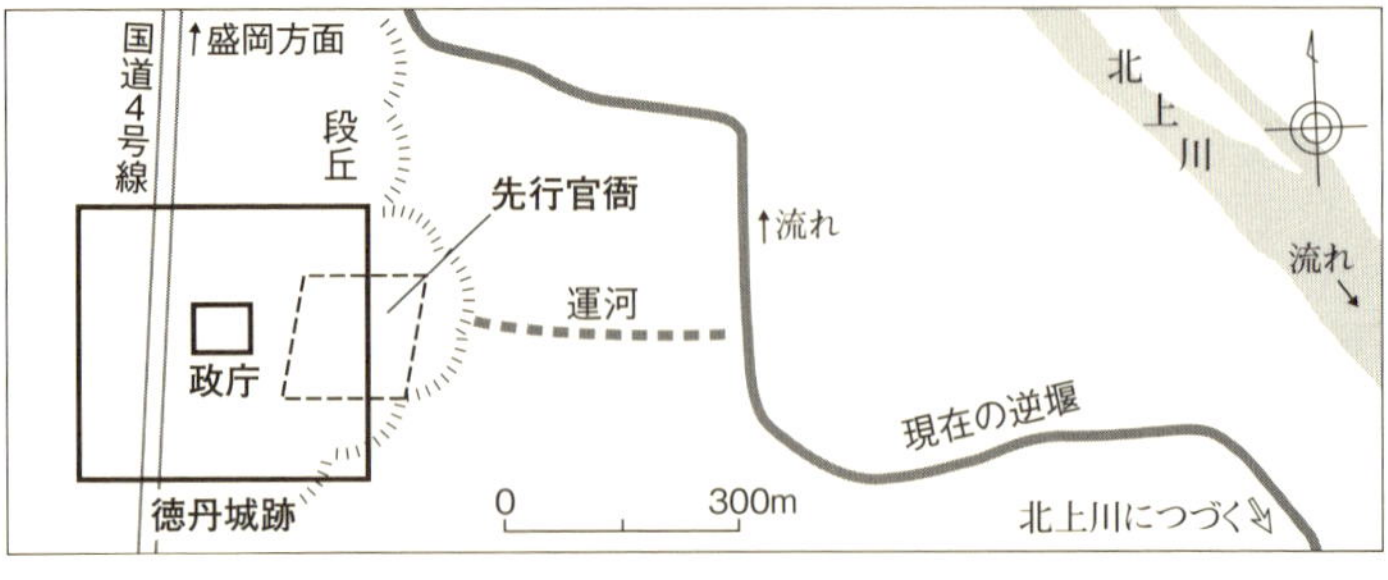

さらに外郭東門付近まで運河を通じて運搬され、外郭東門から徳丹城内に運び込まれたのであろう。こうした方式は、先にあげた長岡京遷都の際に難波宮の廃材を淀川《よどがわ》から運搬し、さらに小畑川《おばたがわ》によって京内に運び入れた方式と酷似《こくじ》する。

もともと志波城は、胆沢城《いさわじょう》の造営に引きつづいて、律令国家の東北支配の拠点をさらに北上させるために設けられたものである。「東夷《とうい》」（東の異民族）ではなく「北狄《ほくてき》」（北の異民族）に対する城柵と位置づけられたために、現在の盛岡市西郊に設置された。奥羽《おうう》山脈から東流し北上川に注ぐ雫石川の右岸上に設けられたのは、そこが北狄の地と対置する出羽《でわ》国と河川交通で直結しているからである。つまり、洪水による災害を十分に予知のうえで、あえてこの地を選んだのであろう。

宮都や城柵のような古代の国家施設は、その造営にあたり、水運の便を十分に活用するために、施設内部に河川を引き込むかたちで造営されている。しかし、それは水害という危険因子を同時に抱えこむことでもある。いいかえれば、これまで宮都や城柵の移転の理由として水害を直接的要因にあげてきた

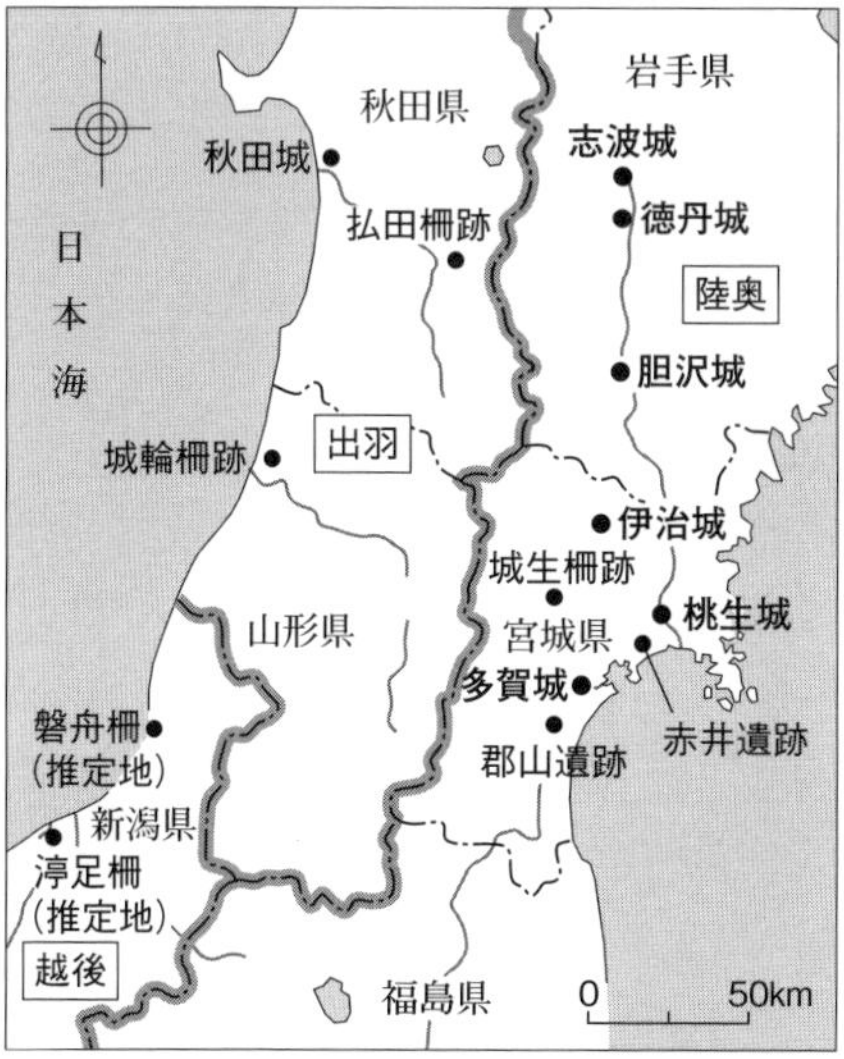

●東北地方の城柵の設置
政府は東北地方北部への律令支配を広げるために、東北各地に城柵を設置した。奈良時代に造営された城柵は丘陵部に立地するものが多いが、平安時代になると平野部に造営される。

が、水運の便と水害は背中合わせの関係にあり、造営当初より十分予測されていたと考えられる。したがって、長岡京は平安京への、志波城は徳丹城への移転が、造営計画の段階からすでに予定されていた可能性があり、それぞれ一連の造営事業と見なすこともできるのである。

現代社会と自然観

環境問題の危機的状況とその閉塞《へいそく》性を打開し、将来に大きな展望を見いだすためには、現在各方面で推し進められている、自然科学的手法のみから環境にかかわる諸現象を分析する方法だけでは不十分である。自然と人間のかかわりの歴史を根源的に問い直し、自然認識の歴史を明らかにすることが重要であろう。その解明に基づき、現代社会および将来に向けて、新たな自然観・環境観を展開していくことこそが、環境問題の有効な打開策となるのではないか。

たとえば、大きな災害をもたらす大自然の脅威に対して、日本列島に住む人々がどのように対処してきたか、その歴史を明らかにする必要があるだろう。繰り返される災害に対し、人々の開発行為は、そのつど形態を変えながらも対処してきたはずだからである。そのひとつの例が、群馬県渋《しぶ》川《かわ》市の南部にある有馬《ありま》条里《じょうり》遺跡である。古墳《こふん》時代に広く畠がつくられていたが、それらは六世紀初めの榛名《はるな》山《さん》の噴火で埋没した。そこで人々はこの土地に最新の技術によって水を入れ、畠を水田に改造した。しかし、この水田も六世紀中ごろ、榛名山の再噴火の火砕流《かさいりゅう》によって埋没してしまった。

6

◉姿を現わした水田と畠
榛名山の噴火による火山灰に埋もれていた、群馬県渋川市有馬条里遺跡の水田と畠の跡。上は細かく畔《あぜ》を設けた小区画の水田。小区画化は傾斜地に開田するための技術である。下はその水田のさらに下層から検出された畠。

それでも、埋もれた水田の上にはまた住居がつくられ、新しい生活が開始されたのである。

長岡京およびその下流域のたび重なる水害も、自然条件のみではなく、流域一帯の乱開発がその大きな要因を占めている。古代都市はすぐれて政治的都市であり、造営や遷都は、もちろんその政治的意義を重視しなければならない。しかし一方で、長岡京の造営・遷都などは、自然環境の側面からも検討することの必要性を立証している。


八世紀にまとめられた古代の地方誌『常陸国風土記《ひたちのくにふどき》』に収められた開発伝承によれば、豪族の箭括麻多智《やはずのまたち》が、霞ヶ浦《かすみがうら》に臨む葦《あし》の茂る谷あいの湿原を開発して水田をつくろうとしたところ、従来この地を支配してきた自然を統《す》べる神（夜刀《やと》の神）である蛇たちが抵抗した。麻多智はこれに怒り、甲鎧《よろい》を身に着け、剣でこの蛇たちを斬り殺しながら湿原を切り拓《ひら》いていった。しかし、湿原の谷が終わる山の入り口の境にある堀までくると、杖《つえ》を立て夜刀の神につぎのように語った。

「これより上の土地は、従来どおり神の土地とするのをお認めいたしましょう。そのかわりに、ここより下の開かれた土地は、人間の地とさせてください。私は今後、祝《はふり》（神主）となって永久にあなたを祭ります。どうか祟《たた》らないでください、恨まないでください」

それ以来、麻多智の子孫はこの祭りを続けて奈良時代に至ったという。

この話は何よりも、古代人たちの自然に対する畏《おそ》れと、自然環境の破壊行為に対する関係修復を示している。ヨーロッパでは紀元前七世紀頃、ドイツのライン川流域に定住していた古代ケルト人が、ローマ人・ゲルマン族の圧迫を受けてイギリス・スペイン・バルカンなどに移住した。彼らはハンノキ類を妖精の木と呼び、伐採をタブーとしたという。それは谷や湿地などの自然環境を維持してゆくための思想であった。

弥生《やよい》時代には、稲作農耕の展開とともに、低湿地を中心に人間による植生干渉が繰り広げられた。とくに水管理のしやすい谷においては、現在より約二メートル海面が高かった縄文《じょうもん》海進期の海が退いたあとの谷のなかに成立したハンノキ湿地林をもつ湿地の生態系が、稲作のためにほとんど破壊された。湿地林は伐採され、当然、低地は人間によってつくられた水田を含む生態系に一変した。

先の『常陸国風土記』のように身近な谷のなかでさえ、夜刀の神（蛇）と人間世界との境を明確にして、神の異域が存在している。ましてや、古代・中世において、日本列島各地およびその周辺に異域・異界が設定されていたのは、自然なことであろう。

現存最古のもののひとつである神奈川県金沢文庫《かなざわぶんこ》

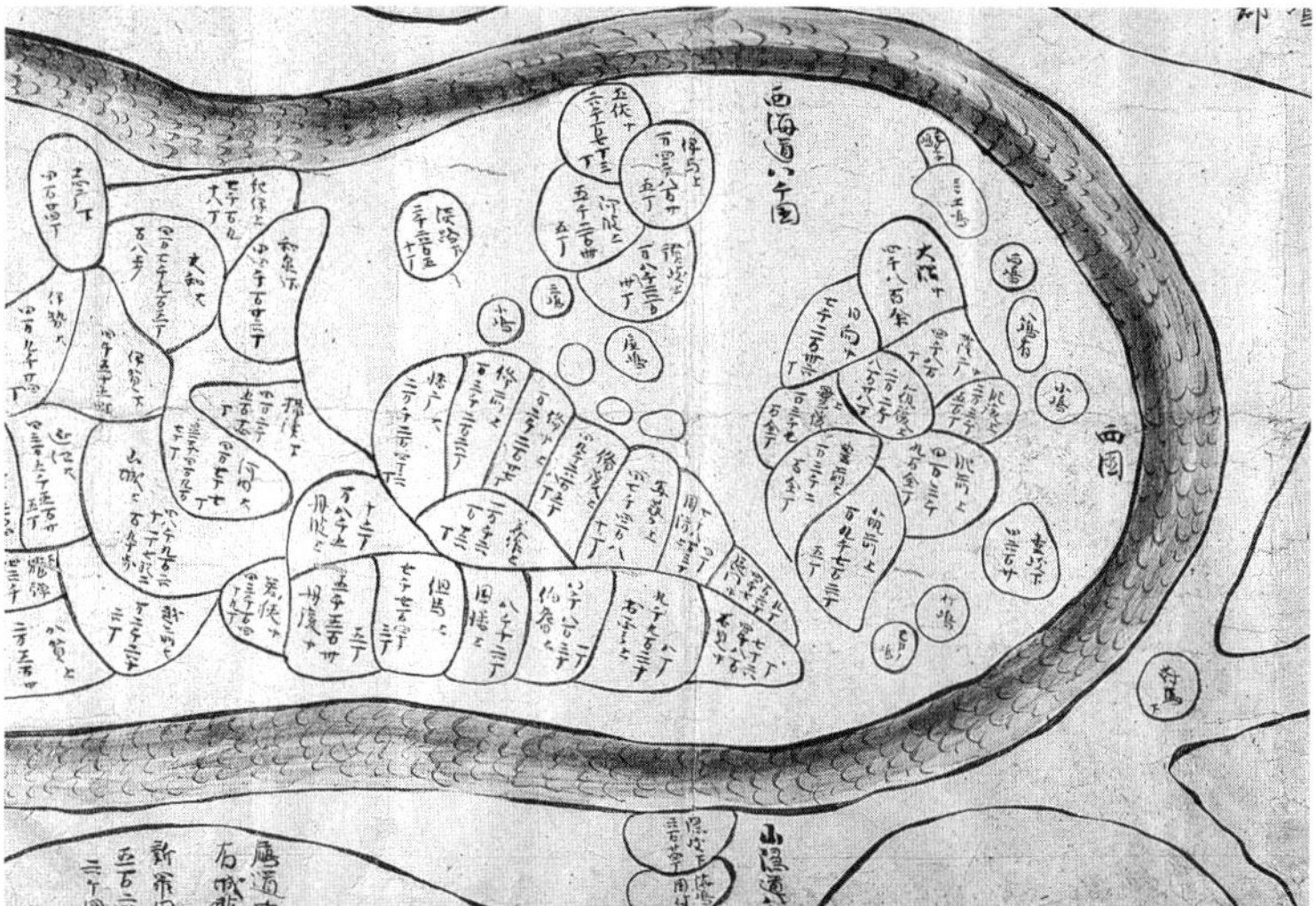

7

◉「雁道」を記した中世の日本図
地図は上が南。右に九州、中央上に四国、その下が中国地方となる。それらを取り巻く枠の外、左下に「雁道」とある。

蔵の日本図（嘉元《かげん》三年〔一三〇五〕頃）には、実在の唐・高麗・琉球《りゅうきゅう》などのほかに、羅刹《らせつ》国・雁道（かりのみち・がんどう）などの架空の土地が描かれている。

雁道にまつわる民俗に雁風呂《がんぶろ》がある。雁は秋に木の枝をくわえて北国から渡ってくる。飛び疲れると波間に枝を浮かべ、その上に留まって翼を休めるという。そして、奥州の〝外の浜〟までたどり着くと、その枝を浜辺に落とし、春にはふたたび自分の枝をくわえて飛び去る。あとには、生きて帰れなかった雁の数だけ枝が残る。浜の人たちはそれを集めて風呂を焚《た》き、不運な雁の供養として人々に施すのである。その成立の背景は前近代の観念的な自然観に基づいており、雁の去来によって、日本の果てとされる外の浜と、さらにそのかなたにある雁道というイメージに、日本海沿岸に打ち寄せられる流木が結びつけられたものである。

現代人の妖怪・魔界などといった想像世界は、現在の複雑かつ流動的な社会・精神構造による圧迫からの回避・離脱願望が大きく作用して形成され、肥大化しているのではないか。古代・中世の人々が描いた想像世界は自然との対置から生まれたもので、自然の恵みと脅威に対する畏敬の念から構築されている。その意味で、われわれはもう一度、古代人の豊かな想像世界と、その背景に注目する必要があろう。

第四章

資源を活用して特産物を生み出す

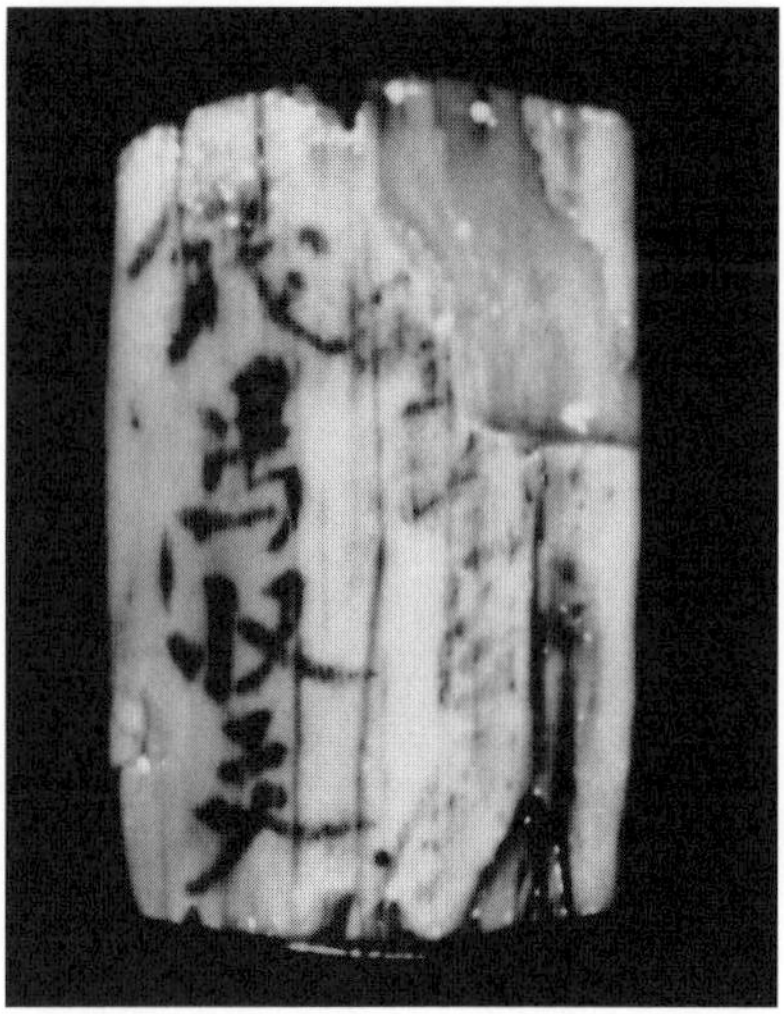

昭和五四年（一九七九）、当時の大分県知事平松守彦《ひらまつもりひこ》が一村一品運動を立ち上げると、その成果が地域振興のモデルケースとして注目を浴びた。日本列島における多様な自然環境のもとで、各地域の自然資源をどのように活用するか、その重要性は今日、ますます増してきているといえよう。

ところで、これまでの古代史研究では、地方における人々の生産活動については、都に税を納めるためという面が強調されてきた。古代の歴史書には、主として政府からみた記録が残されている。また、出土資料である木簡《もっかん》は日本の古代遺跡からだいたい二〇万点ぐらい出土しているが、その大半は都から出土したものである。都から出土する木簡には、当時の国家を支えるために地方から税として送られてきた荷物に付けられていた付札《つけふだ》が多い。これらを見るかぎり、それぞれの地域は、もっぱら税を納めるための生産をしていたように理解してしまいがちである。

室町《むろまち》時代中期に成立した国語辞書『節用集《せつようしゅう》』に記載されたような全国各地の特産物は、通説では、国内・海外市場との関連において各地がそれぞれの商品生産を行なうようになる一五世紀頃に生まれたとされている。

ところが、近年、全国各地の古代遺跡の発掘調査が進んで、その地域特有の大規模な生業活動というものが、古代においてすでに活発に行なわれていたことがわかってきたのである。

古代社会の根幹ともいえる生業活動について、具体的にみていきたい。

布と塩——山椒大夫の世界

埴科郡家の「布手」たち

麻苧《あさお》らを　麻笥《おけ》にふすさに　績《う》まずとも　明日《あす》
着《き》せさめや　いざせ小床《おどこ》に　（三四八四番）

（麻の苧を麻笥いっぱいに糸になさっても、明日着物としてお召しになるわけではないでしょう。さあ、床に入りましょう）

この一首は『万葉集《まんようしゅう》』に収められている東歌《あずまうた》である。竪穴《たてあな》住居の中の薄暗い灯火のもと、夜遅くまで糸を紡ぐ女性の姿がそこにある。このような史料から、一般的に古代の布生産はもっぱら女性による家内仕事のように理解されてきた。

南北に長い長野県をその名のとおり大きく蛇行《だこう》す

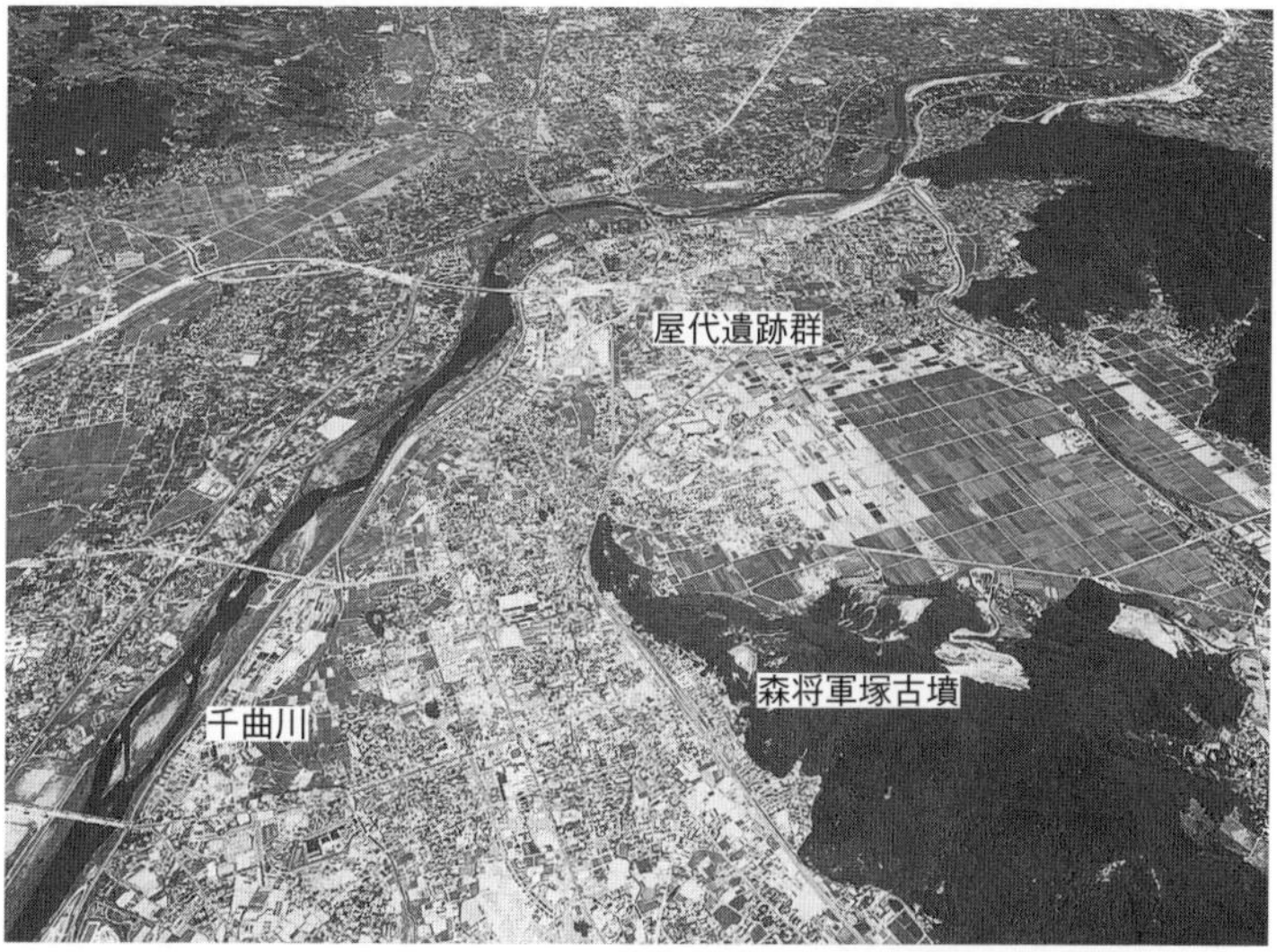

1

◉千曲川と屋代遺跡群周辺
千曲川は善光寺平に入ると流れも緩やかになり、運んできた土砂が堆積して両岸に自然堤防がみられるようになる。こうした堤防上に多くの遺跡が立地し、背後には水田が生まれた。

る千曲川《ちくまがわ》は、千曲市（旧更埴《こうしょく》市）のあたりで北東へ屈曲する。その流れが緩やかになるあたりに屋《や》代遺跡群《しろいせきぐん》がある。この屋代の地は、川が運んだ土砂によって発達した自然堤防上に集落が分布し、その後背湿地には豊かな水田が広がっていた。古墳《こふん》時代の四世紀後半にははやくも森将軍塚《もりしょうぐんづか》をはじめとする巨大な古墳群が出現し、その後も信濃国《しなののくに》の中核拠点となっている。

平成六年（一九九四）の屋代遺跡群の発掘調査によって、四万点を超す木製品が出土した。そのなかから、地方の遺跡から出土したものでは最古の年紀「乙丑《いっちゅう》年」（六六五年）をもつものをはじめとする、一二六点の木簡《もっかん》が発見され、そこが埴科郡家《はにしなぐうけ》であったことが判明した。これらの木簡のなかには、つぎのように人名を何十人も連記し、それぞれの人名の末尾に「布手《ぬのて》」と記した作業記録のようなものが数点見える。なお、以下、釈文中の⌜は、判読できないがそこから何文字か書かれていることを、同じく⌟は、そこまでに何文字か書かれていることを示す。

⌜　　⌟金刺ア富止布手、　⌜　　⌟布手

刑マ真□布、　酒人□〔石〕布手、　金刺舎人真清布手、

長さ（五六三）×幅（三二）×厚さ五ミリメートル

布は麻布を指すが、「布手」という語はこれまでの史料には見えない。しかし、「手」は「織手《おりて》」「作器手」など手工業生産に携わる人を示している。こうした例からみて、「布手」は布の生産に従

事する者であり、錦《にしき》・綾《あや》・羅《ら》などの生産における「織手」「織生」のように、織布作業者の呼称とみてよいであろう。

この木簡の「布手」は、「富止」「真清」などの名前からして、すべて男性である。そして、この「布手」の人名を列記した木簡は、評家《ひょうけ》または郡家に繊維製品にかかわる工房が存在したことを意味している。このあたり一帯を支配した豪族（郡司《ぐんじ》など）は、大規模な織機をそろえ、支配下の男性を「布手」として多数動員し、大量の布を生産したのであろう。それが中世以降の信濃の特産物、いわゆる〝信濃布〟として有名になっていったのではないか。「布手」の存在は木簡によってはじめて証明されたが、さらに遺物の分析によっても裏付けられている。

千曲川の屈曲点にあたるこの一帯では、頻繁に洪水が起こった。洪水があると肥沃《ひよく》な土壌が形成されるので、そこを開発する。そしてまた洪水の被害を受ける。この繰り返しのなかで、人々はそのつど、開発の形態を変えながら、高い生産力と水運の便を併せもった地方支配の拠点を形成したのである。

平安時代の土層を見ると、洪水による砂が、厚い

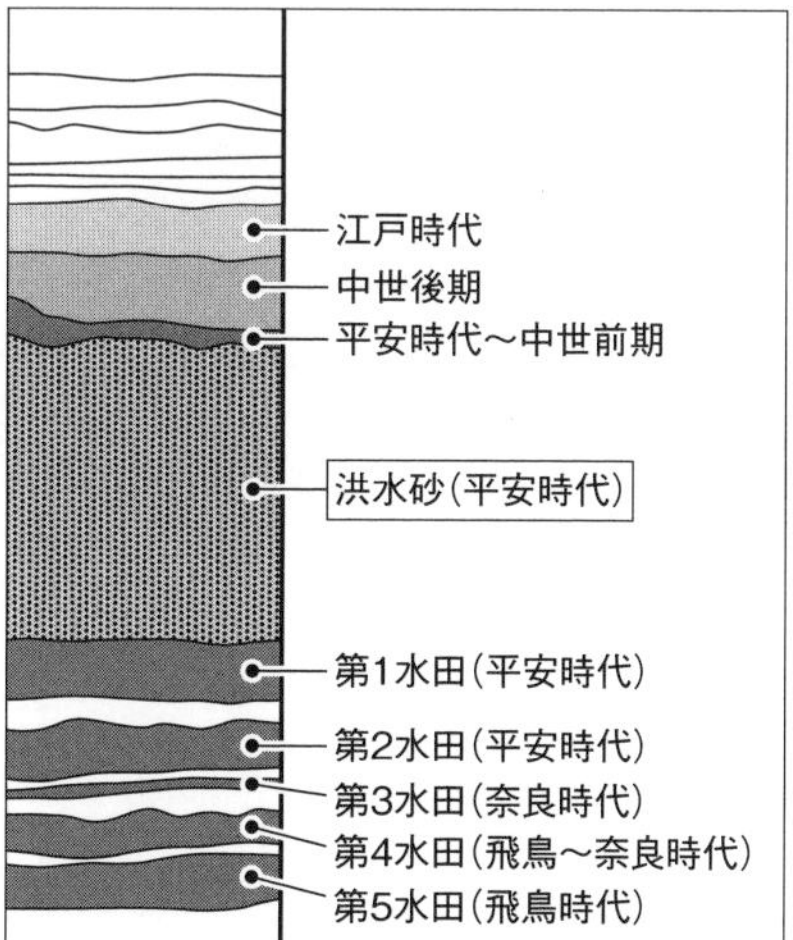

●屋代遺跡群に堆積した土砂の柱状図
発掘によって五～六mにも及ぶ土層面が現われた。古代の土層には、飛鳥時代から平安時代までに営まれた水田の痕跡の上に、仁和四年の大洪水によって厚く堆積した一・二mもの洪水砂の層が認められる。

ところでは一二〇センチメートルくらい堆積《たいせき》している。『日本紀略《にほんきりゃく》』には、仁和《にんな》四年（八八八）に信濃国で大洪水があって、山が崩れ川があふれたという記事があるが、そのとおりに洪水の痕跡《こんせき》を確認できたのである。そしてその洪水によって堆積した砂の下から、たくさんの大型植物遺体、つまり植物の種子が採取された。イネ、ナス、ベニバナ、クリなど多くの種類が確認されたが、とくにアサの実がけた外れにたくさん含まれており、ここに大量のアサが集められていたことがわかる。この地方の豪族は、この多量のアサの繊維を、大型の機織《はたおり》具を用い多数の「布手」を動員して、上質な麻布（信濃布）へと織りあげていたのである。

巨大製塩工場と豪族「笠百」

舞台は変わるが、若狭《わかさ》湾岸は都へ貢進された塩の付札《つけふだ》の多さによって、古代には塩づくりの盛んな地であったことが知られている。その若狭湾に面した一画、京都府舞鶴《まいづる》市北東の大浦《おおうら》半島西側に、

2

◉大規模な丹後の古代“製塩工場”
浦入遺跡は、その名のとおり、大浦半島に深く入り込んだ湾内に形成された奈良時代から平安時代の製塩遺跡である。古代、塩は製塩に用いた土器ごと輸送された。土器に染み込んだ塩分さえも、煮出すなどして無駄にしなかったのであろう。

浦入《うらにゅう》遺跡という平安時代の製塩遺跡がある。

浦入地区は、周囲約一キロメートルの浦入湾に面した地区で、湾口には北西から南東に長く発達した砂嘴《さし》があり、東西には急峻《きゅうしゅん》な山地が迫る。火力発電所建設計画に伴って実施された平成七年から一〇年にかけての発掘調査は、これまでにない大規模なものであった。静かな浦に出土した二〇〇メートルも続く塩づくりの作業場は、まさに巨大な製塩工場である。

この工場主は、丹後国加佐《たんごのくにかさ》郡の豪族笠《かさ》氏であることも、出土した製塩土器の脚部底面に刻印された文字「笠百私印」から明らかになった。印文の「笠百私印」は銅製の私印によくみられる形式で、たとえば「丈龍私印」が〝丈部龍麻呂（はせつかべのたつまろ）〟を「丈龍」と略したものであるように、〝笠（加佐・かさの）百継（ももつぐ）〟などの略と解することができる。この地でも、大規模な製塩工場から良質な塩が商品として各地に出荷され、豪族の大きな財源となったのであろう。

丹後といえば、森鷗外《もりおうがい》の小説『山椒大夫《さんしょうだゆう》』の安寿《あんじゅ》と厨子王《ずしおう》が使役された、丹後《たんご》半島の石浦《いしうら》での塩汲《く》み作業が思い浮かぶ。山椒大夫は大きな邸宅を構え、製塩のほかにも田畑で米麦をつくり、山の猟・海の漁・養《よう》蚕《さん》・機織りなど、すべて大勢の職人を使用して経営する、古代丹後地方の分限者《ぶげんしゃ》（金持ち）として描かれている。このように、今後は布や塩に

3

◉円印が捺された製塩土器支脚
製塩土器は、海水を入れている埦《わん》と、それを載せる支脚とからなる。「笠百私印」と刻印されているのは支脚の底部であり、九世紀代のもの。法隆寺金銅観世音菩薩《かんぜおんぼさつ》像の白《はく》雉《ち》二年の銘に「笠評君名大古臣」と笠氏の名が残されている。

限らず、地方豪族による幅広い生産活動に着目しなければならない。

これまでの古代史研究では、地方における生産活動は律令《りつりよう》国家の租税体系のなかでとらえられ、簡単にいえば、税を納めるための生産と、税を調《ととの》えるための国府《こくふ》付属工房の役割が強調されてきた。しかし、地方において圧倒的な権力を誇っていた豪族の多くは、律令期には郡司《ぐんじ》として郡の運営に携わり、以前から着々と築きあげていた生産構造と経済活動を変えることなく、さらに莫大な財力を蓄えていったと思われる。また、豪族は地方における生産機構を掌握しており、なかでも生産用具の専有は、きわめて重要な意味をもったであったろう。発掘調査事例としても、たとえば駿河《するが》国志太《しだ》郡家《ぐうけ》跡（静岡県藤枝《ふじえだ》市）では、鋤《すき》・鍬《くわ》・大足《おおあし》・しろかき・えぶりなどの農耕具や土錘《どすい》などの漁具、糸車・砧《きぬた》などの織物具といった生産用具が多量に発見されている。

これまでの全国各地における郡家跡の発掘調査では、その行政府としての機能のみが強調され、このような生産用具の存在する意義について、ほとんど触れられていないのが現状である。地方豪族としての郡司の拠点でもある郡家の生産構造については、まず、あらゆる生産用具の所有形態を解明する必要があり、今後の発掘調査の成果に期待したい。

大規模な機織工場で生産される〝信濃布〟は、良質なものは高価な商品として各地に出荷され、質の劣るものは工場に労働提供した「布手《ぬのて》」たちの名のもとに、調庸布《ちようようふ》として都に貢進されたのであろう。優先されたのは都への税の貢進ではなく、他地域との交易活動であった。『続日本紀《しよくにほんぎ》』などによれば、八世紀のなかば過ぎには調庸物の麁悪《そあく》（粗悪品）・未進（納入しないこと）・違期（納期に遅れること）が深刻な社会問題となっている。この問題を、これまでは浮浪・逃亡の増加、偽籍《ぎせき》の横行、富豪層の発生などによる課丁《かてい》（課役を負担する男子）の減少、あるいは手工業生産の発達による粗悪品の横行など、律令制の進行とともに発生する問題として説明してきた。しかし、この社会問題はむしろ、律令制当初からの在地における生産構造と交易活動に起因するとみるべきであろう。

権力者の欲するもの——漆・朱・鉄・金そして馬

藤原仲麻呂・朝獦と漆・鉄

日本列島各地には、大金持ち、いわゆる長者の宝が隠されているという民話が数多く残されている。その宝探しの謎《なぞ》を解く鍵を、土地の人々は、たとえばつぎのような歌になぞらえて伝えている。

うるし千ばい／朱千ばい
くは千ばい／黄金千ばい

朝日の映す／夕日かがやく
雀の三おどり半の／下にある

宝の中身が「うるし」「朱」「くは」「黄金」である。黄金はいうまでもない。「くは」は農具の鍬《くわ》で、つまり鉄を指す。そして、建物や器物を彩る朱《しゅ》（辰砂《しんしゃ》＝硫化水銀）と漆《うるし》。この四つが古代以来、人々の変わらぬ憧憬《しょうけい》の的であり、宝物なのであった。

寺院造営事業に際して使用する漆《うるし》の量は莫大である。これをどのように調達したのか、近江国石山寺《おうみのくにいしやまでら》（滋賀県大津市）の場合を例としてみてみよう。

石山寺の造営工事が始まったのは天平宝字《てんぴょうほうじ》五年（七六一）である。それまで一宇（一棟）の檜皮葺《ひわだぶき》仏堂のほか、若干の建物しかない小寺院だったのが、この年一〇月の淳仁《じゅんにん》天皇の保良宮《ほらのみや》行幸を契機に、保良宮鎮護の寺院として大規模な増改築を行なうことになったのである。

翌年から本格化する造営工事に先立って、いち早く漆の調達が行なわれた。それ以前の天平勝宝《てんぴょうしょうほう》三年（七五一）完成の東大寺大仏殿をはじめ、うちつづく宮都および寺院の造営によって、このころには都とその周辺ではしだいに漆調達が困難になってきていたようである。

石山寺造営の漆調達をめぐって、注目すべき史料がある。東大寺造営の役所が、石山寺の要請で物資を送ったことを記す天平宝字六年の文書のなかに、「陸奥殿《むつどの》漆」とある。文書の内容は、「陸奥殿」（陸奥守《むつのかみ》のこと）の漆の価格が四五〇文で、これより一文たりとも減じてはいけない、というものである。漆の需要が高まったとき、陸奥守から漆を仕入れていたことがわかり、とても興味深い。当時、陸奥国が漆の特産地として重要な位置を占めていたことをうかがわせるものである。

では、当時の陸奥守は誰だったか。『続日本紀《しょくにほんぎ》』を見てみると、天平宝字元年に藤原朝獦《ふじわらのあさかり》が任ぜられて以降、長く任官記事がないので、朝獦が陸奥守だったとみて間違いなさそうだ。朝獦は、当時並ぶもののない権力者藤原仲麻呂《なかまろ》の四男である。近江の一寺院の漆調達に、なぜ陸奥守朝獦がかかわるのか。

天平勝宝八年五月、聖武《しょうむ》天皇が死去して光明《こうみょう》皇后が朝廷の権力を掌握したことで（仲麻呂は光明の甥《おい》であり、孝謙《こうけん》天皇とは従《い》兄弟《とこ》の関係）、仲麻呂は権力者としての地位を確立する。

天平宝字元年、仲麻呂の政敵橘諸兄《たちばなのもろえ》の子奈良麻呂《ならまろ》による仲麻呂暗殺の謀議が発覚し、大伴古麻呂《おおとものこまろ》（陸奥国按察使《あぜち》兼鎮守府《ちんじゅふ》将軍）と佐伯全成《さえきのまたなり》（陸奥守兼鎮守府副将軍）が連座したことにより、陸奥国の首脳陣は一気に欠員となってしまった。このとき仲麻呂は、すばやく子の朝獦を陸奥守に任命したのである。やがて朝獦は、陸奥守に加えて按察使・鎮守府将軍の三官をすべて兼任し、東北地方の最高行政官として君臨する。

陸奥国は天平《てんぴょう》二一年（七四九）、東大寺盧舎那仏《るしゃなぶつ》の鍍金《ときん》（めっ

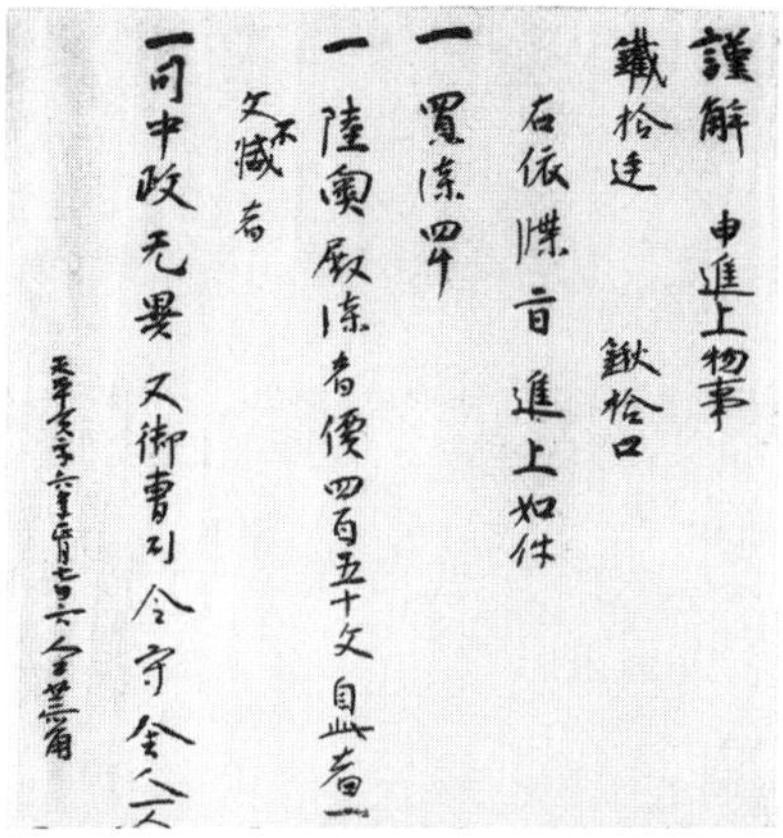
謹解　申進上物事
鐵拾廷　鍬拾口
右依牒旨進上如件
一　買漆四升
一　陸奥殿漆者價四百五十文自此者
一　同中政无畏　又御書引合　守

4

◉陸奥殿（陸奥守）から調達した漆
近江国石山寺の造営にあたった造東大寺司の下級役人である史生六人部荒角の上申書。当時、陸奥・上野国の上等の漆が一升二六〇文ほどだったので、朝獦所有の漆の値段四五〇文は、明らかに破格であった。

き）のための黄金九〇〇両を貢上しており、天平勝宝四年には、それまで布で納めていた税（調庸《ちょうよう》物《ぶつ》）を、多賀城《たがじょう》以北については黄金とするよう改められていた。

陸奥国の豊かな産物に目をつけた仲麻呂が、奈良麻呂の変に乗じて陸奥国の高官大伴古麻呂と佐伯全成を強引に抹殺《まっさつ》し、みずからの子朝獦を送り込んだのであろう。

さらに、仲麻呂は近江国にも強い執着をもっていた。仲麻呂の父武智麻呂《むちまろ》は、和銅《わどう》五年から霊亀《れいき》二年（七一二〜七一六）まで、近江守として任国にあった。天平一七年には仲麻呂自身が近江守になり、以後、少なくとも天平宝字二年に太保《たいほ》（右大臣の唐名）に就任するまでは、その任を離れなかったようである。天平宝字三年には近江保良宮を造営するなど、近江との関係には深いものがあり、近江国はまさに仲麻呂一族の領国の観があった。

近江は東海・東山・北陸三道の結節点である。だが、交通の要衝というだけではなく、鉄資源確保の面もあったことは見逃せない。天平宝字六年二月、仲麻呂は近江国の浅井・高嶋《たかしま》両郡の「鉄穴《てつけつ》」（鉄鉱石の採掘所）各一か所を手に入れ、私的に鉄製武器を製造することが可能となった。滋賀県高島市マキノ町にある北牧野製鉄遺跡とこの「鉄穴」の関連が指摘されている。

先述の石山寺造営に用いられた「陸奥殿漆」とは、陸奥守朝獦の私邸から購入調達したものに違いない。朝獦はおそらく職務を通じて、黄金とともに莫大な漆を私的に集積していたのであろう。じつは、仲麻呂自身もまた同様であった。天平勝宝九年三月九日付文書には、大仏殿院の歩廊一一六間に塗る緑青《ろくしょう》（緑色顔料）一五八斤《きん》一〇両が仲麻呂家から用立てられたと記されている。仲麻呂の自邸に、貴重な顔料である緑青が相当な量、蓄えられていたことがわかる。

古代人の宝物とされた鉄・黄金・漆、そして緑青までも、権力者である仲麻呂・朝獦親子は私的に集積していたのである。

右大臣昇進の贈り物は名馬

古代末期から中世にかけて、岩手県から青森県に及ぶ太平洋側の地域は「糠部《ぬかのぶ》」と呼ばれた特別行政区であり、この地域で育てられた馬は「糠部の駿馬《しゅんめ》」として高い評価を得ていた。一戸《いちのへ》や八戸《はちのへ》など「戸」のつく町の名はこの地方の牧《まき》に由来するという。延《えん》喜《ぎ》一六年（九一六）以降、陸奥《むつ》・出羽国《でわのくに》からの貢馬がしばしば中央の記録に見いだされ、都の人々が陸奥国の馬に高い関心を寄せていたことがわかる。

一九八〇年代のバブル期の最中、宮城県多賀城《たがじょう》市のマンション建設予定地から、一〇世紀前半の国司《こくし》の豪邸跡が発見された。遺跡の所在地は、東北地方

5

●陸奥守の邸宅の発掘現場と復元図
多賀城内でもまれな四面庇付き建物や付属建物群、大きな井戸、さらには多量の中国産陶器などが出土。豪華な邸宅で高級品に囲まれた、国司の優雅な生活ぶりが想像される。

の政治・軍事の中心、陸奥国の国府も置かれた多賀城の一画である。

多賀城は古代の都市計画に基づいて、丘陵部に中心施設を置き、その前面に幅一二三メートルの南北大路と同約一二メートルの東西大路を設けた。とくに東西大路沿いには国司の邸宅（国司館《たち》）をはじめ、重要な施設が配置されていた。

国司（守）の館跡からは、主殿と考えられる桁行《けたゆき》九間《けん》以上、梁行《はりゆき》四間の四面庇《ひさし》付きという大規模な建物跡（床面積約一九二平方メートル＝約一二〇畳敷）をはじめ、大型の井戸跡、国内各地や中国産の多量の高級陶器、下駄・櫛《くし》などの生活用品が確認され、そこが貴人の日常生活の場であったことを示している。

そのなかで何よりわれわれの目を引きつけたのは、その大規模な建物の柱穴《はしらあな》から出土した一点の木簡《もっかん》（左ページ）だった。このような木簡は題箋軸《だいせんじく》と呼ばれ、巻物状文書の軸のヘラ状先端部に文書内容を書いたものである。題箋には表裏同文で「右大臣殿餞馬収文《せんばしゅうもん》」と記されていた。

右大臣はいうまでもなく、中央政界ナンバー2の高官である。その右大臣にかかわる木簡が、なぜ陸奥国府・多賀城から出土したのか。その謎を解く鍵は、右大臣と陸奥国の関係にある。

当時、右大臣にはもっぱら摂関家《せっかんけ》である藤原《ふじわら》氏の有力者が任命されていた。右大臣に昇任する前の職は大納言《だいなごん》であり、源光《みなもとのひかる》・藤原師輔《もろすけ》らのように、陸奥国の最高行政官である按察使《あぜち》を兼務するケースが多かった。

按察使を兼任する大納言は中央政界の重職であり、この時期、陸奥国に下向することはなかった。

その名誉職としての按察使は、右大臣に昇進した段階で職を終え、形式上、陸奥国を去ることになる。そこで陸奥守は、その右大臣に対してあたかも陸奥国を旅立つ人であるかのように、餞別《せんべつ》として陸奥国の最高の産品、名馬を贈ったのであろう。餞別に名馬。今ならさしずめ高級外車というところであろうか。中央政界の大物へのプレゼントは半端ではない。

「収文」とは、諸国から中央の役所や個人宅に物資が貢進されたときの仮領収書である。右大臣家から送付された名馬の仮領収書は、陸奥守の邸宅で大切に保管されていたことになる。全国ではじめて古代の国守の館として確認されたこの遺跡は、地元の方々の尽力でマンション建設が中止され、保存された。

6

◉古代文書のインデックス

題箋軸とは、現代でいえば書類のインデックスである。巻物は積み重ねて保管されるので、題箋軸がなければ、いちいち上のものを退《の》けて引き出してみなければ文書内容がわからない。写真下は使用方法を再現したもの。

なお、平安後期、時の権力者藤原道長《みちなが》のもとにも、各地の国司からいろいろな物、ことに馬を贈られた記事が数多く見える。長和《ちょうわ》三年（一〇一四）二月七日、鎮守府将軍平維良《たいらのこれよし》がはるばる陸奥から上京してきた。維良は右大臣道長に数々の贈り物を持って、鎮守府将軍重任《ちょうにん》（任期満了の官職に重ねて任ぜられること）の運動をするために来たのである。その贈り物とは馬二〇頭で、このうち一二頭は道長に、八頭は道長の諸子に贈るぶんである。そのほか、矢を入れる胡籙《やなぐい》や、オオワシの羽・砂金・絹・綿・布と、膨大な品々が道長邸に運び入れられたのである。

「えびすめ」とヤコウガイの魔力

北と南の特産物

大阪の名産品といえば、塩昆布がそのひとつにあげられるであろう。ある塩昆布のラベルには、アイヌ女性の姿とともに「えびすめ」と大書されている。また、京都では昆布が「ひろめ」として販売されている。関西地方から沖縄まで、だし汁は昆布味が中心である。

だが、そもそも寒流系の褐藻類《かっそうるい》である昆布は、宮城県以北の太平洋岸と北海道全域にしか分布しない海藻であり、現在では北海道が主産地となっている。ならば、古代において昆布はどのようにして調達され、都へ貢進されたのか。そして、昆布はいかにして都人および西国の人々に、幅広く受け入れられるようになったのか。

また、近年は地元沖縄の研究者を中心として、南島交易の実態解明が飛躍的に進んでいる。とくに特産品である赤色の美しい赤木《あかぎ》（紫檀《したん》の代用材）、琉球《りゅうきゅう》の神木である檳榔樹《びんろうじゅ》（笠・団扇《うちわ》用）、すばらしい光沢をもつヤコウガイは、秘められた辟邪《へきじゃ》（邪悪なものを遠ざける）の呪力《じゅりょく》でヤマトの人々を魅了した。

ここでは、昆布とヤコウガイ、それぞれの交易についてみていこう。

えびすめ（昆布）の貢進

八世紀前半の霊亀《れいき》元年（七一五）、三陸沿岸閇《へい》村の蝦夷《えみし》の須《す》賀君《がのきみ》古《こ》麻《ま》比《ひ》留《る》は、「先祖以来、昆布を貢献していた。ただ、この地は国府《こくふ》から道遠く、往還は困難をきわめる。閇村に郡家《ぐうけ》を建てていただき、永く昆布の貢進を続けたい」と語っている。

閇（幣伊）地方の有力者は、岩手県北部の三陸海岸に拠点を

7

◉現在も販売されている昆布の包装紙
大阪・京都など関西地方は、昆布の加工品が名産である。古代以来、「えびすめ」や「ひろめ」として西の食文化を支えている。

置いていた。「先祖以来（陸奥《むつ》国府に）貢献せる昆布は、つねに此《こ》の地に採りて年時欠かさず」とあることから、昆布が伝統的特産品であったようである。陸奥国は三陸沿岸の昆布を集積し、朝廷に貢進したのである。

一〇世紀前半に編修された律令《りつりょう》の施行細目『延喜《えんぎ》式《しき》』によれば、陸奥国の昆布は種々の税目によって調達されている。

昆布は『倭名類聚抄《わみょうるいじゅしょう》』に「和名比呂米、一名衣比須女」とあり、「ひろめ」または「えびすめ」と読まれていたことが知られる。実際、『延喜式』によれば、諸国交易雑物料として陸奥から昆布を貢献することが定められている。陸奥国以北のいわゆる蝦夷（えみし・えびす）の地を主産地とする海藻類であったため、「えびすめ」と呼ばれたのである。

東北地方の行政・軍事を統括した多賀城《たがじょう》の遺跡から東へ約八・五キロメートル、陸奥国府の港（国津）であった塩釜《しおがま》湾口にあたる現在の宮城県七ヶ《しちが》浜町花渕浜《はままちはなぶちはま》の先端に、『延喜《えんぎ》式《しき》』神名帳《しんめいちょう》にある式《しき》

多賀城周辺図

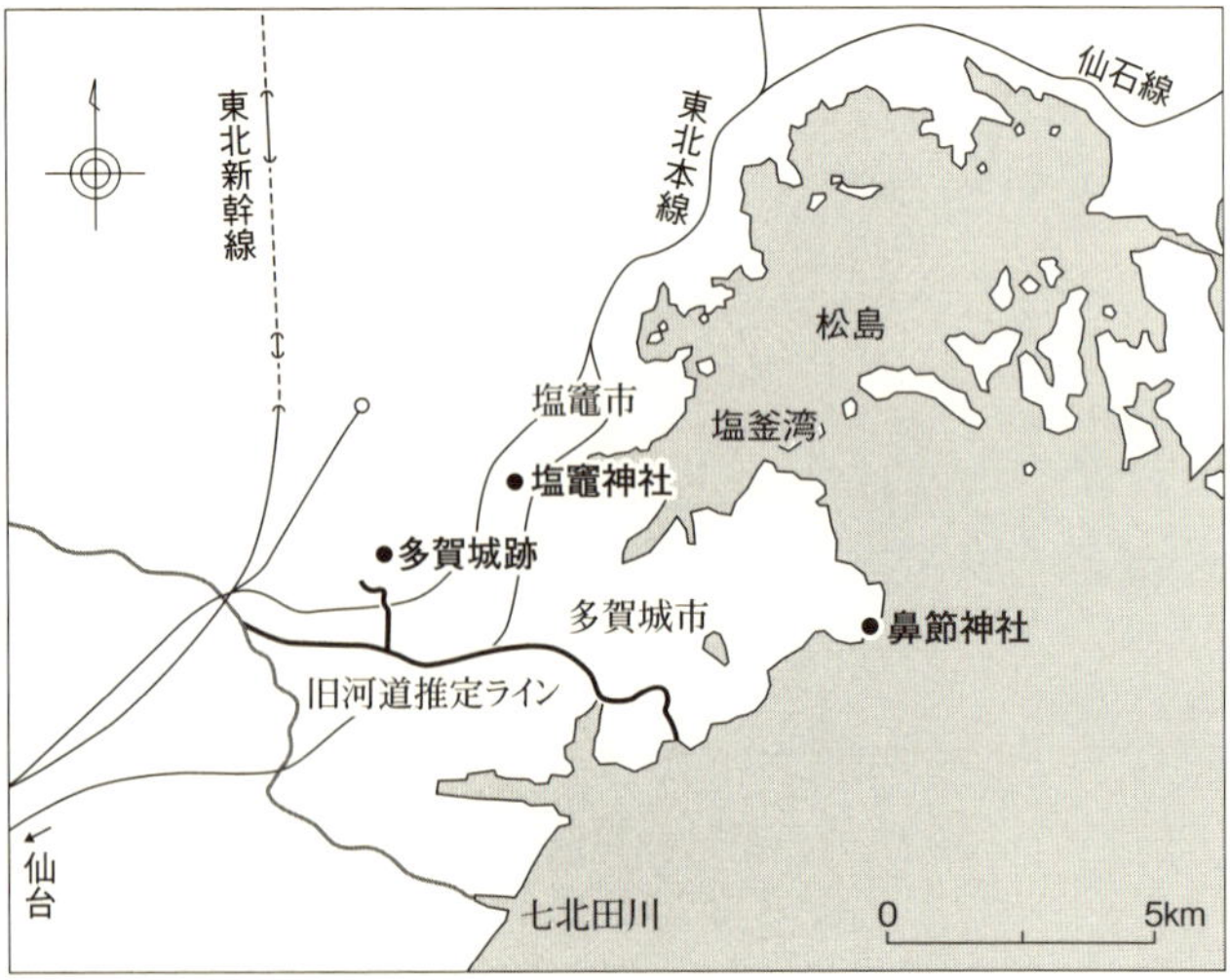

内社《ないしゃ》、鼻節神社《はなぶしじんじゃ》がある。ここから「国府厨印《こくふくりやいん》」と刻まれた銅印が、明治初期の社殿修復の際に発見された。銅印は印面四・一センチメートル角、鈕《ちゅう》（つまみ）の形状は頭が丸くて紐《ひも》を通す穴があいておらず、大きさと形状が古代の役所の公印と共通している。この印は、花渕浜の地が国府の御厨《みくりや》にあたり、鮑《あわび》・昆布などの海産物を国府に供給していたことを示し、その出納《すいとう》に際して用いたものではないかとみられている。しかし、偽印であるという説もあった。

国立歴史民俗博物館では、平成四年（一九九二）から七年まで、現存する全国各地の古印の網羅的集成を行ない、銅印の成分分析を目的とする蛍光X線分析などを実施した。そのなかで「国府厨印」の分析結果は、つぎのとおりである。

主要元素は銅・砒素《ひそ》・鉛からなり、質量一二四・一五一五グラム、密度六・五一グラム／立方センチメートル。これらの数値は古代印の範疇《はんちゅう》に確実に含まれることから、古代に製作されたものとみて間違いない。印の彫り方と書体の特徴からは、古代末期（一〇世紀以降）と判断できる。つまり、八世紀から九世紀段階の深い彫りではなく浅い彫りで、書体も八世紀なかばの郡印にみられた楷書体《かいしょたい》とは異なり、筆の強弱のない同じ太さの直線的な筆画の楷書体で

8

◉銅印「国府厨印」
この印の文字は楷書体で、印面の彫りは浅い。公印は私印と異なり、鈕に穴があいていない。

ある。この書風は、一〇世紀以降の大きな特徴である。

この古印を神宝とする鼻節神社は太平洋に面した断崖の上にあり、海から直接登れるように石段を設けていて、海が正面をなす神社である。また、この神社の奥の院とも末社ともいわれるものに大根明神《おおねみようじん》があるが、その社殿は花渕浜沖合いの大根暗礁という海底岩礁内の岩窟《がんくつ》である。つまりこの神は海中に住まいしているのである。

大根明神の祭日には、花渕浜の漁民が海底に潜って社殿の岩窟付近から鮑《あわび》を採《と》り、そのうちの最大のものを供饌《ぐせん》する習わしであった。鼻節神社の社殿はもとはこの岩礁にあって、のちに現在の地に移ったので、ここを奥の院というのだともいわれている。花渕浜は、江戸時代には「鮑は花渕を第一とす」（『仙台領内一《せんだいりようないいち》づくし』）、「昆布、花渕浜の産、亦《また》よし」（『封内土《ほうないど》産考《さんこう》』）などと記されているように、鮑・昆布をはじめとする海産物の豊かな地として知られていたところである。多賀城の遺跡に接した東北隅の位置にある奏社宮《そうしやのみや》は、本来は国司が巡拝すべき諸社を国府に集めた、いわゆる総社《そうじや》である。この奏社宮の祭礼の際にも、大根暗礁から採った鮑と昆布を供える習わしがあった。

昆布は、この大根暗礁が日本における分布の南限であるという。さらに、鼻節神社の祭神は製塩の神であるとする伝えがある。また、陸奥国一の宮である塩竈《しおがま》神社と密接な関係があり、現在は、鼻節神社は塩竈神社の末社のひとつになっている。

このように鼻節の神は、鮑や昆布などの豊かな資源に恵まれた花渕浜一帯の漁業の守護神であった。陸奥国府管轄下の海産物供給源として設置された花渕浜一帯の御厨の出納に用いられた古代印として、鼻節神社に伝わる「国府厨印」が貴重な資料であることは間違いない。陸奥国府は三陸海岸の閖地方から昆布を進上させ、都への貴重な貢納品としたが、その国府にもっとも近い花渕浜の大根暗礁が昆布の南限であることも、きわめて興味深い。

権力者を魅了した南島産ヤコウガイ

さて、今度は南方に目を転じてみよう。近年、南島と古代日本の交流に関する研究は、大きな成果をあげている。ここでは、その牽引《けんいん》者である山里純一《やまざとじゅんいち》の研究を要約し、紹介しておきたい。

日本古代史において琉球《りゅうきゅう》という名称は存在せず、『日本書紀《にほんしょき》』『続日本紀《しょくにほんぎ》』によると、七〜八世紀の琉球諸島は、まずは「掖《や》久《く》」、つぎに「南島」として認識されてきた。奄美《あまみ》大島《おおしま》・徳之《とくの》島《しま》・久米《くめ》島《じま》がつぎつぎとヤマト朝廷に「朝貢」しているが、そのなかに沖縄本島は登場しない。

琉球史の時代区分はいまだ確定されていないが、現行編年では「貝塚《かいづか》時代」「グスク時代」といった独自の名称が用いられており、「貝塚時代」はさらに前期（縄文《じょうもん》時代相当期）と後期（弥生《やよい》時代〜平安時代相当期）に分けられる。日本古代史相当期は、現行編年によれば「貝塚後期後半」にあたる。

ヤコウガイはリュウテンサザエ科の巻貝で、奄美以南の熱帯海域に生息する。ヤマトの貴族層の間では、おもに酒を飲む杯（盃）として珍重された。『枕草子《まくらのそうし》』一三六段に、「公卿《くぎょう》、殿上人《てんじょうびと》、かはりがはり杯取りて、果てには、屋《や》久《く》貝《がい》といふ物して飲みて立つ」と見える。『儀《ぎ》式《しき》』巻第三の践祚《せんそ》大《だい》嘗祭《じょうさい》儀には「夜久貝坏《あえつき》」と見え、食べ物を盛る容器の用例も知られる。また、ヤコウガイの光沢は装飾としても用いられた。『うつほ物語』には、楼の白い部分に「夜具貝《やくがい》をつき混ぜて塗りたれば、きらきらとす」と、ヤコウガイの殻片が斑状《まだら》に光る光景が記されている。

ヤコウガイは、なんといっても器物にはめ込んで飾りとする螺鈿《らでん》において最大限に生かされた。螺鈿技術は唐《とう》から日本へ伝えられたが、平安時代後半ごろから独創的な意匠性が発揮され、中国や高麗《こうらい》にも進呈されるなど、海外でも高い評価を得るようになる。国内においては法成寺《ほうじょうじ》や平等院鳳《びょうどういんほう》凰堂《おうどう》などの仏殿装飾にも用いられ、なかでも平泉の中尊寺金色堂《ちゅうそんじこんじきどう》の螺鈿技術は当時の技法の粋《すい》を集め、その荘厳さはほかに例をみないものであった。

同じ南島の特産物である赤木《あかぎ》とは異なり、ヤコウガイの場合は貢進を裏付ける史料はないが、こうした中央での需要をみれば、ヤコウガイが南島の交易物として重要な位置を占めていたことは間違いない。『小右記《しょうゆうき》』長元《ちょうげん》二年（一〇二九）八月二日条には、大隅国《おおすみのくに》に住む藤原良孝《ふじわらのよしたか》らが藤原実資《さねすけ》のもとに赤木二切・檳榔樹《びんろうじゅ》三〇〇把《は》・夜久貝（ヤコウガイ）五〇口を送ってきたことが記されている。

9

◉ヤコウガイと螺鈿の施された柱
上は奄美諸島でとれたヤコウガイ。下は岩手県平泉町中尊寺金色堂の内陣にある巻柱である。巻柱にはヤコウガイをふんだんに用いた螺鈿が施されており、奥州藤原氏の財力と、平安時代末期の交易圏の広がりを物語っている。

これらは良孝が商人を介して南島から入手したものであろう。

南島の代表的な貢進物および交易物は、まさに赤木・ヤコウガイ・檳榔樹の三品である。これらに共通していえるのは、その呪術性《じゅじゅつ》である。こうした南島の物品に秘められた呪力に、ヤマトの貴族たちは魅せられたのであろう。

日本古代史の文献資料によれば、南島の人がしばしばヤマト朝廷へ「朝貢」していたこと、また南島の赤木が大宰府《だざいふ》の年料別貢雑物《ねんりょうべつこうぞうもつ》として貢進されていたことが知られる。さらに、都を中心とする列島各地のヤコウガイ需要が高まり、幅広い交易活動によって供給されたとみられている。

ヤコウガイ製の杯は九世紀から一二世紀、天皇家の儀式・寺社の祭祀《さいし》・海外への贈答品などに使われていた。ヤマトと琉球のヤコウガイ交易は、八世紀後半から九世紀に螺鈿材料としての需要が生まれたことで、一一世紀以降は工芸素材としての需要が定着し、増大していったとされている。

木下尚子《きのしたなおこ》は、琉球諸島における開元通宝《かいげんつうほう》の分布を中国との直接交易の産物ととらえ、琉球側の対価がヤコウガイだったことを論証した。唐《とう》代の中国では、漆芸《しつげい》の螺鈿技法が著しく発達し、その材料としてのヤコウガイは高価で、しかもその消費量は唐皇室を中心に膨大だったという。ヤコウガイは琉球諸島を北限にフィリピンから東南アジアに分布するが、琉球諸島産は貝殻の真珠層《しんじゅ》が緻密《ちみつ》で堅く、加工したときの輝きがとくに優れており、これが唐が琉球諸島のヤコウガイを求めた理由にあげられている。
七、八世紀以降、大量のヤコウガイが隋《ずい》・唐やヤマトへ輸出されたことを裏付ける遺跡が、奄美諸島から多数発見されている。貝塚後期後半（平安時代）の土盛《ともり》マツノト遺跡や小湊《こみなと》・フワガネク遺跡などから、膨大な量のヤコウガイ殻とともに、ヤコウガイ製貝匙《かいさじ》の未製品や完成品が出土している。平安時代の日本だけでなく、韓国でもヤコウガイ製貝匙が出土していることから、こうしたヤコウガイ大量出土遺跡は交易品としての貝匙製作が主目的であったとされている。

さらには、琉球諸島の社会変化を引き起こしたと考えられているのが、七〜八世紀のヤコウガイ交易による多量の鉄器の流入である。貝塚後期後半における鉄器の出土点数は多くないが、これは鉄製の斧《おの》・鑿《のみ》・刀子《とうす》などがいずれも磨耗《まもう》するまで使用され、最後はリサイクルされるために遺物として残りにくいからであろう。貝塚後期後半には石斧《せきふ》が減少し、あるいは叩《たた》き石に転用されたりすることから、石斧を駆逐しはじめるほどの多量の鉄器が流入したと推定されている。

10

●ヤコウガイでつくった匙
奄美諸島の遺跡からは、膨大な量のヤコウガイの貝殻とともに、ヤコウガイ製の匙《さじ》が出土している。文献資料によれば、ヤコウガイ製貝匙は九世紀から一二世紀に、天皇家の儀式や寺社の祭祀《さいし》、中国などへの贈答品として、さかんに用いられている。

生業の特化がもたらした古代世界の広がり

地域社会における郡司《ぐんじ》をはじめとする有力者は、何よりもその社会での圧倒的な経済的優位性を獲得することをめざし、地域の生産機構を十分に掌握しようとしたに違いない。各地の有力者は、それぞれの地域の豊かな自然資源を利用し、高度な技術と多量の労働力を投入して良質な特産物を生み出した。信濃《しなの》であれば布を大量に生産し、塩づくりに適した丹後《たんご》では、大規模な製塩工場で高品質の塩を大量生産した。丹後の人は、塩を山の民と取り引きすることで猪《いのしし》の肉でも毛皮でも手に入れ、あるいは信濃の布も入手することができた。地域固有の特産物は、活発な地域間の交易を促進させた。

この古代国家における生業と交易活動は、国家版図《はんと》の外にも大きな影響をもたらした。日本の古代国家が確立される七世紀に擦文《さつもん》文化（東北地方北部から北海道に分布する一三～一四世紀まで続いた文化）に入った北海道では、生業活動に大きな変化を読みとることができる。石狩川《いしかりがわ》の河口部分、しかも川に近い場所に集落が営まれ、大規模な鮭の捕獲が行なわれるようになる。大量の鮭は干して加工された。さらに、都の貴族たちが珍重した昆布をはじめ、アザラシのような海獣皮、オホーツク海沿岸から北海道にかけて生息するオオワシの羽など、北方世界の特産物は陸奥《むつ》・出羽《でわ》両国が交易の窓口となり、都へと貢進されたのである。これと同時に、本州から北海道へは鉄・

布・米などが大量に流入した。

南島のヤコウガイ・赤木《あかぎ》・檳榔樹《びんろうじゅ》が、都の貢進物および各地への交易物となるのに伴い、南島に多量の鉄器などが流入する動きは、この北方世界の状況と合致する。

古代国家における各地の生業の特化は、国家版図の外の南島および北方世界の生産構造、さらには社会全体の変化をもたらしたのである。

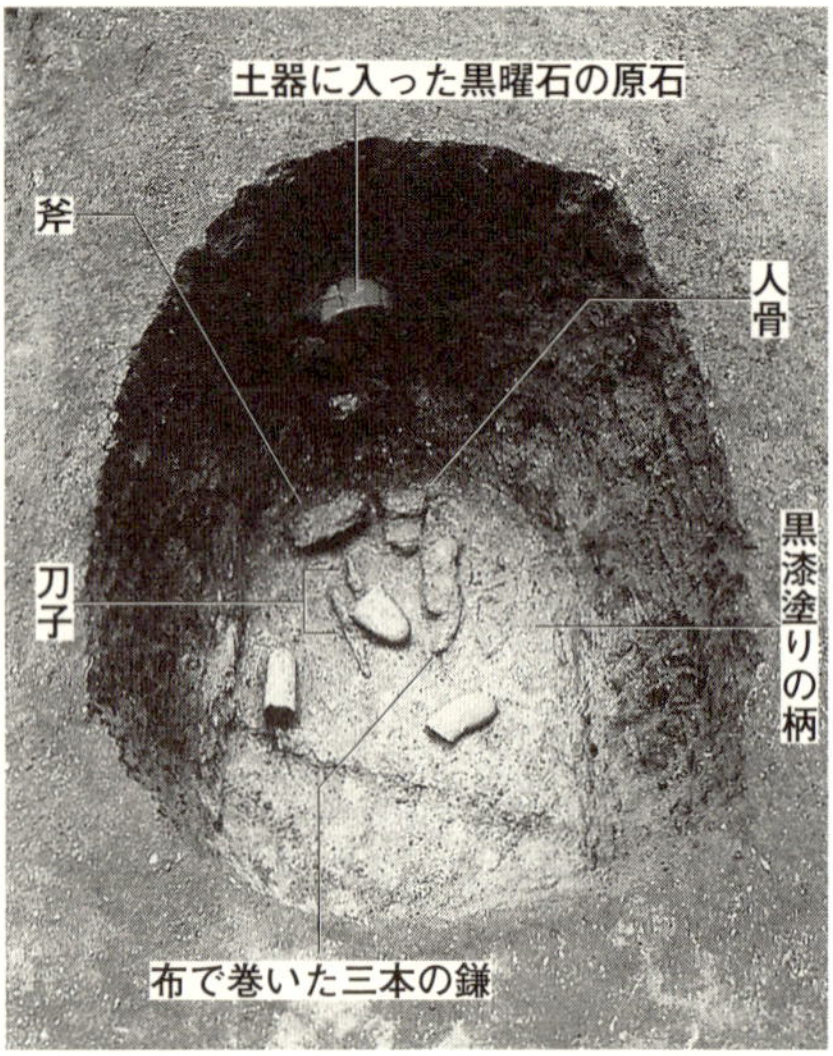

11

◉交易で獲得した本州の鉄器などを副葬した北海道の墓
恵庭《えにわ》市ユカンボシE7遺跡で検出された七世紀代の土壙墓《どこうぼ》。鉄器（斧《おの》・鎌・刀子《とうす》）、黒漆塗りの柄《え》のついた鏃《やじり》、そして鎌に巻かれた布など、鮭・昆布・海獣皮などとの交易で手に入れた本州の産品が副葬されている。土壙墓の壁面に埋め込まれた土器に入っていた黒曜石《こくようせき》の原石は、擦文期の北海道が石器から鉄器へと移行していく姿をシンボリックに表わしている。

第五章

海の道・川の道を見つめ直す

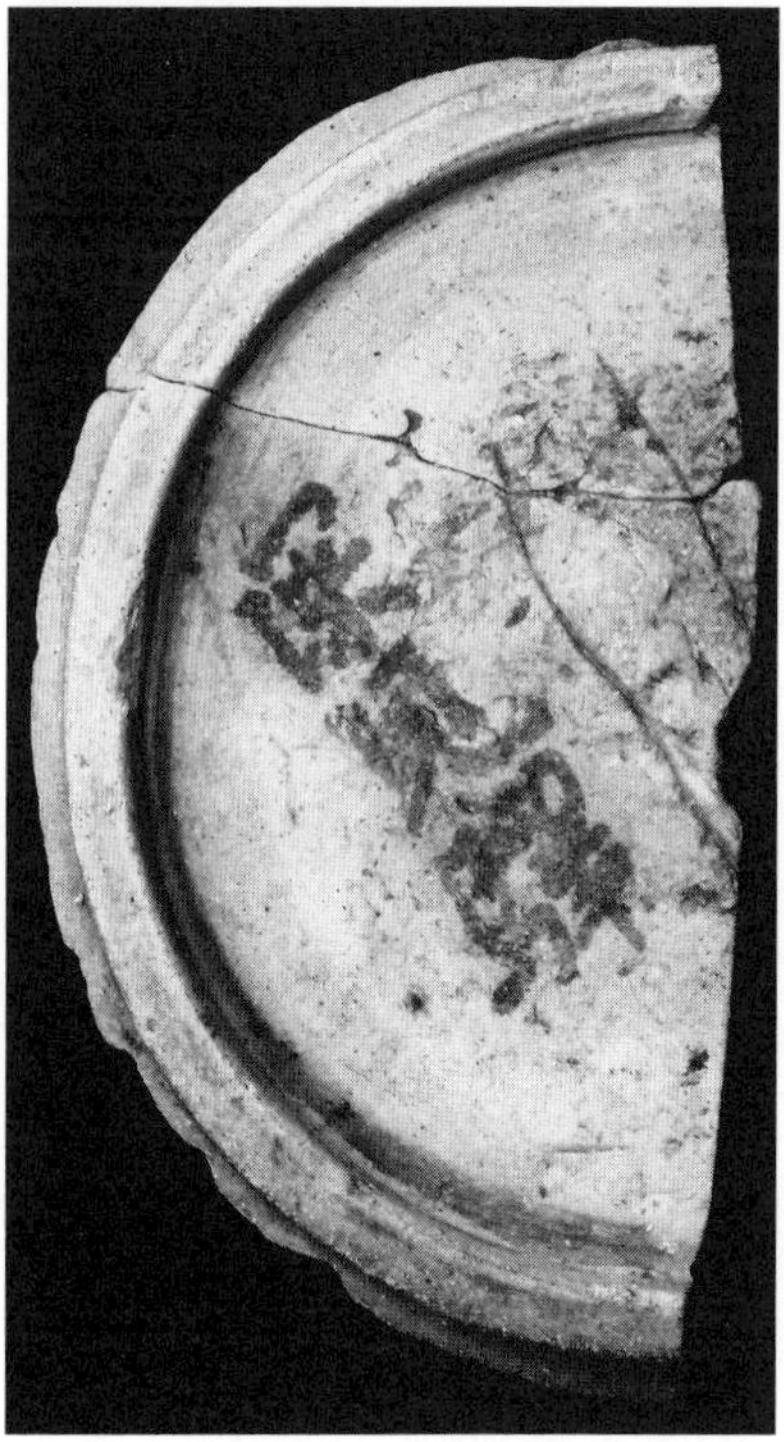

仙台藩主伊達《だて》政宗《まさむね》の命を受けた家臣支倉常長《はせくらつねなが》は、慶長《けいちょう》一八年(一六一三)、通商交渉を目的に遣欧使節として、一八〇人余を引き連れて石巻《いしのまき》の月浦《つきのうら》からローマに赴いた。石巻は、近世における国際交流の幕開きの役割を果たした港として歴史に名を残し、現在でも地元の人々はそのことを誇りとしている。

その宮城県石巻市に〝田道《たみち》の碑《ひ》〟という石碑がある。「霊蛇田道公墳」と刻まれた碑は古代のものではなく、いつごろつくられたのか定かではない。

「田道《たじ》」(〝たみち〟とも読まれる)という人物は『日本書紀《にほんしょき》』の仁徳《にんとく》天皇五十五年の記事に見える。彼は東北地方で起きた蝦夷《えみし》反乱の鎮圧に派遣され、伊峙水門《いじのみなと》(石巻港)で戦死した。その後、蝦夷がふたたび攻撃を加えた際に田道の墓を掘り起こしたところ、大蛇《おろち》が現われ、その毒でほとんどの蝦夷が死んでしまった。この言い伝えが、後世の人たちに慰霊の碑を建てさせたのであろう。

同じ『日本書紀』に見える有名なヤマトタケルの東征伝承によれば、ヤマトタケルは上総国《かずさのくに》から陸奥《むつ》国に入るが、蝦夷の族

1

長たちが竹水門《たかのみなと》（一説には陸奥国の国府が置かれた多賀《たが》城付近の七ヶ浜町湊浜《しちがはままちみなとはま》）に陣取って、行く手を阻もうとしたという。

この二つの戦いの舞台が、ともに港である点に注目したい。伝承とはいえ、そのなかには何か重要な事実が隠されているに違いない。

『日本書紀』の田道将軍やヤマトタケルの伝承は、奈良時代以前、陸よりも〝海の道〟から政府軍が攻め入り、太平洋岸の港で蝦夷と交戦した事実を投影しているのではないか。この海の道は大河北上川《きたかみがわ》に連なる。古代においても、石巻の港は太平洋から北上川への玄関口として、大きな役割を果たしたのであろう。

政府は石巻の港と北上川の水運を重視してその掌握を企てたが、それ以上に川を命綱と考えて必死に守ろうとしたのは流域の人々であった。

古代の列島各地の歴史は、地域交流ネットワークとしての海の道・川の道、そして両者をつなぐ港（津）の観点から、あらためて見つめ直す必要がある。

◉「田道の碑」拓本と、石巻湾に注ぐ北上川
石碑の碑文は「霊蚍田道公墳」と読まれているが、「霊（零）」と「墳」は篆書《てんしょ》体、「蚍」は蛇の俗字。「公」の読みには若干の疑問が残る。
北上川は総延長二四九kmの大河川。

第二河口と曳船

下野国寒川郡は海への入り口

地域交流ネットワークとしての海の道・川の道の実態を明らかにするために、まず注目したいのは、新たに〝第二河口〟と位置づけられる地域である。ここではその具体的な例として、まず下野《しもつけ》国寒川《のくにさむかわ》郡を、つぎに陸奥《むつ》国北上川《きたかみがわ》流域をとりあげる。両地域はいずれも、従来は内陸部と見なされてきたが、直接的に外洋につながる河川により、古代の陸上交通と海上交通の結節点として、第二の河口ともいうべき重要な役割を果たしてきた。

古代の下野国寒川郡の領域は、現在の栃木県小山《おやま》市南部から下都賀《しもつが》郡野木《のぎ》町、そして藤岡《ふじおか》町東部の一部を含む。一〇世紀前半にできた日本最初の漢和辞書『倭名類聚抄《わみょうるいじゅしょう》』によれば、寒川郡は、真《ま》木《き》・池辺《いけのべ》・奴宜《のぎ》のわずか三郷からなる小郡であった。にもかかわらず、下野国府《こくふ》跡や国内各地で出土する文字資料には、「寒川」関係の資料が目立っている。たとえば、木簡《もっかん》では下野国府跡の「寒川郡四人」など、また墨書土器《ぼくしょどき》では国府跡の「寒川厨《くりや》」、小山《おやま》市千駄塚浅間《せんだづかせんげん》遺跡（寒川郡家《ぐうけ》跡推定地）の「寒厨」、大田原《おおたわら》市小松原《こまつばら》遺跡の「寒川」などがある。

このように、寒川郡が小郡であるにもかかわらず、下野国内において広範な活動状況を示すのはなぜであろうか。

その理由としてもっとも重要なのは、寒川郡域には思川《おもいがわ》をはじめとする数多くの河川が集中していたことである。下野国府の近くを経て南端の寒川郡域を貫流した思川は、下野国を抜けて渡良瀬《わたらせ》川《がわ》に至り、現在は利根川から太平洋に達するが、かつては太日《ふとい》川《がわ》（旧江戸川）に合流して今でいう東京湾に注いでいた。現在の赤麻《あかま》沼《ぬま》遊水池およびその周辺は、渡良瀬川と巴波川《うずまがわ》・思川に挟まれた地で、当時も赤麻沼の水と原野に恵まれた地だったであろう。寒川郡の地は、東京湾の太日川の河口に対してほぼ直線的につながり、〝第二河口〟として海上への入り口と位置づけられていたと推測される。寒川郡が下野国において重要な役割を担い、その活動が広範囲に繰り広げられたのも、〝第二河口〟の機能を発揮したからであろう。

　そのことを裏付けるのが、寒川郡内の延喜《えんぎ》式内社《しきないしゃ》、安房《あわ》神社《じんじゃ》と胸形神社《むなかたじんじゃ》の存在である。

　安房神社は、主祭神を同じ天太玉命《あめのふとだまのみこと》としている点からも、房総半島の安房国の式内社、安房神社と同じである。この安房神社は、海上の神とされている。一方の胸形神社も筑前《ちくぜん》国宗像《むなかた》郡にある式内社、宗像《むなかた》神社《じんじゃ》（福岡県宗像市）と同じであり、元来は生業の神であるが、航海守護の神としても知られている。

　寒川郡の安房神社は現在の小山市粟宮《あわのみや》にある安房

古代寒川郡の第二河口と関連する神社

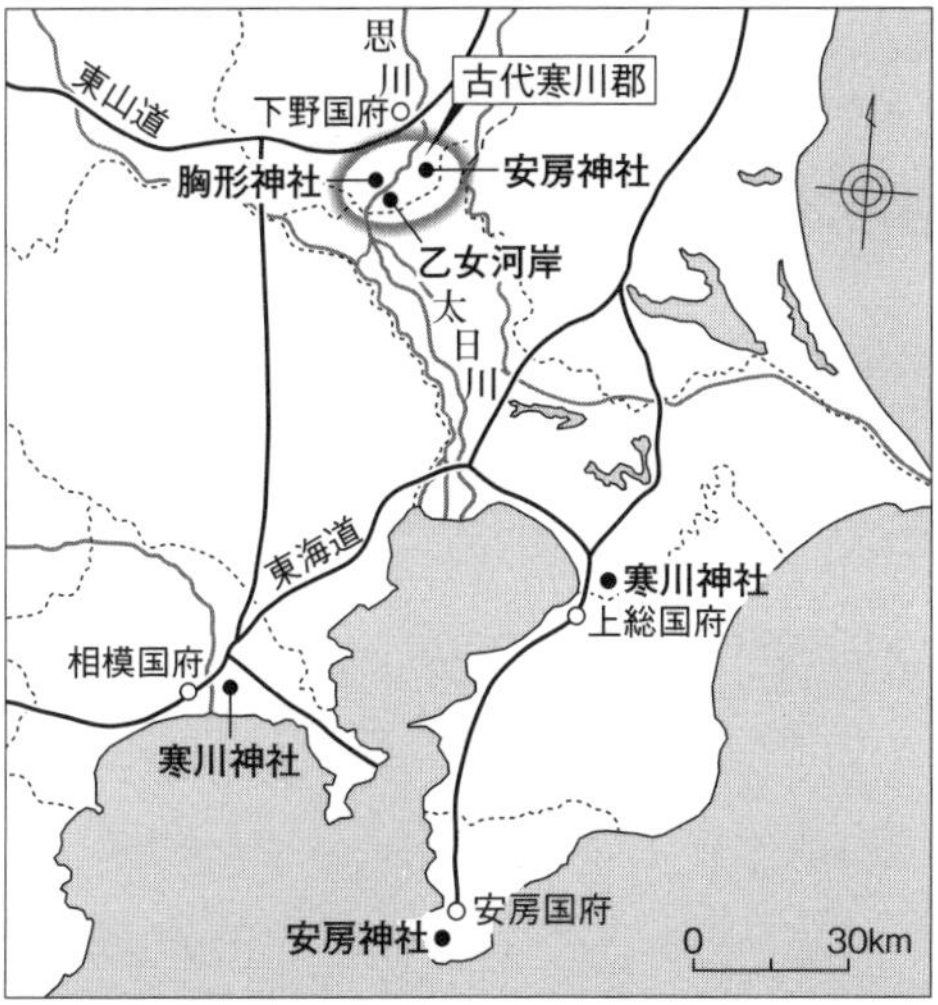

神社、胸形神社は小山市寒川にある胸形神社に比定され、両社はそれぞれ思川、巴波川に接している。一般的に内陸部と思われる寒川郡内に、海上の神である安房神社と胸形神社の二社を祀《まつ》っていたのは、この地を海への入り口として意識し、〝第二河口〟と位置づけていたからである。

ところで、徳川《とくがわ》三代将軍家光《いえみつ》のとき、日光東照宮《にっこうとうしょうぐう》の建て替えにあたり、江戸の太日川をはじめ諸河川から造営用の建築材などを船で運び、小山市の思川流域の乙女河岸《おとめかし》に荷揚げしたことはよく知られている。日光山の付近では集められない造営用の各種用材や漆《うるし》・晒布《さらしぬの》・銅・鉄・鉛などは、すべて江戸川・利根川・渡良瀬川から思川をさかのぼって乙女河岸に陸揚げされ、小山から壬生《みぶ》通りを経由して日光へと、約七五キロメートルの距離を経て送り込まれた。こうして豪華壮麗な日光東照宮は、寛永《かんえい》一一年（一六三四）一一月から同一三年四月にかけて、わずか一年五か月の間に造営されたのである。

この近世の乙女河岸のにぎわいは、古代寒川郡の〝第二河口〟としての活動を彷彿《ほうふつ》させる。

北上川とその流域勢力

現在の宮城県石巻市《いしのまき》付近は、古代には陸奥国《むつのくに》牡鹿《おしか》郡と称された地域である。天平宝字《てんぴょうほうじ》年間（七五七〜七六五）、律令《りつりょう》国家は新たに陸奥に城柵《じょうさく》を造営し、強圧的な政策を推進した。そのとき、北上川《きたかみがわ》の水運を掌握するためにここを重要視して、新たに桃生《ものう》城を築いたのである。桃生城は天平宝字四年に完成したが、宝亀《ほうき》五年（七七四）には海道地域の蝦夷《えみし》が桃生城の西郭を破るという事件も起きている。

ここで注目されるのは、北上川流域の遠田《とおだ》地域と磐井《いわい》地域である。遠田郡の郡司《ぐんじ》は、その名に「田夷《でんい》」と冠されていた。反対語は「山夷《さんい》」。つまり、律令国家に服属した蝦夷の居住地域が山地か平野かの違いにより「山夷」「田夷」と称した。この遠田地域の勢力は二度にわたって、彼らが負っている田夷の姓を脱して公民になりたいという申請をしている。その申請は二回とも、征討軍と蝦夷軍の大きな戦いの直後に行なわれている。

第一回は、延暦《えんりやく》八年（七八九）に征東大使《せいとうたいし》の紀古佐美《きのこさみ》が胆沢《いさわ》の地に攻撃をかけて敗退した直後の延暦九年である。

第二回は、弘仁《こうにん》二年（八一一）に征夷将軍《せいいしょうぐん》文室綿麻呂《ふんやのわたまろ》が爾薩体《にさて》・閇《へい》（幣伊）地方、現在の岩手県北

古代の城柵と北上川流域

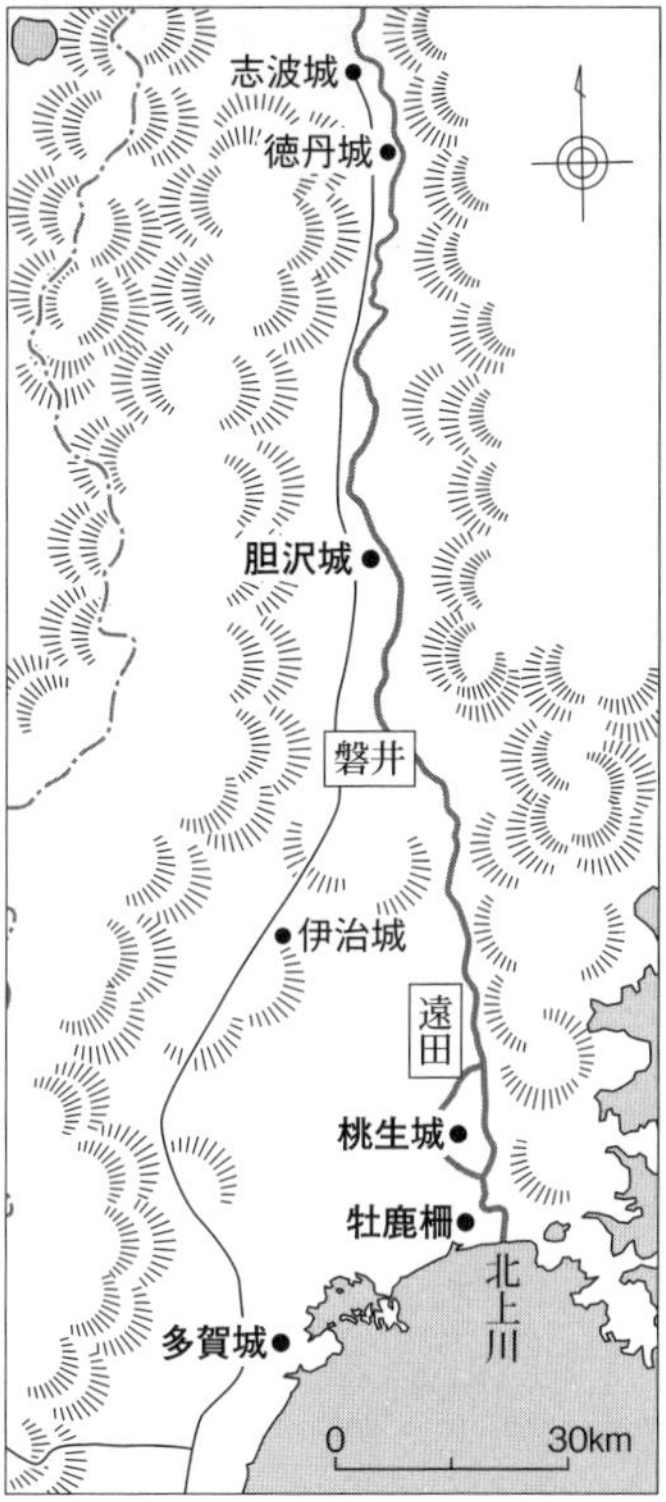

部から青森県にかけての地域で蝦夷との戦いを強行した直後の弘仁三年で、いずれも改姓を許されている。これらの改姓は、おそらく二つの戦闘で遠田の勢力が重要な役割を果たしたことに対する、いわゆる恩賞のようなかたちで認められたのであろう。

『日本後紀《にほんこうき》』弘仁三年九月三日条によれば、遠田郡の人が全部で三九六人、「田夷」を脱して改姓を認められた。そのうち半数は遠田連《とおだのむらじ》・意薩連《おさつのむらじ》・椋椅連《くらはしのむらじ》・陸奥石原連などという氏名《うじな》を与えられるが、残りのうちの一二二人という大多数の人たちが「陸奥磐井臣《むつのいわいのおみ》」を与えられたことが注目される。これは、遠田郡が太平洋岸の海道地域の牡鹿・桃生以北に大きな勢力をもっていたこと、そしておそらく、海道地域の最終地点はさらに北の磐井地方であり、遠田と磐井とには強い連関があり、同一地域のようであったことを示している。つまり、磐井地方は北上川の河口につながる〝第二河口〟であったと見なすことができる。

さらに、磐井地方についてはつぎのような重要な点も指摘できる。

律令《りつりよう》国家は長期の征討を経て、延暦二一年（八〇二）に胆沢城を造営した。その直後に、駿河《するが》・甲斐《かい》・相模《さがみ》・武蔵《むさし》・上総《かずさ》・常陸《ひたち》・信濃《しなの》・上野《こうずけ》・下野《しもつけ》の合わせて九国から、四〇〇〇人を胆沢城に移している。『倭名類聚抄《わみようるいじゆしよう》』によると、胆沢地域の郡郷名には、江刺《えさし》郡に信濃・甲斐郷、胆沢郡に下野・上総郷があり、それぞれ延暦二一年に胆沢城に人々を遷置させた坂東《ばんどう》諸国の名を負っている。

一方、磐井郡の郷名には、東国諸国の国名を負うものはまったくみられない。このことは、延暦二一年の移民が胆沢城から北の地域に集中的に実施されたためと判断できる。おそらく磐井郡は、海道とのつながりと、さらには主要官道である東山道と北上川との結節点として、重要な位置を占めていたためにいち早く国家に掌握され、胆沢城造営以前から郡制が成立していたのであろう。

曳船と河岸の統治

〝第二河口〟と並んでもうひとつ重要な視点は、〝曳船《ひきふね》〟という運行方式である。「川は流れとともに下るもの」という固定観念のもと、河川がその上流域に与える恩恵について、現代人には想像が及ばない部分がある。上流・下流双方向の交通手段としての河川の機能に目を向けてみたい。

曳船は近世・近代水運ではきわめて盛んであり、具体的にその様相を知ることができるので、参考までにまず近代史料から曳船の方法を紹介しておきたい。

富士川《ふじがわ》通船を例にとろう。「富士川治水沿革誌案」（明治二四年六月内務省土木局技手筆録）によれば、川をさかのぼるときには長い牽縄《ひきなわ》二本をふながしら（船首）につなぎ、その縄を船の前方の河岸にいる二人がそれぞれ体に巻き付け、前傾姿勢で力一杯曳《ひ》く。さらに船の先頭には舵《かじ》取りがひとり乗り、もうひとりは大竿《おおざお》を船首の横孔《よこあな》に通して水中で押し、水深のあるところでは船に乗る。ただし、この方式は急流で知られている富士川の曳船である点に留意する必要がある。

古代における具体的な曳船の方法を史料上知ることはできないが、曳船が実施されていたことは、『類聚三代格《るいじゅさんだいきゃく》』昌泰《しょうたい》元年（八九八）一一月一一日の太政官符《だじょうかんぷ》から知ることができる。

この官符は、現在の大阪府と兵庫県の一部である河内《かわち》・摂津《せっつ》両国の牧子《ぼくし》（馬を飼養する人）が、淀《よど》川《がわ》を往還する船の運航を妨げることに関する禁制である。公私の牧場は、河内国交野《かたの》・茨田《まむた》・讃良《ら》・渋河《しぶかわ》・若江《わかえ》の各郡、摂津国嶋上《しまがみ》・嶋下《しましも》・西成《にしなり》の各郡の河畔に多くあった。諸国の雑物を運搬する人々は、この河畔沿いに船を牽引《けんいん》していたが、河畔の牧子が船荷を略奪する事態が起こって問題となったのである。そこで、勅《ちょく》によって国司に下知し、河岸から五丈（約一五メートル）以内に立ち入って船の運航を妨げてはならないこととし、その趣旨を川の付近に牓示《ぼうじ》し、諸人に知らしめようとしている。

この曳船という方式は、河川の両岸を完全に統治しておかなければ、淀川の例のように、船荷を

2

◉絵師広重が描いた曳船の風景
歌川広重《うたがわひろしげ》の『名所江戸百景』シリーズのひとつ「四ツ木通用水引《よつぎどおりようすいひ》きふね」（安政四年〔一八五七〕）。はるかに筑波山《つくばさん》を仰ぎ、手前には大きく蛇行する曳船川（古上水堀）での曳船の様子が描かれている。こうした情景は近代まで広くみられた。

略奪されたり、運航を阻止されるなどの妨害行為を受けてしまうのである。

先にみた北上川《きたかみがわ》流域においても、牡鹿《おしか》地方から磐井《いわい》方面に物資を運搬するには曳船方式がとられていたに違いない。延暦《えんりゃく》九年（七九〇）および弘仁《こうにん》二年（八一一）の二度の戦闘で遠田《とおだ》地方の勢力が重要な役割を果たしたのも、北上川沿岸を支配していたからにほかならないし、磐井地方との結びつきも、あくまでも北上川水運によるものである。

また、一二世紀、奥州藤原《おうしゅうふじわら》氏が拠を構えた平泉《ひらいずみ》は磐井の地に位置し、列島各地および中国・朝鮮などの文物をさかんに摂取し、いわば国際都市の観さえ呈した。奥州藤原氏が律令《りつりょう》国家の東北経営の拠点であった鎮守府《ちんじゅふ》胆沢城《いさわじょう》（岩手県奥州市）ではなく、あえて磐井地方の平泉を本拠としたのも、まずは陸路としての主要官道東山道と水路としての北上川の結節点であること、つぎには、北上川水運の活用上、外洋へ直結した〝第二河口〟磐井の地が、胆沢城の地より有利と判断したことが決め手となったのではないか。

海の道を駆ける

紀伊―上総―陸奥

江戸時代、樽廻船《たるかいせん》や菱垣廻船《ひがきかいせん》が日本各地を海路で結び、わが国の流通経済の大役を担ったことは広く知られている。また、中世に活躍した水軍は、源平の壇ノ《だんの》浦《うら》の合戦にみられるように、権力の行方をも左右する一大勢力であった。だが、こうした海上交通は中世になってはじめて拓《ひら》かれたものではない。古代の地域社会間における文化交流・経済交流でも、〝海の道〟は重要な位置を占めていたのである。

『続日本紀《しょくにほんぎ》』という八世紀の歴史を伝える正史も、中央からの視点だけで見ていると見落としてしまうような事実が隠されている。正史はむしろ、視点を変えて地方からの目で見たときに、重要な史実を発見できることが多い。『続日本紀』のほぼ同時期の二つの記事に注目して、海の道と陸奥国《むつのくに》牡鹿《おしか》地方とのかかわりについて考えてみよう。

まず、神護景雲《じんごけいうん》三年（七六九）十一月二十五日条は、牡鹿郡の俘囚大伴部押人《ふしゅうおおともべのおしひと》の祖先について、もと紀伊《きい》国名草《なくさ》郡の人であり、征夷《せいい》に赴いたが、その子孫が俘囚《ふしゅう》の身となってしまったと記す。祖先の地である紀伊国名草郡は、現在の和歌山市の大部分を占める地域に相当する。紀ノ《きの》川《かわ》河口のデルタ地帯は、肥沃《ひよく》な農耕地帯でもあった。紀国造《きのくにのみやつこ》はこの生産力を背景とし、水陸の要衝たる「紀の水門《みなと》」を掌握することにより、その経済的実力をいっそう伸長させることができたのである。

紀伊水軍の活動としてもっとも知られているのは、朝鮮半島における漢城《ハンソン》陥落から日本府滅亡に至る苦難に満ちた時代、五世紀後半から六世紀後半にかけてである。紀ノ川を鎌垣舟《かまがきぶね》と呼ばれる河舟で下った外征軍は、紀の水門でいったん陣容を立て直し、ここで熊野諸手船《くまのもろてぶね》などの海洋就航用の大型構造船に乗り換えたとされている。先の神護景雲三年の記事は、その紀伊水軍が朝鮮半島「経営」のみではなく、ヤマト朝廷の蝦夷《えみし》征討にも大きな役割を果たしたという重要な事実を物語っている。大陸まで遠征した紀伊水軍は、八世紀以前に征夷事業に赴き、陸奥国北部への海からの出入り口になっていた現在の宮城県石巻湾から侵攻したのであろう。

もうひとつの記事は神護景雲三年三月十三日条で、陸奥国大国造《おおくにのみやつこ》の道嶋宿禰嶋足《みちしまのすくねしまたり》の申請に基づいて、陸奥国内の各郡領クラスの有力者がいっせいに改姓を行なったという記事である。

●古代の紀ノ川と紀の水門
「紀の水門」は紀ノ川河口のデルタ地帯に位置した重要な津。古代の紀ノ川は、園部《そのべ》付近から西流し、次郎丸《じろうまる》付近で大きく弧を描いて東南方向に転じ、和歌浦に注いでいたとされる。

丈部《はせつかべ》・大伴部《おおともべ》・吉弥侯部《きみこべ》がそれぞれ阿倍《あべ》・大伴《おおとも》および「上《かみつ》〔下《しもつ》〕毛野《けの》+陸奥〔または郡・郷名〕+臣」（上毛野陸奥臣など）を賜姓《しせい》されたが、唯一の例外として、牡鹿郡人春日部奥麻呂《かすかべのおくまろ》ら三人が武射臣《むさのおみ》を賜姓された。しかも、この一括賜姓の推挙者が、もとは牡鹿郡の豪族であった道嶋嶋足である。

　この武射臣も右記の「地名+臣」の型に一致すると思われ、「武射」は上総《かずさ》国武射郡を指すのであろう。

　上総国武射郡は現在の千葉県山武《さんむ》市を中心とした九十九里《くじゅうくり》沿岸に位置している。九十九里海岸は六四キロメートルに及ぶ弓状の海岸線をもつ砂浜であるが、その砂丘背後には多くの沼沢地が点在している。和邇《わに》氏の支族牟邪臣《むさのおみ》（武社国造）は、木戸《きど》川《がわ》と境川《さかいがわ》による入り江を管理していたといわれている。古代においては、この砂丘背後の沼沢地帯にある潟湖《せきこ》（ラグーン）に港が成立していた。「武射臣」を賜わった春日部奥麻呂は、おそらく上総国から海を渡って牡鹿郡に移住し、大きな勢力を有していたと考えられる。先にみた紀伊水軍が紀伊半島から北へ向かう際の重要な寄港地が房総半島の九十九里沿岸であり、武射地方の有力者も海路で東北地方に入り、牡鹿の地に居して最大の豪族道嶋氏と深く結びつき、勢力を伸長したのであろう。

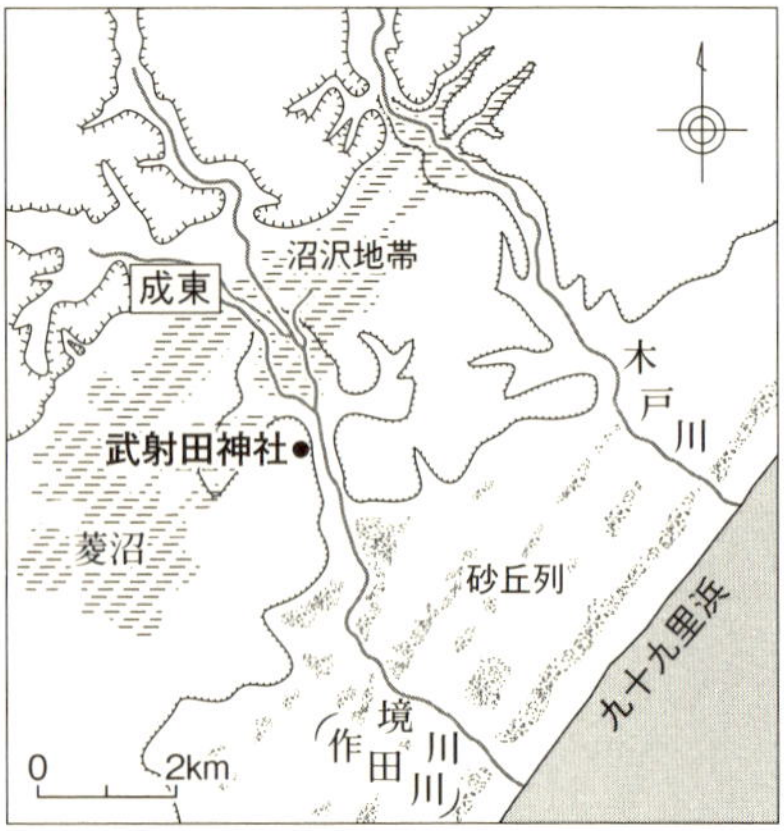

●上総国武射地方と九十九里沿岸の地形
九十九里地域の下総台地上には一四〇〇基近くの古墳が分布し、なかでも成東《なるとう》地区には七世紀初めの駄ノ塚《だのづか》古墳のように、天皇陵に匹敵する一辺六〇メートルの方墳もある。武射地方の隆盛は、砂丘背後の潟湖の良港によるのだろう。

東征伝承と水軍

このように〝海の道〟をクローズアップすると、『日本書紀《にほんしょき》』のヤマトタケルの東征伝承も重要な意味をもってくるのではないか。

『日本書紀』景行《けいこう》天皇四十年是歳条によれば、ヤマトタケルは駿河国《するがのくに》から相模国《さがみ》を経て、現在の東京湾を渡り上総国に入った。そして上総国から海路で陸奥国へ向かったが、このコースこそ、武射と牡鹿両地方の豪族がさかんに交流した、上総国から太平洋岸を北に向かい、最終的には北上川河口（石巻湾）に達する航路である。『日本書紀』が記す蝦夷《えみし》族長嶋津神《しまつかみ》・国津神《くにつかみ》らが集結していた竹水門《たかのみなと》とは、おそらく多賀水門《たがのみなと》、つまり現在の多賀城市付近の湊浜あたりを指したものであろう。

この章の冒頭で触れた仁徳《にんとく》天皇五十五年のいわゆる田道《たじ》将軍の伝承も、これに連なるものである。ヤマトタケル軍に対する蝦夷軍は、竹水門に屯《たむろ》していたのであり、この田道将軍と蝦夷軍との戦場も伊峙水門《いじのみなと》であった。このように、政府の水軍と蝦夷軍の攻防は水門（港）で行なわれたのである。

ここでとりあげた牡鹿地方の重要性は、やはり陸奥国北部への海からの玄関口にあたっていた点にあるだろう。牡鹿柵に加えて新たに桃生《ものう》城を造営したのは、港と、港からさらに北上川水運を利用して北の内陸部――〝賊の本拠〟とされた胆沢《いさわ》地方――への物資輸送上の重要性を配慮したものと理解できよう。おそらく、七世紀もしくはそれ以前には、著名な斉明《さいめい》朝における日本海側の阿倍《あべの》比羅夫《ひらふ》の遠征に比すべく、太平洋岸においても、大規模な水軍による東北地方北部に対する征夷事業が、繰り返し実施されたのではないだろうか。

古代港湾都市

河口の郡津と国津

それでは、これまでみてきた河川交通路と海上交通路〃海の道〃との結節点である古代の水門《みなと》（港）とは、具体的にはどのようなところだったのだろうか。

石川県金沢市西部、日本海に臨み、犀川《さいかわ》と大野《おおの》川《がわ》に挟まれた標高一・五メートル前後の微高地上には、畝田《うねだ》・寺中《じちゅう》遺跡、金石本町《かないわほんまち》遺跡、戸水《とみず》C遺跡など多くの古代遺跡がある。このうち、犀川河口の畝田・寺中遺跡からは、「津司《つのつかさ》」と記された墨書土器《ぼくしょどき》が出土している。「津司」とは『続日本紀《しょくにほんぎ》』養老《ようろう》四年（七二〇）正月二十三日条「渡嶋津軽《わたりのしまつがる》の津司従七位上諸君鞍男《もろきみのくらお》ら六人を靺鞨《まつかつ》国に遣《つか》わして、その風俗を観《み》しむ」にみえる「津司」、つまり津を管理する役所や役人を意味している。なお、旧河道以北の溝から「津」と墨書された八世紀なかばの須恵器《すえき》五点も出土している。これらの「津司」「津」墨書土器は、畝田・寺中遺跡が犀川河口の津（港）であることを証する重要な資料である。

さらに、畝田・寺中遺跡からはつぎの二点の木簡《もっかん》も出土している。なお、以下、釈文中の「　」は、主文とは別の人物が書いた文字であることを示す。

①〔表〕郡□□〔符〕　大野郷長［　］件［　］

〔裏〕罪科知此旨火急
「主政」
「主帳」

②
〔表〕符　田行笠□等 横江臣床嶋□ 西罡□〔部〕物□
〔裏〕口相定田行率召持来今□〔状〕以付
田領横江臣　□

長さ（二九四）×幅三四×厚さ四ミリメートル

（二七八）×四二×三ミリメートル

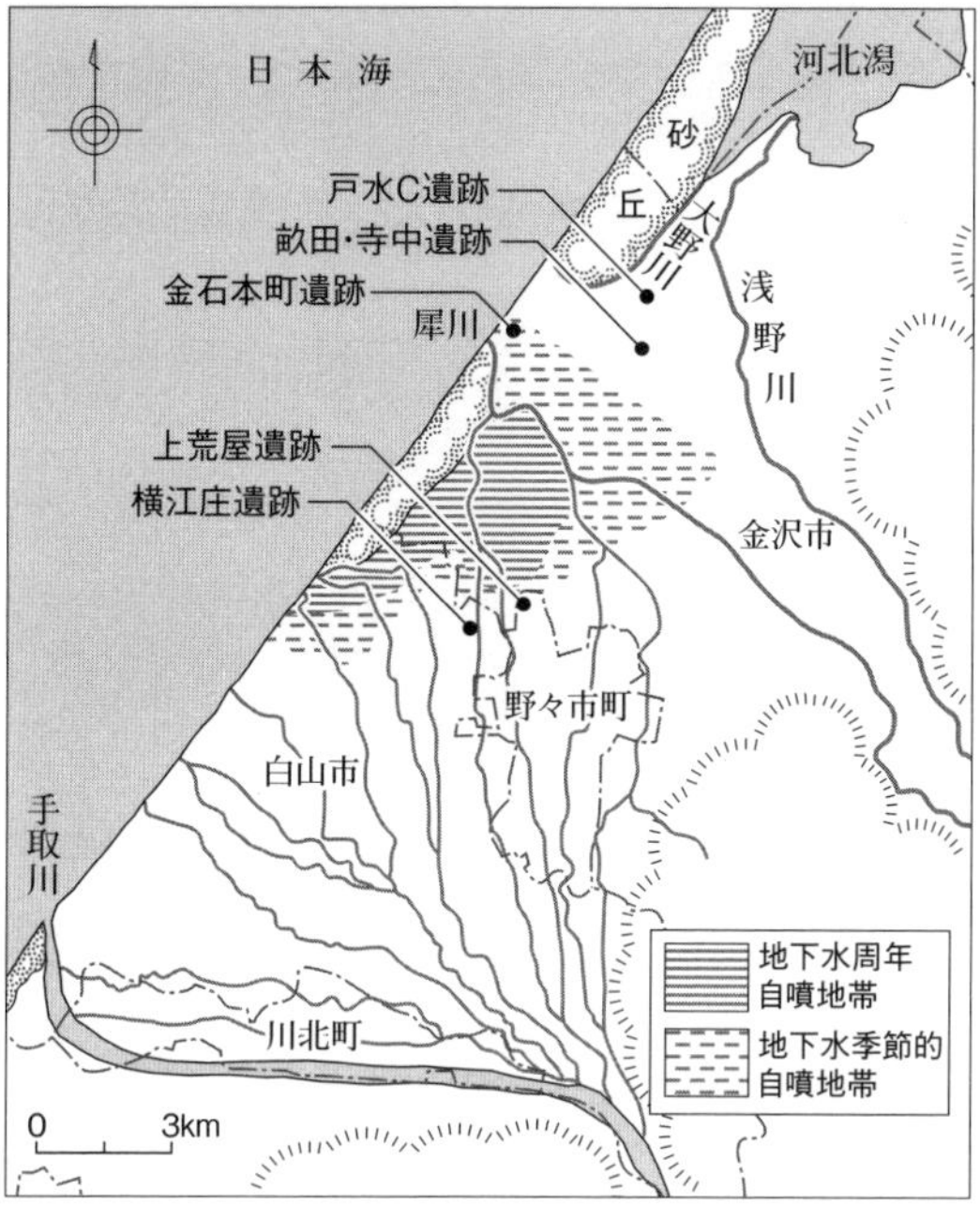

●古代港湾都市を支えた扇状地

手取扇状地は、要《かなめ》部分から諸河川がかなりの急傾斜を流れ、犀川河口に至る。湧水は扇端部の河口付近に集中するため、砂丘の後背湿地とともに広大な水田耕作地を生み出し、微高地上には津の施設などの官衙群が立地した。

3

◉郡から下級役人に物資運搬を命じた文書
前ページ②の郡符木簡は、農業担当責任者（田領《でんりょう》）からその配下（田行《でんぎょう》）に命令するもので、諸物資が郡の港（郡津）に集積される活動を示す木簡と考えられる。

木簡①は文書の差し出しが「郡□」、あて先が「大野郷長《おおのごうちょう》」なので、郡符《ぐんぷ》木簡である。

郡符木簡とは、郡司《ぐんじ》などがその管下の者（郷〔里〕など）に命令を下す際に用いた木簡である。これまでの出土例によれば、通常の文書木簡は約三〇センチメートル前後、つまり一尺に相当する長さであるが、郡符木簡の長さはその倍の六〇センチ前後、二尺という傾向が注目される。人が携帯する木の札としては、もっとも大きな部類である。

木簡①の記載内容については明らかでないが、裏面に「罪科」「火急」などとあり、郡符木簡の多くがそうであるように、これも人の召喚を目的としたものであることがわかる。

また、郡符木簡は使用後、受け取り側（郷〔里〕など）で廃棄されるのではなく、差し出し側に戻され、そこで廃棄された。したがって、あて先の異なる二点（①「大野郷長」、②「田行笠□等」）の郡符木簡を出土した畝田・寺中遺跡は、郡家《ぐうけ》または郡家の関連施設と考えられ、先の墨書土器もふまえると、郡司の管理する「津」（郡津）であったと性格づけることができる。

犀川河口付近には、畝田・寺中遺跡のほかにも金石本町遺跡などがある。この付近と想定される郡津の経営は、おそらく畝田・寺中遺跡の郡符木簡①の発行者である郡司の三等官（主政）・四等官（主帳）が担当したのであろう。

一方、戸水C遺跡は金沢市北西部、現在の金沢港のなかにあり、大野川の河口から約二キロメートルさかのぼった、左岸の微高地上に立地する。かつての大野川は大野町の南を流れて日本海に注いでおり、古くは犀川の河口とも合流していたようである。

この遺跡は九世紀前半ごろから施設の整備が進み、九世紀後半から一〇世紀初頭にかけては大型建物が四群以上併存するなど、ピークを迎えている。ここからは八世紀末の「官」、九世紀なかばの「小殿」、九世紀末から一〇世紀初頭の「津《つ》」と墨書された土器が出土している。

戸水C遺跡は、墾田《こんでん》や初期荘園《しょうえん》など、八世紀後半以降に急速に進んだ金沢平野沖積地の開発に伴って新たに整備された港湾施設「津」であろう。すでに八世紀前半から存在した犀川河口の金石本町遺跡、畝田・寺中遺跡と津の機能を分担しながら相

4

◉国府の港を示す墨書土器
弘仁一四年の加賀国の新設に伴い、戸水C遺跡は〝国津〟として整備されたと思われる。この遺跡は現在の金沢港の埠頭用地整備の際に発見され、港であったことを示す「津」と書かれた土器も出土した。

互に物流拠点を形成していたものと推測される。九世紀以降は、大野川水系の戸水C遺跡の比重がしだいに増したことで整備が進んだのであろう。

戸水C遺跡の整備が九世紀前半以降に進んだもうひとつの要因として、弘仁《こうにん》一四年（八二三）に越前国から分立して加賀国が新たに置かれたことがあげられる。当初、加賀国府が金沢平野に置かれていたとすれば、戸水C遺跡は当然「国津」としての性格をもっていたものと考えられる。

犀川《さいかわ》の流域には、南に東大寺《とうだいじ》領であった横江庄《よこえのしょう》遺跡が存在し、また、『日本霊異記《にほんりょういき》』の説話に見えるように、有力者「横江臣《よこえのおみ》」の一族が「大野《おおの》郷畝田《うねだ》村」に居住していたことが知られている。河口にはおそらく、多くの地域有力者および中央の貴族や寺社の現地管理者などが、住宅とともに物資収納の倉を設置していたことであろう。

砂丘の後背湿地である手取扇状地《てどりせんじょうち》では、網目状の大小河川と扇端部の湧水《ゆうすい》を利用した蓮《はす》栽培や水田耕作、また稲の品種改良もさかんに行なわれていたと考えられる。これを裏付ける史料として、横江庄遺跡にほど近い上荒屋《かみあらや》遺跡から「□月八日蒔料蓮花種一石」と記された木簡《もっかん》が出土している。これは現在の名産〝加賀《かが》ハス〟の源流ともいえよう。

古代港湾都市は、こうした高度な生産地帯を背景にさまざまな物資を港に集積し、隆盛を極めたのである。

潟と北陸道の結節点「深見村」

口絵で紹介した牓示《ぼうじ》札《さつ》は、畝田《うねだ》・寺中《じちゅう》遺跡や戸《と》水《みず》C遺跡の北東方向、河北潟《かほくがた》に面する津幡《つばた》町加茂《かも》遺跡で発見された。その加茂遺跡において、古代北陸道と判断される道路遺構が八世紀初めには存在したことが明らかとなった。

牓示札には「符を国の道の裔《そば》に提示し、厳しく取り締まれ」「命令を路頭に牓示すべきこと」などと記され、加茂遺跡の道路遺構が「国の道」（官道）の北陸道であることを示すとともに、文字どおり路頭に牓示されていた状況まで推定することができる。

この加茂遺跡の所在地である古代の「深見《ふかみ》村」は、能《の》登《と》へと至る北陸道、そして河北潟や津幡津《つばたのつ》などの水運を含む交通の要衝であり、物資が集積するきわめて重要な地域であった。

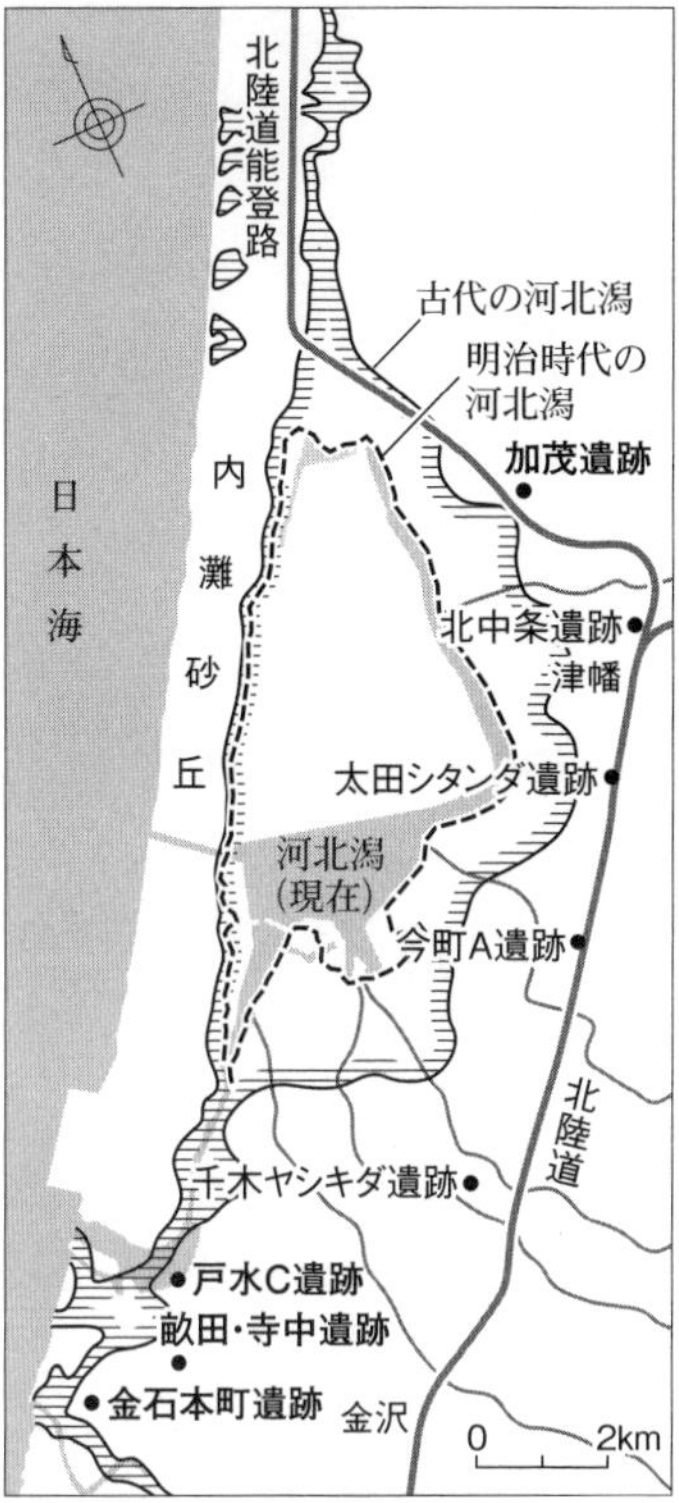

◉**河北潟・北陸道と古代主要遺跡**
日本海沿岸に発達した内灘《うちなだ》砂丘と、その内側の潟湖《せきこ》である河北潟は、昭和三八年（一九六三）以降、六割近くが埋め立てられた。かつては広い水域を誇った河北潟に沿うように官道北陸道が走っている。水陸交通の便を利用した古代の大規模な官衙や集落の遺跡が分布している。

『延喜式《えんぎしき》』（兵部）諸国駅伝馬《えきてんま》条には、加賀郡内に田上《たがみ》・深見・横山《よこやま》の三駅があり、さらには津幡町北中条《きたちゅうじょう》遺跡から出土した墨書土器《ぼくしょどき》にある「深見驛」の文字により、深見駅の存在が確かめられる。

一方、河北潟の潟津《せきつ》から水上交通を利用して潟の東北隅に至り、北陸道と接する地点は、大治《だいじ》五年（一一三〇）の史料で「都《つ》（津）幡津《ばたのつ》」とされる港である。物資が陸揚げ・積み込みされる、交易の中心地であった。

「都（津）幡津」、そして「深見《ふかみ》駅」は、律令《りつりょう》行政区画でいえば加賀（旧越前《えちぜん》）国加賀郡の英太《あがた》郷・井於《いのうえ》郷の範囲に含まれ、『万葉集《まんようしゅう》』や加茂《かも》遺跡出土牓示《ぼうじ》札《さつ》によれば、これらの範囲全体を「深見村」と呼称していたことがわかる。「深見」は「深海」の意で、河北潟の東北隅にある寄港地一帯を呼称したものであろう。

ところで、日本海側には潟湖《せきこ》に開かれた津が多い。その例としてあげられるのは、新潟市から胎《たい》

5

◉墨書土器「深見驛」と越後の潟湖の「津」
「深見驛」の墨書土器が出土した北中条遺跡は、越中と能登へ向かう北陸道の分岐点にあたる。遺跡の近くに深見駅を想定できる。一方、近世に干拓された潟湖、紫雲寺潟の東北隅に位置する新潟県胎内市の蔵ノ坪遺跡からは、「津」と墨書された土器が出土した。

内《ない》市中条《なかじょう》町（旧北蒲原《きたかんばら》郡）にかけての、いわゆる「蒲原津《かんばらのつ》」から紫雲寺《しうんじ》潟《がた》（塩津《しおつ》潟《がた》――近世に干拓）に至る一帯で、ほぼ河北潟と同様の景観を呈していたと考えられる。中条町の蔵ノ《くらの》坪《つぼ》遺跡では「津」と書かれた墨書《ぼくしょ》土器《どき》が出土し、中条町大字船戸《ふなと》という遺跡の所在地名からも明らかなように、紫雲寺潟の「船戸（津）」（古代では戸と津は音通《おんつう》で同義）であったと想定される。

この船戸は、加茂遺跡と同様に磐舟柵《いわふね》、さらに出羽国に向かう官道と結節する地点に位置している。しかも、蒲原津一帯の「深江《ふかえ》」（『国造本紀《くにのみやつこほんぎ》』に「高志《こし》深江国造」が見える）という呼称が、河北潟の「深見」（深海）と類似しているのも興味深い。

古代の港湾と外交

古代北陸地方と関係の深い渤海《ぼっかい》（六九八～九二六年）は、中国東北地方から朝鮮半島北部、ロシア沿海地方にまたがる国家で、日本ともしばしば交易を行なった。七二七年に第一回遣日使節が蝦夷《えぞ》地《ち》へ来着し、出《で》羽国《わのくに》を経由して奈良の都に入ってから、九二六年に滅亡するまで、渤海は計三四回の使節を日本へ派遣している。当初は緊張関係にあった唐《とう》に対抗するため、日本と連携をとることが目的であった。渤海船は八世紀後半には出羽や越後《えちご》、九世紀には山陰地方への来着が目立つが、交流の全期間を通じて加賀《かが》に来着することが多かった。一方、渤海へは能登《のと》の

「天平二年」墨書土器

6

福良津《ふくらのつ》から出航するのが定番コースであり、加賀が渤海使節の主要な入国ゲート、能登が渤海への出発ゲートとなっていた。

ところで、津は物流をつかさどるだけでなく、渤海国使の出入国など、外交の機能も有している。畝《うね》田《だ》・寺中《じちゅう》遺跡出土の墨書《ぼくしょ》土器《どき》には「天平《てんぴょう》二年（七三〇）」とのみ記されたものがある。通常、集落遺跡において年紀を示した墨書土器は、千葉県八千代《やちよ》市萱《かや》田《だ》の北海道《ほっかいどう》遺跡出土の人面《じんめん》墨書土器に「承和《じょうわ》五年二月十（日）」とあるように、祭祀《さいし》にかかわる場合が多い。

墨書土器は、集落遺跡においては神仏に対する饗応を原則とし、官衙《かんが》遺跡においても、客人などに対する饗応に際して、その器に墨書するものと解釈することができる。畝田・寺中遺跡における墨書土器「天平二年」は、やはりなんらかの饗応に際してその年紀を記したとすることができるのではないか。その年紀は、きわめて特殊な記念すべきものゆえに、あえて記したと考えるべきである。その際、注目すべきは『続日本紀《しょくにほんぎ》』天平二年八月二十九日条の遣渤海使引田朝臣虫麻呂《ひけたのあそんむしまろ》の来帰の記事である。その饗応の際に「天平二年」と記載した可能性が高い。

また、渤海使が来着する港湾施設には、通訳すなわち「訳語人《おさびと》」の存在が欠かせない。畝田・寺

渤海使の渡航路

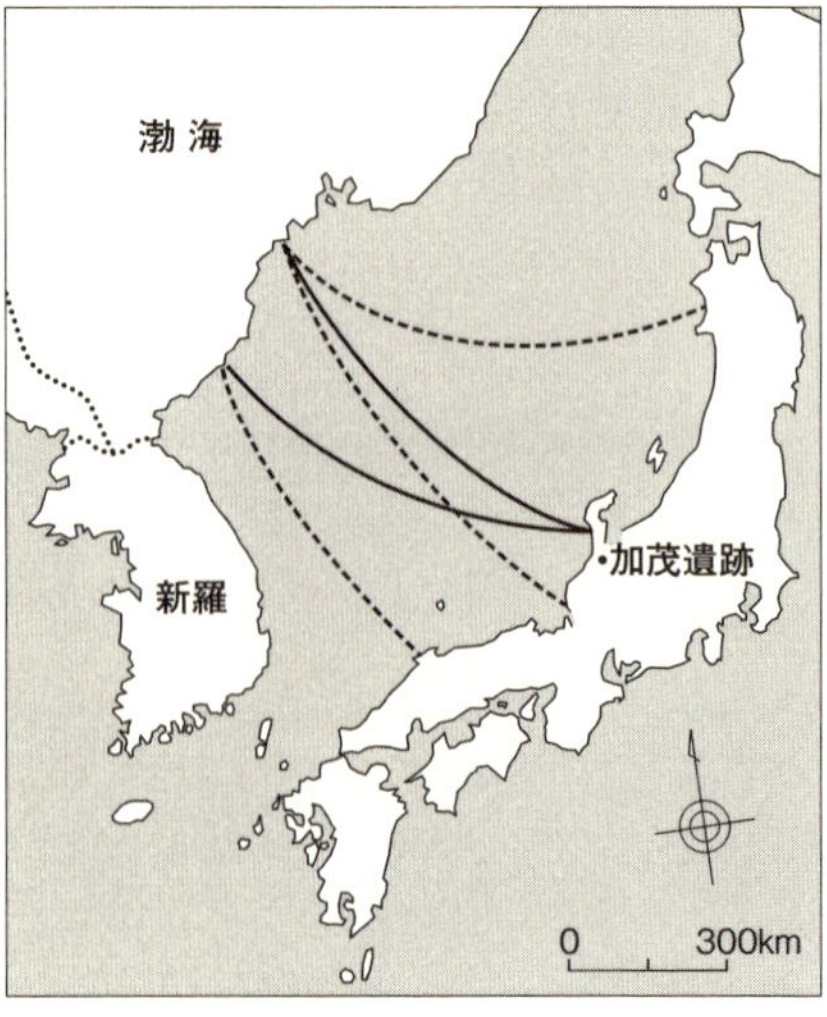

中遺跡からは墨書土器「天平二年」とともに「語」「語─語」などの墨書土器も出土しており、これらは外交施設としての性格を十分に反映したものといえよう。言語と言語をつなぐのが訳語人とすれば、「語─語」は訳語すなわち通訳の象徴的な表記と理解できる興味深い資料である。

そのほか、金沢市畝田ナベタ遺跡では、九世紀頃の特異な帯金具《おびかなぐ》が出土している。帯金具は、宝《ほう》相華《そうげ》唐草文《からくさもん》を鋳出《いだ》した青銅の地金《じがね》の上に金箔《きんぱく》を貼《は》り付け、さらに文様の窪《くぼ》みに黒漆《くろうるし》を置いて花文を鮮やかに浮き上がらせている。地金の材質成分（銅と錫《すず》を合金した青銅）のなかには、国産の青銅に一般的にみられる砒素《ひそ》・アンチモンがほとんど含まれない。このような文様の系譜や材質などから、この帯金具は契丹《きったん》など唐《とう》の北部地域、または渤海で製作されたと考えられる。

ところで、加茂遺跡の牓示札と同じ大溝からは、牓示札とほぼ同時期の嘉祥《かしょう》二年（八四九）頃のものと思われる、古代の通行証にあたる過所木簡《かしょもつかん》も出土している。

〔表〕往還人⊓　⊔丸羽咋郷長官
路□〔作〕⊓　⊔不可召遂〔逐〕　「保長羽咋
〔裏〕道公⊓　⊔乙兄羽咋□丸　男□〔伎〕丸」
「二月廿四日」

一八〇×二九×四ミリメートル

全体的に墨痕が薄く、表面《おもてめん》の文意は必ずしも明らかでないが、「往還人である⊓⊔丸は羽咋《はくい》郷長

（の命令により）官路を作る（人夫として通過するので）拘束しないでほしい」といった内容であると思われる。

表面《おもてめん》に見える「羽咋郷」は能登国羽咋郡羽咋郷（石川県羽咋市）で、加賀国との国境に接した地である。この木簡が隣国である能登国から加賀国に携行されたものであることを示している。

裏面には文書らしい文言は見あたらず、「道公《みちのきみ》□□」「□□乙兄《おとえ》」「羽咋□丸」という三名の名前、および「二月廿四日」の日付のみである。日付は人名に一部字画が重なっているので、追記されたのであろう。

以上のような解釈が可能ならば、深見村の地には深見駅とともに、通行人を管理する関《せき》も設置されていたと考えられる。深見の地は国境にも近く、越中《えっちゅう》国へ向かう北陸道と能登国への道の分岐点にあたる交通の要衝である。さらに、先にみたように、加賀国や能登国では渤海使《ぼっかいし》が来着・出発することがしばしばあり、その警備上からも関の設置が想定される。

当時、丁匠《ていしょう》（朝廷の工事に奉仕する大工）や調庸運脚《ちょうよううんきゃく》（都に貢納物を運ぶ人夫）が関を越えるときには検査を受け、往路に関司《せきのつかさ》が日付や名前を写録し、帰る際にはその記録をもとに本人かどうかを確認することが法で定められていた。この木簡の携行者は道路づくりの作業員であるが、国境《くにざかい》を越える人々には、つねに同様のチェックが行なわれていたのではないか。「二月廿四日」は関司によって書き込まれた日付と判断できる。

さらに、この過所木簡が嘉祥二年のものとするならば、『続日本後紀《しょくにほんこうき》』嘉祥元年十二月三十日条に能登国に来着したと記されている、渤海国使との関係が注目される。

のちの例であるが、『日本三代実録《にほんさんだいじつろく》』元慶《がんぎょう》七年（八八三）正月二十六日条によれば、渤海使の入京に際して、その経路となる山城《やましろ》・近江《おうみ》・越前・加賀などの国々は官舎・道・橋の修理にあたり、路辺の死骸《しがい》を埋めるなどの清掃作業を行ない、越前・能登・越中三国は酒・動物の肉・魚などを加賀国に送り、渤海の客人を饗応したという。

この事例を参照すれば、嘉祥元年来着の渤海使が翌年に入京を許されて京に向かう際に、加賀国境に接した能登国羽咋郡羽咋郷の人々は、能登・加賀国境から深見村一帯の官道の清掃に徴発されたのであろう。そしてその帰途、加茂遺跡に所在した〝深見関〟において、勘検《かんけん》済みの過所《かしょ》木簡が廃棄されたと推測することができる。

海と川にみる地域交流ネットワーク

古代の地域社会においては、海の道、川の道、そして両者をつなぐ港（津）が地域間交流を促進する重要な役割を担っていた。その海の道などが活発に機能したことを示す、いくつかの新たな視点を紹介してきた。

第一点は、これまで地理的関係から内陸部とみられてきた地域のなかに、外洋に面する河口（第一河口）と並び、直線的に河川が外洋につながる〝第二河口〟として位置づけられた地域が存在したことである。その例として、太日川《ふといがわ》と下野国寒川郡《しもつけのくにさむかわ》、および北上川《きたかみがわ》と陸奥国《むつ》磐井《いわい》地方（のちに中世都市平泉《ひらいずみ》が置かれたところ）をとりあげた。

第二点は、河川の運行に曳船《ひきふね》方式を重視しなければならないことである。この曳船による輸送は、沿岸の安全確保、つまり治安維持が必要条件となる。

また、紀伊《きい》水軍の対外遠征と東北経営への参画、房総半島の武射《むさ》地方の有力者と陸奥国北部の牡《お》鹿《しか》地方との連係が示すとおり、古代国家の蝦夷《えみし》政策および地方豪族間の交流においても、海の道が十分に活用されていたのである。

さらに、列島における古代港湾のあり方に目を向けると、現在のところ、その全貌《ぜんぼう》が解明されつつあるものとして、北陸地方の金沢市西部から河北《かほく》潟《がた》一帯をあげることができる。犀川《さいかわ》河口および河北潟付近には、郡家《ぐうけ》や国府《こくふ》の管理する数多くの官衙《かんが》施設があった。また、中央の貴族・寺社が所有する初期荘園《しょうえん》や、在地有力者などが住宅や倉庫を構え、渤《ぼっ》海使《かいし》を迎える施設なども立ち並ぶ、まさに古代港湾都市の景観を呈していた。

古代の港湾の周辺には、先進的な水田地帯をはじめ、多様な生産機構が生み出す豊富な産物が集積された。それが港湾都市の隆盛の原動力となったのである。

金沢市西部の畝田《うねだ》・寺中《じちゅう》遺跡と戸水《とみず》C遺跡を中核とする古代港湾都市は、犀川河口、さらに河北潟の潟津《せきつ》を直接的な玄関口とし、河北潟の水上交通を利用して、東北隅の都《つ》（津）幡津《ばたのつ》の地で北陸道を通じて能登《のと》・越中《えっちゅう》とつながっていた。こうした大規模な古代港湾都市の景観が、近年の広範囲な発掘調査によ

7

◉太平洋に注ぐ川と、津長にあてた郡符木簡
福島県いわき市荒田目《あったため》条里《じょうり》遺跡《せき》出土の郡符《ぐんぷ》木簡《もっかん》は、郡司から立屋津《たてやのつ》の津長《つのおさ》（港の管理責任者）にあてた命令書で、来客の応対にあたる人員を徴発するものである。太平洋に注ぐ夏井《なつい》川《がわ》の奥まったところに立屋津があったのであろう。

る遺構・遺物、そして膨大な文字資料の出土によって復元できたのである。

中世史家網野《あみの》善彦《よしひこ》は、古代の交通について、つぎのように総括している。

（列島内外の海上交通に関する研究では）国家成立後の支配者がいかなる対応をしてきたかについては、かならずしも考慮されてこなかったといえよう。しかし、直線道路を基幹とした律令《りつりょう》国家の交通体系が弛緩し始める八世紀末から九世紀以降、ふたたびその役割を回復してきた河海の交通にたいし、支配者もその立場を強め、維持するため、それなりに真剣に対処してきたことは当然予想されるところであろう。

網野は、やはり陸上交通が律令国家の基幹的交通体系であり、八世紀末以降になって河海の交通が活発になり、支配者側も関与するようになったとする。

これまでの古代史研究が、中央集権的国家の象徴ともいえる都と地方とのいわゆる都鄙《とひ》間《かん》交通と、それを支えるものとしての陸上交通に精力を傾注してきたのは事実である。

しかしながら、列島各地における地域交流ネットワークとしての海の道・川の道、そして両者をつなぐ港（津）の実態は、ここでとりあげた事例から明らかなように、少なくとも八世紀当初からじつに躍動的であり、こうした古代における海の道・川の道の隆盛が、中世のさらなる活動へのベースになったのである。

第六章

東アジア交流の原点〝文字〟

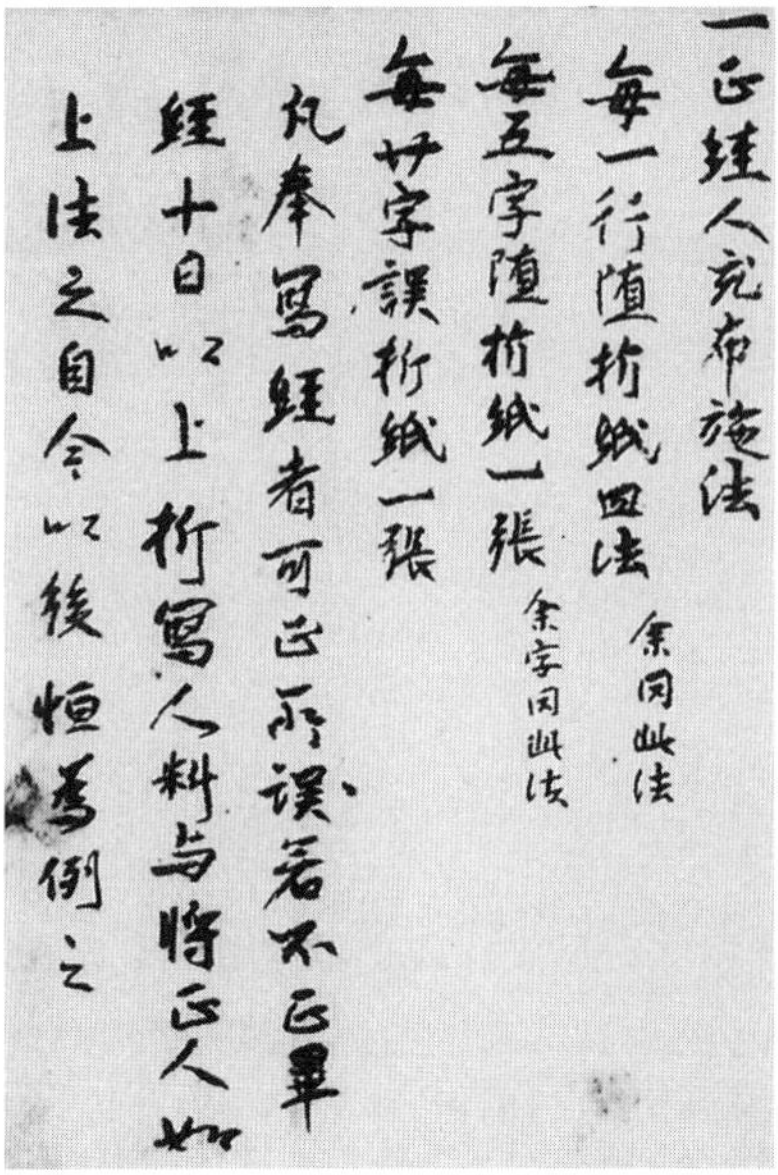
一 正経人充布施法
每一行堕 折紙四張 余同此法
每五字堕 折紙一張 余字同此法
每廿字誤 折紙一張
凡奉写経者可正所誤若不正畢
経十日以上 折写人料与将正人 如
上法 之自今以後 恒為例 之

最近、ベトナムでは新築や結婚の祝いに、「福」「寿」などの漢字をプレゼントするのが流行しているという。約一〇〇〇年前、中国に支配されていたベトナムは、漢字を公式文書に採用した。しかし、フランス植民地下の二〇世紀初め以降はローマ字化が進んだ。朝鮮半島もかつては漢字文化圏に属しながら、一五世紀以降、民族文字としてのハングルを使用し、とくに日本語を強制された植民地支配から独立したのち、韓国は漢字使用を遠ざけてきた。

漢字文化の本家である中国においても、一九五〇年代以降、正式文字は簡体字《かんたいじ》である。しかし、近年の急速な国際化・情報化で、簡略化していない繁体字《はんたいじ》を使う台湾や日本との字体の違いが問題となってきている。一方、日本では漢字・仮名交じりの文字で文章を書くことで、現在まで漢字文化が維持されてきた。ただし、常用漢字は一九四五字しかなく、漢字離れの影響からか、平成四年（一九九二年）には文部省認定の「漢字検定」までも登場する。日本の漢字文化も将来、けっして安泰とはいえない。ベトナムも韓国も、自国の歴史や文化を知るために漢字で表記された歴史資料が読み解けるよう、教育の必要性が指摘されており、アジア全体を見まわしてみても、経済交流、インターネットの普及を背景として文字文化を見直そうという気運が高まっている。

ところで、ガードレールにカラースプレーで派手に「嵯蘇璃（サソリ）」と書いた、暴走族の落書きに驚かされたことがある。わざと画数の多い漢字をあてるのが、彼らの鉄則のようだ。漢字文化の荒廃が叫ばれているなかで、なんとも不思議な現象であるが、日本列島での漢字文化の流れをみてみると、この現象も理解できるのではないか。

そうした状況下で、古代社会における文字とは何かを真正面から問い直してみることは、二一世紀の文字文化のあり方を考えるうえでも重要であろう。また、古代日本に関するあらゆる史・資料について、文字に記録されない世界との比較検討を行なうのも、十分に意義あることである。古代日本の文字文化は、広範な〝無文字的世界〟と深くかかわっていた。文字そのものが権威の象徴、統治の具、あるいは呪力《じゅりょく》をもったものとして、それ以降の時代にはみられないほどの大きな社会的役割を果たしたのである。

暴走族がことさらに画数の多い漢字を誇らしげに使用するのは、おそらく古代社会にも似た彼らの未熟な文字世界において、ある種の権威をマジカルに表現したのではないだろうか。

1

◉現在のベトナムで使用されている漢字
ベトナム中部のフエからホイアンという町にかけての国道沿いには、祠《ほこら》が点在する。その最上部外側には「福」、内部の壁面には「霊」という漢字が書かれており、現代ベトナムにおける漢字文化の片鱗《へんりん》を示している。

文字文化と東アジア

日本列島における文字の始まり

数年前、新聞の紙面に「日本最古の文字か」という見出しが相次いでみられた。二世紀から四世紀頃の土器などに、一文字または数文字が記されていたのである。しかし、土器に記されたひとつないし二つの文字は、文章をなしていない点からいえば、文字使用の始まりの問題とはやはり一線を画して考えるべきである。中国や朝鮮半島と緊密に交流していた日本列島の各地で、鏡や銅銭などに記された文字が漢字として認識されていたのか、あるいは一種の記号・文様としてとらえられていたのかは明らかではないが、未知の文物として、日本人に強い印象を与えたのは間違いないだろう。

文字をもたなかった日本では、紀元前後から中国と外交関係を結んだ時点ではじめて漢字・漢文による外交文書が作成されたであろう。それが日本列島における文字の始まりといえる。これは、日本における漢字の受容が自然な伝播《でんぱ》によるものではなく、日本側の必要に迫られたものであったということである。その必要とは、政治的、経済的利益のために中国王朝との関係を継続しようとする行為であった。

日本ではじめて書かれた文章としては、昭和六三年（一九八八）に発見された千葉県稲荷台《いなりだい》古墳出土の「王賜《おうし》」銘鉄剣《てっけん》の銘文がある。第一章で述べたように、五世紀なかばに王権から地方豪族に下《か》賜《し》された鉄剣には銘文が記されていた。五世紀後半になると、埼玉県稲荷山《いなりやま》古墳出土の「辛亥《しんがい》年」銘鉄剣や熊本県江田船山《えたふなやま》古墳出土の鉄刀《てっとう》のように、地方豪族が王権とのつながりをみずから銘文に明記するようになる。その実例は、五世紀後半から六世紀代にかけての刀剣や鏡などに見ることができる。

稲荷山鉄剣銘には、ヤマト政権の大王宮の所在地、磯城《しき》地域を表わす「斯鬼《しき》」や人名「半弖比《はてひ》」「多加利《たかり》」などが、江田船山鉄刀銘には、人名「无利弖《むりて》」という表記が見える。二つの異なる銘文で「弖《て》」「利《り》」など共通した字音を用いていることが注目される。稲荷山鉄剣の銘文全体では、漢語が使用されて漢文の文体をなしているところと、漢字の字音を使用して日本語を表現しているところが混ざっているのである。

これは、日本語を表現する手段として、漢字の音《おん》を利用するようになったものと考えられる。とくに地名や人名などの固有名詞は、漢字の音を当てはめて表記したのである。

木簡に見る漢字習得の歴史

その後の日本列島における漢字使用については、近年多量に出土している木簡《もっかん》によって具体的にわかるようになってきた。

徳島県観音寺《かんのんじ》遺跡から出土した七世紀前半の木簡には「子曰学而習時」（本来は…而時習之）で始ま

る『論語《ろんご》』「学而篇《がくじへん》」の冒頭の部分が書かれており、特徴ある書体で、隷書《れいしょ》に近いかたちとみてよい。六四センチメートルもある角材状の長い木簡である。また、長野県千曲《ちくま》市の屋代《やしろ》遺跡群でも『論語』木簡が出土している。この木簡には同じく『論語』「学而篇」の「子曰《しいわ》く学びて時に習う、亦悦《またよろこば》しからずや。朋有《ともあ》り遠方より来《きた》る」に続く「また楽しからずや」という部分が書かれている。古代の信濃《しなの》と阿波《あわ》で、同時に『論語』が学ばれている様子が知られ、興味深い。

この二つは、同じ文字が繰り返し書かれたりしていないので、たんなる練習書きではない。

ところで、韓国慶尚南道金海市鳳凰洞《キョンサンナムドキメポンホワンドン》地区の発掘調査においても、『論語』の一節が書かれた角材状の木簡が出土している。木簡の推定年代である六世紀から七世紀は、金海が新羅《しらぎ》の郡もしくは小京であった時期に相当する。

角材状の木簡は、現存長二〇・九センチメートル、幅は一・五〜一・九センチである。

〔第一面〕不欲人之加諸我吾亦欲无加諸人子（本来は…我也吾…）

〔第二面〕文也子謂子産有君子道四焉其

〔第三面〕已□□□色舊令尹之政必以告新

〔第四面〕違之何如子曰清矣□仁□□曰未知

四面とも『論語』「公冶長篇《こうやちょうへん》」である。この木簡は上下端ともに欠損しており、『論語』に照らし合わせると、第一面末尾の「子」から第二面冒頭の「文」の間は七六字が欠落している。ここから原形を復元すると、現存長の六倍である一二五・四センチメートルから七倍の一四六・三センチという、長大な木簡であったと想定される。日本の二点の論語木簡も含めて、このような長大な木簡は、複数の人が同時に『論語』を誦《しょう》するために用いられたのではないだろうか。

左の木簡は滋賀県野洲《やす》市中主《ちゅうず》町の西河原《にしがわら》森ノ内《もりのうち》遺跡から出土した七世紀後半のものである。最初の部分は名前で、「椋直《くらのあたい》」と読める。続けて「伝う。我《わ》がもち往《ゆ》きし稲は馬を得ぬ故に、我は反《かえ》り来ぬ。故《かれ》ここに汝卜部《なんじうらべ》、自《みずか》ら舟人を率いていく可《べき》なり」「其の稲の在処《ありか》は衣知評平留《えちのこおりへる》の五十戸《さと》の旦波《たには》の博士《ふひと》の家ぞ」とある。行政区画を示す「評」は「郡」の古い表記であり、「さと」はふつう「里」と書くが、古くはひとつの里は五〇戸からなっていたので「五十戸」と表記している。

この文章は「自舟人率而可行也」のようなところは、漢文形と和文形とが混在している。ただし、現代の助詞などにあたる助字《じょじ》や助動詞を文字で表わしはじめており、これ以前の漢字・漢文の段階に比べて、明らかに和文のかたちに変わりつつあるのが読みとれる。

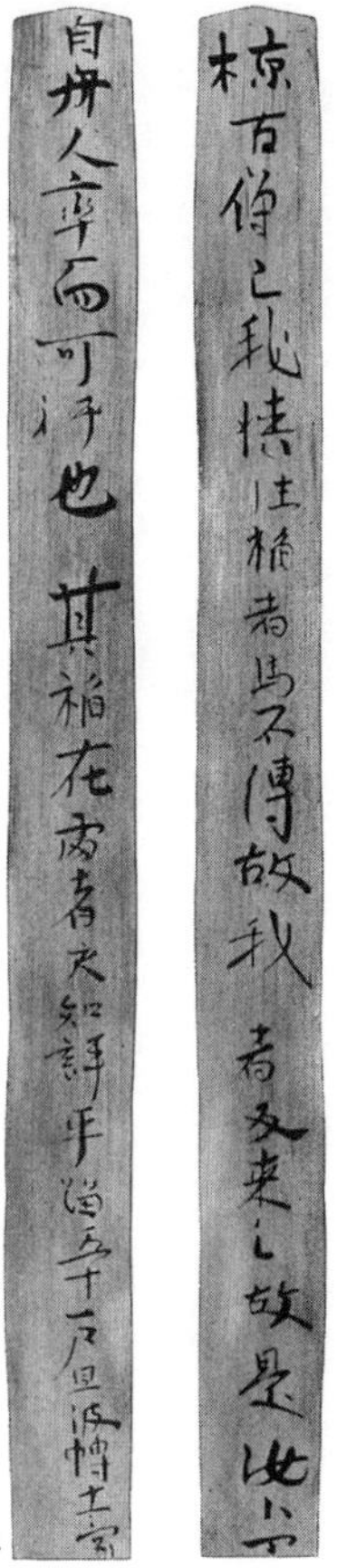
2

◉日本語の文として読める木簡
助詞（者〔は〕、而〔て〕）や助動詞（可〔べし〕）を文字で表わし、「也」の下を一文字分あけて文の区切り方も示しているので、日本語の文として読むことができる。復製品。

また、七世紀の人たちが漢字を読むにあたって、いわば字書（辞書）のような働きをした木簡も見つかっている。

右は滋賀県大津《おおつ》市北大津《きたおおつ》遺跡出土の七世紀後半の木簡である。保存状態がよくないのでいくつか不明な部分もあるが、漢字を大きく書き、その下に二行でその文字の訓あるいは同義語を記している。このように音訓や意味を書いたものを「字書木簡」と呼ぶ。たとえば「賛」は、右行が「田」「須」、左行が「久」だから、「タスク」と読ませるということである。その二つ下の「誈」には「阿《あ》佐《ざ》ム加《か》ム移《や》母《も》」と書いてある。「體」の場合は三文字目が読めないので判然としないが、「ツクラケ」と読むのかもしれない。また「⿰米賣」は、「久《く》」「皮《は》（もしくは波）」「之《し》」とある。この「⿰米賣」はおそらく「精」の誤字だろう。それから「披」は下に「開」と書いてあり、同義（ひらく）の漢字を記していることになる。

また、「阿佐ム加ム移母」の「移」に「ヤ」という古韓音（朝鮮半島の古い時代の音）がそのまま使われていることにも注目しなければならない。

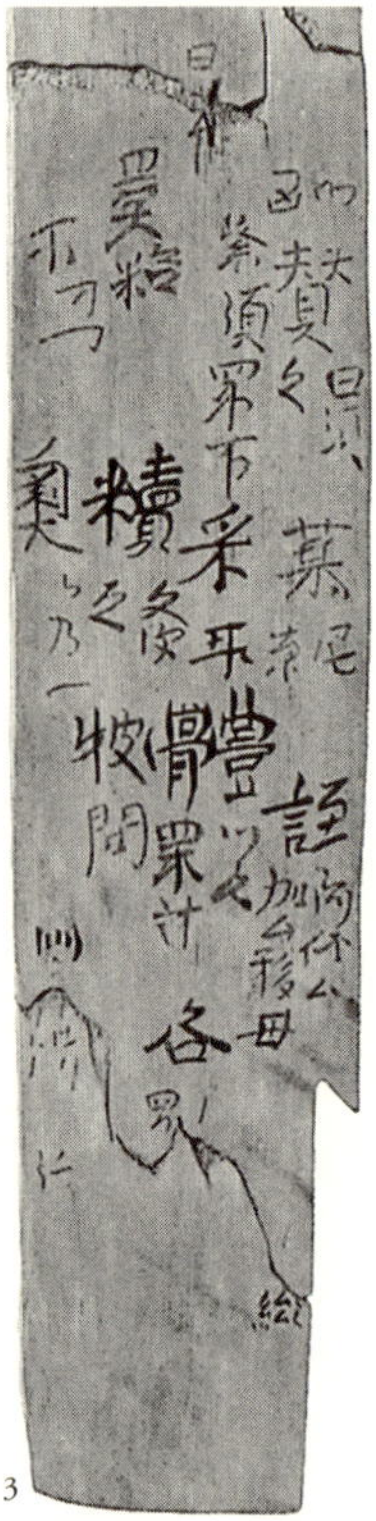

3

◉七世紀後半の字書木簡
漢字の下に訓読みが書かれている。北大津遺跡出土。復製品。

左は奈良県の飛鳥池《あすかいけ》遺跡から出土した八世紀初めの木簡である。この木簡にも漢字の読みが書いてある。はじめの「熊」はその下に「汙吾《うぐ》」と読みが付されている。「熊」は漢音で「ユウ」、呉音で「ユ」と読むが、韓国では現在「熊」を音読みで〝ung〟と発音するので、「ウグ」というのは古代朝鮮の読みに近いのではないか。ちなみに訓読みでは〝koma〟であり、現在の日本語「クマ」との関連が注目される。二番目の「羆《ひぐま》」は下に「彼《ひ》」とある（一文字のときには大きい文字で読みが書いてある）。そのつぎの「迊」は「ナ（左）布」（サフ＝ソウ）と読みが入っており、そのつぎの「恋」は「レン」ではなく「累尓《る(れ)に》」と読ませるのだろう。

裏面の「蜚」の読みを記した「皮伊」は、「ハイ」と読むか「ヒイ」と読むか議論が分かれるところであるが、これまでは「皮」と書いた文字は一般的に「ヒ」と読んできた。しかし、近年の発掘調査で出土した七世紀から八世紀の資料を丹念に見ると、たとえば千葉県五斗蒔《ごとまき》遺跡の文字瓦に記された「赤加皮真」は〝赤浜《あかはま》〟という地名表記である。このように「皮」は明らかに「ハ」という音で読まれたことがわかっており、「皮伊」は「ハイ」と読むべきである。

4

◉八世紀初めの字書木簡
漢字の下に音読みが書かれている。飛鳥池遺跡出土。

このように当時はまだ、漢字をどう読むのか、どういう意味があるのかを木簡に記して学習していた時期だったのである。

写真右上は、奈良の薬師《やくし》寺《じ》跡から出土した八世紀前半の木簡である。最初の「池池」は不明だが、「天地玄黄宇宙洪荒日月」は、「千字《せんじ》文《もん》」の最初の部分を書いたものである。「千字文」は中国で六世紀前半につくられた一〇〇〇種類の漢字を使った四言二五〇句の詩で、漢字の練習に使われた。その後に「霊龜《れいき》二年（七一六）三月」と年号も書いてある。

その左は、助詞の部分を漢字の音を使って書き表わす、宣命《せんみょう》書きという独特な書き方である。「訴え苦しくあるも（牟）、逃れて（天）、昼夜一時も（牟）怠らずして（而）」と、「牟」「天」「而」のように小さく右側に寄せて書いてあるのが助詞である。さらに「尊人及び小子等に至るまでに」の

5

◉「千字文」の手習い（右上）
習書木簡と呼ばれる手習いには、使用済みの木簡などが用いられることが多い。

◉宣命書きの木簡（左・右下）
左の木簡には助詞を小さく書く小書体が見られる。右下は、右の行「世牟止言而□（せむと言ひて□）」は大書体で記すが、左の行「□本止飛鳥寺（□本と飛鳥寺）」では小書体が用いられている。

「る（流）」は大きい字だが、「までに（麻而尓）」は字を小さく書いている。これは八世紀後半の平城宮《へいじょうきゅう》跡出土木簡だが、七世紀後半の宣命書きを見ると、大書体《だいしょたい》といって、「牟」「乃」「麻而尓」の部分も本文と同じ大きさの文字で書いていた。

このように、日本列島の人々が苦労して漢字・漢文を和文化させながら自分たちのものにしていった過程が、これらの資料からよくわかる。さらに、仮名《かな》交じりの文字表記が七世紀から八世紀にかけて徐々に形成されていったのである。これまでは法隆寺《ほうりゅうじ》の仏像の光背にわずかに残された文字や、『古事記《こじき》』『日本書紀《にほんしょき》』『万葉集』などを手がかりに読みが考えられていたが、これら〝生《なま》の資料〟が地下から大量に発見されることによって、従来の考え方は少しずつ変えていかなければならない状況になってきている。

古代中国の文字

つぎに、日本列島に大きな影響を与えた古代中国や古代朝鮮の文字について、概観してみたい。

漢字の起源はもちろん中国にある。紀元前一三〇〇～一〇〇〇年、殷《いん》の時代のいわゆる「甲骨《こうこつ》文字」は、神との対話、神の意向を聴くための記号であった。一例をあげれば、つぎの文章

6

●神の意向を問う卜骨《ぼっこつ》

中国の殷代、王は政治・軍事から日常生活に至るまで、占いによって神の意向を尋ね、亀の甲羅や獣骨（猪・鹿・水牛の肩甲骨など）にその結果を小刀で細かく彫りつけた。その文字が甲骨文字である。

がある。

癸丑卜　永貞　旬亡禍

これは、「癸丑《きちゅう》に占いをして、占い役が問うた。これから一〇日間に王に禍《わざわい》はありませんか」という意味であり、「神に問いかける」行為をはじめて文字で記したものである。

さらに、殷の時代から周《しゅう》の時代に移ると、金属器に文字を記すようになる。

匽侯旨初見
事于宗周王
賞旨貝廿朋用
作姒宝尊彝
（燕《えん》ノ侯《きみ》ノ旨ガ初メテ宗周（周の朝廷）ニ見事セシトキ、王ハ旨ニ貝二十朋《さし》ヲ賞《たま》ヒケレバ、用《も》ッテ作リシ姒《あね》ノタメノ宝《たっと》キ尊彝《そんい》）

7

◉周王との結びつきを記した文字
周の支配下にあった燕（匽）侯が周の都を訪れたのに対し、周王はその忠誠を賞して貝を贈った。これを記念して燕侯がつくった祭器が「匽《えん》侯鼎《こうてい》」である。

この「匽侯鼎《えんこうてい》」の銘文は、この人物がどのように王に忠誠を尽くしたか、あるいはどのような功労・功績をあげたか、そしてその褒美をもとにしてこの記念の器をつくった由来などを、未来永劫《えいごう》に伝えていくために、祭りの道具である青銅器（尊彝）に文字を刻み込んだものである。

やがて、秦《しん》の始皇帝《しこうてい》が中国を統一したとき、「法度、衡石（秤《はかり》と枡《ます》）、丈尺（ものさし）をひとつにし、車は軌《き》（両輪の幅）を同じくし、書（かきもの）は文字を同じくす」（『史記《しき》』始皇本紀《しこうほんぎ》）とした。法令・課税のための度量衡《どりょうこう》の統一、行政・交通の整備、そして皇帝の命令を中国全土に波及させるために文字の統一を行なったのである。

文字は最初、殷の時代には神の意向を伺うために王が独占的に使用したが、周代の青銅器に各地の豪族が王との結びつきを文字によって記したために、書体もやがて不統一となり、使用範囲も広がった。しかし始皇帝は、文字は権力を掌握している王が独占すべきもの、つまり権力の象徴・統治の道具であるとし、皇帝用の文字として篆書《てんしょ》体を、臣下用の文字として隷書《れいしょ》体を定めた。このように、中国の文字文化は、時代の流れのなかでその性格を変えていったのである。

古代朝鮮の文字

日本の古代の文字をみるうえで、これまでどうしても〝漢字のふるさとは中国〟という考えが強すぎたため、中国と日本の間にある古代朝鮮の文字資料には、十分に目が向けられてこなかったといえる。

韓国の釜山《プサン》郊外の茶戸里《タホリ》遺跡から、文書を書くのに使われたと思われる、紀元前一世紀後半ごろの筆が出土している。この筆は柄の両方に筆毛があるのが特徴である。ほかに簡牘《かんとく》（竹簡《ちっかん》や木簡）の誤字を削るのに使う刀子《とうす》や、天秤《てんびん》に物品を載せて重さを量るときに使う分銅《ふんどう》として用いた銅環《どうかん》なども検出されている。銅環は、おそらく交易に際して使われたものだろう。このことから、初期の文字文化においては交易と文字が密接に結びついていたことがうかがわれ、きわめて興味深い。

また、慶州《キョンジュ》の高句麗《こうくり》好太王壺杅《こうたいおうこう》（銅製の鋺《わん》）には、つぎのような銘文が記されている。

乙卯年國
岡上廣开
土地好太
王壺杅十

乙卯年《いつぼう》は四一五年。高句麗好太王碑（四一四年）と同じ高句

8

◎古代朝鮮の刀子・筆・壺杅
環頭刀子《かんとうとうす》は鉄製、筆は黒漆塗りである。ともに茶戸里遺跡の出土品をもとに復元したもの。左は新羅の王都であった慶州の、路西洞《ノソドン》一四〇号墳から一九四六年に出土した青銅製の壺杅。底面に銘文が鋳《い》出されている。広開土王の祭祀が高句麗王都で行なわれた際に、新羅の使者に賜与されて新羅にもたらされたものであると推定されている。

全集 日本の歴史
第2巻 日本の原像
月報2（2008年1月）
小学館
東京都千代田区一ツ橋 2-3-1

今月の逸品

チブサン古墳壁画（熊本県山鹿《やまが》市城字西福寺《じょうあざさいふくじ》）

抽象絵画を予見する装飾古墳

一〇〇年ほど前、「自然を円筒形と球形と円錐《えんすい》形によってとらえよ」と言ったセザンヌが見たら、なんと言うだろう。丸・三角・四角……ほとんどそれだけ。赤・黒・白の色彩が、一五〇〇年近くの時を経て、なお鮮やかに残る。セザンヌの言葉は、二〇世紀の美術に多大な影響を与えたが、壁画の作者は黙ったまま。言葉は、私たちに何も伝えられていない。だからこそ、この壁画はなおさらかっこいいと思う。

古墳の壁画といえば、まずは、かの高松塚《たかまつづか》古墳を想起される方がほとんどだろう。一九七二年の発見はセンセーショナルに報道され、直後、国宝に指定された。教科書に載り、切手にもなったが、密閉され、ほとんど誰も見ないうちに、カビが生えてしまったのは、ご存じのとおり。情けない。

九州の装飾古墳は、高松塚発見のころまで、ほとんど「ほっぽらかし」みたいな状態だった。たとえば、雑誌『太陽』は一九六四年二月号で「崩れゆく装飾古墳」という画期的な特集を組んだが、その誌面の「識者」に対するアンケートでは、九州の古墳壁画の存在すら知らない人がたくさんいた。

チブサン古墳というネーミングは、地元の人々による「乳房の古墳」という呼称が定着したもの。「チブサン」というカタカナ表記には、大和《やまと》朝廷による支配をいまだに拒んでいるようなニュアンスがある。私は好きだ。

江戸時代以来、この壁画中央にある二つの円文を乳房に見立て、子育てを祈願する民間信仰が育《はぐく》まれてきた。いい話だ。今では密閉され、ガラス越しにのぞくことしかできないが、ここにセザンヌを連れて行きたかったと、切に思う。二〇世紀の抽象絵画の先駆けが、六世紀の日本にあったのだ。

山下裕二（明治学院大学教授・日本美術史）

今月の質問

「憧れの人」といえば…?

第2巻「日本の原像」

平川　南

(国立歴史民俗博物館館長・山梨県立博物館館長)

どういう分野でも、自分の仕事に徹している人を、ひじょうに尊敬しますね。ジャンルを問わず興味は幅広くもっているつもりですが、やはり自分にはできにくいことや、まったく手が出せないようなものが好きなんです。たとえば、スポーツならスキーのジャンプやF1レースとか。

僕は車の運転はしないのに、テレビのF1レースはいつも見入ってしまうんです。一周が五・三キロのサーキットを五八周すると、合計で約三〇八キロ。そこを、シューマッハーが一時間二七分で完走したとすると、時速約二〇〇キロのスピードで走りつづけるわけですね。その間、ほんのちょっとでも気を抜いたら、大事故になりかねない。そんな極限のような緊張状態を持続できる人は、世界中で指折り数えるくらいしかいないでしょう。だから、翌日の仕事に差し障るかなと思いながらも、日曜深夜の中継を、つい見ちゃうんです(笑)。

大リーグのイチローにも、研ぎ澄まされた職人芸というようなものを感じます。誰にもできない技を、ここぞというときに見事にやってみせる。野球の世界で自分の信念や理想をきちんともっていて、それを追い求めていくすばらしさがありますね。

ミュージシャンたちも、僕にはできないことなので尊敬しますね。桑田佳祐とかミスチルの桜井和寿、井上陽水。毎年多くの新人が出てくる競争の激しいこの世界で、長い間トップランナーでありつづけるなんて、すごいことですよ。

僕は、プロフェッショナルに求められるものは、オリジナリティだと思うんです。オリジナルなことをやりつづけ、かつそのときどきに大きな支持を得られる曲をつくるというのは、まさ

「イチロー、陽水、シューマッハー……」

にプロフェッショナルです。先日、井上陽水のコンサートに行って、変わらぬ声量や聴衆を引きつける曲の数々にとても興奮しました（笑）。

農業でも漁業でも、自分のものは誰にも負けないという自信をもっている人は、やはりすばらしいなあと思います。社会のなかでそれぞれがもっている得意分野や役割を、精一杯やっていく。そうすれば、ひじょうにいいものが生み出されるのだと思いますね。

誇りをもつ発掘現場育ち

自分がやっている研究でも、やはり同じことがいえるんです。僕ら歴史研究者は、社会のなかで、歴史を研究するというポジションを託されたわけです。それにこたえる義務があり、プロフェッショナルとして力を発揮しなければいけない。誰かが切り開いたあとをついていくのではなく、やはりオリジナルな研究を心がけることが大事だと思いますね。

自分でいろいろな資料にあたって、幅広い視野から歴史像を組み立てていくような仕事。そういう取り組みをしていくことで、いま僕ら研究者は、歴史という学問がどのような社会的役割を果たすのかを、本気で考える時期に来ているのだと思います。

僕は子どものころからの「考古ボーイ」とか、歴史好きというのではなく、授業で教わったことや年号などを覚えるのも、あまり好きではなかった。それが、大学のときに青木《あおき》和夫《かずお》先生という、とても優れた三〇代後半の若い先生と出会って、歴史学に目覚めました。先生の講義で『日本書紀』の一資料を半年くらいかけて丹念に読み解いていくプロセスを経験し、こういうものが学問だったんだと、はじめて気がついたんですね。そこから歴史は奥が深くて、丹念な作業を必要とするのだということがわかりました。

その後、高校の教員になり、ほんとうに歴史を研究しようと思ったのは、宮城県の多賀城《たがじょう》跡の調査研究に携わってからです。僕は現場育ちであることにすごく誇りをもっているし、現場にいると、発掘された資料のもつ威力みたいなものを感じます。その資料をひとつずつ集積して組み立てていくと、ある社会の一部が見えてくる。それは膨大な時間がかかることですが、とてもおもしろいし、たいへん興味があります。

僕は学者としては遅いスタートだったかもしれないけれど、野球の世界でも大学からプロ入りした人は肩を消耗していて、選手生命が短いといわれますよね。そういう意味では、最初からどっぷり歴史の研究に浸《つか》ってこなかったので、少しは長持ちするかもしれない（笑）。

歴史ぐらい広い視野を必要とする学問はないと思います。いろいろなものに興味をもっていないと、豊かな歴史像が見えてこない。大事なのは、つねにアンテナを張っていて、発掘現場から何かが出てきたときに、すばやくそこへアクセスできることです。今回の本を書くにあたっても、歴史上の疑問点を一つひとつ解明していくそういう臨場感を、読者にもわかってもらえるように工夫をしました。読みながら追体験していただければうれしいですね。

今月のおすすめ博物館

米沢市上杉博物館

上杉家ゆかりの宝物を多数収蔵

平成一三年に開館した博物館で、米沢城二の丸跡地にできた伝国《でんこく》の杜《もり》内に位置する。織田信長《おだのぶなが》から上杉謙信《うえすぎけんしん》に贈られたという国宝『上杉本洛中洛外図屏風』や「上杉家文書」など上杉家ゆかりの貴重な品々をはじめ、二万点を超える資料を収蔵。常設展示室では、上杉家の歴史や文化を中心に、江戸時代の置賜《おきたま》や米沢を展示資料や「上杉鷹山《うえすぎようざん》シアター」、大型スクリーンに映される「洛中洛外図の世界」などで紹介。

米沢市上杉博物館所蔵

山形県米沢市丸の内 1-2-1
☎ 0238-26-8001
ＪＲ奥羽本線ほか米沢駅からバス

仙台市博物館

伊達家の資料から学ぶ仙台の歴史

昭和三六年、仙台城三の丸跡に開館した博物館で、仙台藩伊達《だて》家ゆかりの資料を中心に旧石器時代から現代に至るまでの仙台の歴史と文化を紹介する。伊達家から寄贈された絵画・武器・武具・歴史資料など約八万点を収蔵し、なかには国宝に指定された慶長遣欧使節関係資料や、重要文化財の伊達政宗《まさむね》所用具足《ぐそく》や陣羽織《じんばおり》など貴重な品も多い。常設展示は年に四回展示替えが行なわれ、常時約一〇〇〇点を展示。

仙台市博物館所蔵

宮城県仙台市青葉区川内 26
☎ 022-225-3074
ＪＲ東北本線ほか仙台駅からバス

福島県立博物館

原始から現代まで福島の歴史探訪

鶴ヶ《つるが》城址《じょうし》公園内にある総合博物館で、昭和六一年に開館。福島県の原始から近現代に至る歴史を中心に民俗・自然・考古・美術などを紹介している。首長竜《くびながりゅう》の一種、フタバスズキリュウの全身骨格模型、実物大の竪穴住居、会津《あいづ》大塚山《おおつかやま》古墳からの出土品など約四〇〇〇点の資料が展示される。週末に開催される「やさしい展示解説会」では、展示解説員の説明を聞きながら総合展示室をめぐることもできる。

福島県会津若松市 城東町《じょうとうまち》 1-25
☎ 0242-28-6000
ＪＲ磐越西線《ばんえつさいせん》ほか会津若松駅からバス

今月の 歴史博物館・資料館ガイド

【山形県】

◆イザベラ・バード記念コーナー
南陽《なんよう》市上野1855・10
☎0238・45・2200
＊JR奥羽本線ほか赤湯《あかゆ》駅からタクシー
明治時代初期、北日本を旅したイギリス人女性旅行家、イザベラ・バード。当時の時代背景と彼女の見た置賜《おきたま》地方を紹介する。「ハイジアパーク南陽」に併設されている。

◆いでは文化記念館
鶴岡市羽黒町手向《はぐろまちとうげ》字院主南《いんじゅみなみ》72
☎0235・62・4727
＊JR羽越本線鶴岡駅からバス
一四〇〇年にわたる出羽三山《でわさんざん》の歴史と文化遺産を展示。山伏修行を紹介する「滝の劇場」や出羽三山の四季などを放映する「映像シアター」など臨場感あふれる。

◆上杉神社稽照殿《けいしょうでん》
米沢市丸の内1・4・13
☎0238・22・3189
＊JR奥羽本線ほか米沢駅からバス
上杉謙信《うえすぎけんしん》を祀る神社に、大正一二年に創建された宝物殿。平安時代から江戸時代までの甲冑《かっちゅう》や刀剣、絵画など重要文化財を含む宝物一〇〇〇点以上を収蔵。冬期休館。

◆致道《ちどう》博物館
鶴岡市家中新町《かちゅうしんまち》10・18
☎0235・22・1199
＊JR羽越本線鶴岡駅からバス
鶴ヶ岡城（現・鶴岡公園）の三の丸にあたる、庄内藩主酒井家の御用屋敷を博物館として公開。擬洋風建築の重要文化財「旧西田川郡役所」や多層民家「旧渋谷家住宅」など貴重な歴史的建築物も多数移築。

◆出羽三山歴史博物館
鶴岡市羽黒町手向羽黒山33
☎0235・62・2355（出羽三山神社）
＊JR羽越本線鶴岡駅からバス
羽黒山頂の出羽三山神社境内にある博物館。鏡池《かがみいけ》から出土した銅鏡一九〇面や銅灯《どうとう》籠竿《ろうかん》の重要文化財など、出羽三山の歴史と文化を紹介する資料を展示する。

◆文翔館《ぶんしょうかん》（山形県郷土館）
山形市旅篭町《はたごまち》3・4・51
☎023・635・5500
＊JR奥羽本線ほか山形駅からバス
大正五年に建築された県庁舎と議事堂の二棟からなるイギリス・ルネサンス様式のレンガ造りの建物。全国でも有数の大正建築で、重要文化財に指定されている。

◆松ヶ岡開墾記念館
鶴岡市羽黒町松ケ岡29
☎0235・62・3985
＊JR羽越本線鶴岡駅からタクシー
昭和五八年に開館。明治初期、旧庄内藩士により着手された松ヶ岡開墾事業の功績を今に伝える。開墾の資料や創建当時の面影をとどめた大蚕室《だいさんしつ》が見られる。

◆山形県立うきたむ風土記の丘考古資料館
東置賜郡高畠町《たかはたまち》大字安久津《あくつ》2117
☎0238・52・2585
＊JR奥羽本線ほか高畠駅からタクシー
日向洞窟《ひなたどうくつ》など四つの洞窟遺跡や出土品の多くが重要文化財に指定されている押出《おんだし》遺跡など、旧石器時代から古墳時代まで置賜地方の遺跡の資料を展示している。

◆山形県立博物館
山形市霞城町《かじょうまち》1・8 霞城公園内
☎023・645・1111
＊JR奥羽本線ほか山形駅から徒歩
昭和四六年開館の地学・植物・動物・考古・歴史・民俗からなる総合博物館。三つの常設展示室には、縄文時代の土偶《どぐう》や農家の囲炉裏《いろり》を再現したコーナー、土人形やこけしの郷土玩具などを展示。

◆**山形市郷土館**
山形市霞城町《かじょうまち》1・1　霞城公園内
☎023・644・0253
＊JR奥羽本線ほか山形駅から徒歩
昭和四一年に重要文化財に指定され、霞城公園内に移築された明治初期の擬洋風の建築物。もともとは県立病院で、医学関係や山形城、郷土の歴史の資料を展示する。

◆**山寺芭蕉《やまでらばしょう》記念館**
山形市大字山寺字南院4223
☎023・695・2221
＊JR仙山線山寺駅から徒歩
松尾芭蕉が山寺を訪れて三〇〇年、山形市が誕生して一〇〇年を記念して平成元年に建てられた資料館。『奥の細道』をはじめ、芭蕉の作品や生涯を紹介。

【宮城県】

◆**教育資料館**
登米《とめ》市登米町《とよままち》寺池桜小路6
☎0220・52・2496
＊JR東北本線瀬峰《せみね》駅からタクシー
明治二一年に登米《とよま》高等尋常小学校として建てられた洋風建築。吹き抜けの廊下やバルコニー、ギリシャ風柱頭飾りなどが特徴で、重要文化財に指定されている。

◆**蔵《くら》の郷土館齋理《さいり》屋敷**
伊具《いぐ》郡丸森町《まるもりまち》字町西25
☎0224・72・6636
＊阿武隈《あぶくま》急行丸森駅よりバス
幕末から昭和にかけて、呉服店をはじめ幅広い事業で栄えた豪商・齋藤家の蔵と屋敷を改修・復元。商売の道具や調度品などを多数収蔵し、当時の生活様式を紹介。

◆**白石《しろいし》城歴史探訪ミュージアム**
白石市益岡町1・16
☎0224・24・3030
＊JR東北本線白石駅から徒歩
益岡公園に復元された白石城に隣接するミュージアム。伊達《だて》家の家老・片倉家ゆかりの刀剣・甲冑《かっちゅう》などを展示。城下町のジオラマやハイビジョンシアターもある。

◆**仙台市縄文の森広場**
仙台市太白《たいはく》区山田上ノ台町《やまだのうえのだいちょう》10・1
☎022・307・5665
＊JR東北本線ほか仙台駅からバス
約四〇〇〇年前の山田上ノ台遺跡を保存活用する施設。縄文時代の竪穴住居を復元し、先人の暮らしを体験できるメニューを用意。出土品の展示も行なっている。

◆**仙台市歴史民俗資料館**
仙台市宮城野区五輪《みやぎのくごりん》1・3・7
☎022・295・3956
＊JR仙石線榴ケ岡《つつじがおか》駅から徒歩
宮城県最古の木造洋風建築の兵舎を利用した資料館。常設展では農家と町場に分け、仙台地方の人々の暮らしを紹介するほか、旧陸軍第四連隊コーナーもある。

◆**地底の森ミュージアム**
仙台市太白区長町南《ながまちみなみ》4・3・1
☎022・246・9153
＊仙台市営地下鉄長町南駅から徒歩
二万年前の富沢《とみざわ》遺跡を発掘されたままの状態で保存・公開する旧石器時代をテーマにした博物館。野外の「氷河期の森」では、当時の富沢に広がった森を再現している。

◆**東北歴史博物館**
多賀城《たがじょう》市高崎1・22・1
☎022・368・0106
＊JR東北本線国府多賀城駅から徒歩
東北地方の歴史を、旧石器時代から近現代までの時代別に九つに分けて総合的に紹介。三階には「こども歴史館」、屋外には江戸時代中期の民家・今野《こんの》家住宅もある。

◆**宮城県慶長使節船ミュージアム**
石巻《いしのまき》市渡波《わたのは》字大森30・2
☎0225・24・2210
＊JR石巻線渡波駅から徒歩
仙台藩士・支倉常長《はせくらつねなが》らが慶長使節として太平洋を渡った木造洋式帆船「サン・ファン・バウティスタ」を復元。慶長使節の歴史や大航海時代の帆船文化を紹介。

◆**みやぎ蔵王《ざおう》こけし館**
刈田《かった》郡蔵王町遠刈田《とおがった》温泉字新地西裏山36・135
☎0224・34・2385
＊JR東北新幹線白石蔵王駅からバス
鳴子《なるこ》系や作並《さくなみ》系など五つの産地がある宮城伝統こけしを紹介する施設。伝統こけしや木製玩具約五〇〇〇点を収蔵。

今月の 歴史博物館・資料館ガイド

【福島県】

◆會津藩校日新館《にっしんかん》
会津若松市河東町南高野字高塚山《かわひがしまちみなみこうやたかつかやま》10
☎0242・75・2525
＊JR磐越西線広田駅からタクシー
江戸時代の会津藩藩校を復元。白虎隊《びゃっこたい》をはじめ多くの人材を輩出した当時の資料を展示。講堂の大正殿《たいせいでん》や幕末明治記念室などがあり、弓道場では弓道体験もできる。

◆会津武家屋敷
会津若松市東山町大字石山字院内1
☎0242・28・2525
＊JR磐越西線《ばんえつさいせん》ほか会津若松駅からバス
戊辰《ぼしん》戦争で焼失した屋敷を復元した野外博物館。会津藩家老・西郷頼母《たのも》邸や藩米精米所、旧中畑陣屋《なかはたじんや》などがあり、武家の暮らしや文化を知ることができる。

◆いわき市勿来関《なこそのせき》文学歴史館
いわき市勿来町関田長沢6・1
☎0246・65・6166
＊JR常磐線勿来駅からタクシー
『万葉集』や源義家《よしいえ》の和歌に詠まれ、歌枕の地として知られる勿来関にある施設。勿来関の由来や歴史、源義家の作品や資料、『古今和歌集』など文学資料を展示。

◆うるし美術博物館
喜多方《きたかた》市東町4095
☎0241・24・4151
＊JR磐越西線喜多方駅からバス
県内有数の大地主・風間《かざま》家の離れ屋敷を利用した施設。総漆塗りのぜいたくな造りの館内では、田中亨《とおる》氏の乾漆美術品や漆の採取道具、漆器づくりの道具などが見られる。

◆大内宿《おおうちじゅく》町並み展示館
南会津郡下郷町《しもごうまち》大内字山本8
☎0241・68・2657
＊会津鉄道湯野上温泉《ゆのかみおんせん》駅からタクシー
大内宿跡に復元された本陣。一年中囲炉裏《いろり》に薪《まき》がたかれ、宿場町時代の様子を今に伝える。藩主が駕籠《かご》のまま出入りする乗り込み玄関や生活用具、写真などを展示。

◆鶴ヶ城天守閣《てんしゅかく》郷土博物館
会津若松市追手町《おうてまち》1・1
☎0242・27・4005
＊JR磐越西線ほか会津若松駅からバス
復元された会津のシンボル、鶴ヶ城の本丸を利用した博物館。五層構造の館内には重要文化財を含む会津藩ゆかりの美術品や武具、戊辰《ぼしん》戦争の資料などを収蔵。

◆天鏡閣《てんきょうかく》
耶麻《やま》郡猪苗代町《いなわしろまち》大字翁沢《おきなざわ》字御殿山《ごてんやま》1048・14
☎0242・65・2811（翁島荘）
＊JR磐越西線猪苗代駅からバス
明治四一年に猪苗代湖近くに建てられた旧有栖川宮《ありすがわのみや》家の別邸。ルネサンス風の優美な洋風建築で重要文化財に指定。

◆野口英世《のぐちひでよ》記念館
耶麻郡猪苗代町大字三ツ和字前田81
☎0242・65・2319
＊JR磐越西線猪苗代駅からバス
黄熱病《おうねつびょう》の研究で知られる医学者・野口英世の生い立ちや研究業績を遺品・写真・資料などで紹介する。隣接する生家には幼少時にやけどを負った囲炉裏《いろり》も残る。

◆白虎隊《びゃっこたい》記念館
会津若松市一箕町《いっきまち》大字八幡《やはた》字弁天下33
☎0242・24・9170
＊JR磐越西線ほか会津若松駅からバス
白虎隊が自刃《じじん》した飯盛山《いいもりやま》に、昭和三一年設立された記念館。白虎隊をはじめ、新選組や倒幕派、戊辰《ぼしん》戦争などに関連した資料を約一万二〇〇〇点展示している。

◆福島市民家園《みんかえん》
福島市上名倉《かみなぐら》字大石前地内
☎024・593・5249
＊JR東北本線ほか福島駅からバス
福島県あづま総合運動公園内にあり、江戸時代中期から明治時代初期にかけての会津地方の民家、芝居小屋などを移築復元。民家内では生活用具などが見られる。

◆南相馬《みなみそうま》市博物館
南相馬市原町区牛来《ごらい》字出口194
☎0244・23・6421
＊JR常磐線原ノ町駅からタクシー
国指定重要無形民俗文化財「相馬野馬追《そうまのまおい》」を中心に、南相馬市やその周辺地域の自然・歴史・民俗を紹介する。野馬追の勇壮な神旗争奪戦をジオラマで再現。

次回配本　二〇〇八年二月二五日頃発売予定

第3巻 飛鳥・奈良時代
律令国家と万葉びと

鐘江宏之
（学習院大学准教授）

国家の成り立ちと万葉びとの生活誌

「日本」という国の始まりに立ち会った人々の息吹がよみがえる。

●日本列島に文字が登場するのは弥《や》生《よい》時代からだが、文筆の用途に使いこなされてはいなかった。七世紀になってようやく文字が普及し、人々は記録を残し、文章で表現できるようになった。まさに新たな文明の獲得であった（第一章より）。

●役人の出勤は夜明けとともに始まる。日勤もあれば夜勤もある。一年間の勤務日数が定められ、不足すれば勤務評価にかかわってくる。現代の公務員や会社員と変わらぬ、万葉のサラリーマンの誕生である（第四章より）。

岐阜県光寿庵跡から出土した瓦に描かれた役人の姿。冠をかぶり、ひざまずいて拝礼している。八世紀には、中国に倣って立礼を行なうようにという指令が出された。

時間と文字の認識から、都や道路の建設まで、この時代がつくりだしたものが、現代につながっている。

【目次の一部】

●**編集後記**　２巻目をお届けします。平川先生は、学生運動が日本を席巻していたころ、新任の高校の教師でした。その際、教え子のひとりから投げかけられた疑問「古代史研究は現代に役立つんですか」を、絶えずみずからに問いかけながら研究を続けてきたそうです。古代社会から現代を逆照射することで生きる指針とする、その誠実な思いは伝わりましたでしょうか。（芳）

麗第一九代広開土《こうかいど》王《おう》（好太王）にかかわるものである。この壺杅銘文のなかの二つの文字がとくに注目される。

まず、二行目末の「開」の字形は、門構えが半分欠けた「冂开」の形であり、好太王碑にもまったく同じ字形がある。日本においても長野県千曲《ちくま》市屋代《やしろ》遺跡群で出土した七世紀後半から八世紀の木《もっ》簡《かん》のなかに「冂开」の字を見いだせる。

もうひとつは、壺杅の上部に刻まれた「※」の記号である。日本では奈良・平安時代の墨書土《ぼくしょど》器《き》・ヘラ書き土器にこれとよく似た「＃」記号を数多く確認できる。これまでは一般的に漢字「井」と理解し、井戸の祭りにかかわるものとされていた。しかし、私はこの「＃」がはたして漢字なのかを疑問に思い、検討してみた。

神奈川県平塚《ひらつか》市六之《ろくの》域《いき》R３遺跡では、「福」「吉」「豊」などの吉祥語《きつしょう》（めでたい言葉）とともに「＃」が墨書してある土器が出土している。さらに千葉県花前《はなまえ》遺跡群の場合、文字よりも「〇」「◎」「☆」などの記号をしるしたものがほとんどで、そのなかの土器には「☆」とともに「＃」が刃物の

9

◉「開」の特異な字体
上は中国漢代の「居延漢簡《きょえんかんかん》」に記された「開」の書体。門構えの左がない特異なものである。下は同じく門構えの左がない長野県屋代遺跡群出土の木簡。

先端で刻まれたものがあった。

　これらのことを考えていた平成三年（一九九一）、週刊誌の広告欄に載っていた三重県伊勢志摩《いせしま》の海女《あま》の「磯《いそ》ノミ」が目に飛び込んできた。魔物が棲《す》むとされる暗く孤独な海底を仕事場にする海女は、貝を岩からはがす道具である磯ノミに、魔除《まよ》け符号の「井」印や「☆」を刻んでいたのである。

　この「井」の記号は、道教の符号である「卌」の略と考えられる。「卌」記号は、陰陽道《おんみょうどう》や修験道《しゅげんどう》で護身の秘呪《ひじゅ》として用いられる「九字《くじ》」を示している。「九字」は「臨兵闘者皆陣列在《りんぴょうとうしゃかいじんれつざい》前《ぜん》」（敵の刃物にひるまずに戦う勇士が前列に陣取っているという意）の九つの字のことで、この言葉を唱えながら指で空中に横に五線、縦に四線を書くと、護身・除災・勝利を得られるというまじないである。

「☆」印も五芒星《ごぼうせい》と呼ばれ、陰陽道や修験道では「五行《ごぎょう》」（木火土金水《もくかどごんすい》）と称されている。平安時代中期の陰陽家として名高い安倍晴明《あべのせいめい》（九二一〜一〇〇五）を祀《まつ》る京都市の晴明神社の紋所となっているが、元来、西アジア地方に起源を有する記号とされている。

　近年、韓国では「井」の記号が古代日本の呪符《じゅふ》と共通するものとして大変な脚光を浴びており、

10

◉海女の磯ノミに刻まれた魔除け
伊勢志摩の海女の磯ノミに刻まれた符号、「卌」（ドーマン）と「☆」（セーマン）。磯ノミには「井」と刻まれたものもあるので、「井」は「卌」の省略形とみることができる。ドーマン・セーマンの称は、陰陽師の蘆屋道満《あしやどうまん》と安倍晴明に由来するともいわれる。左は右の握りの部分を拡大した写真。

数年前、テレビで特集番組が放映されたほどである。古代朝鮮における六、七世紀代の土器には「井」記号が数多く認められている。さらに、先にあげた五世紀初頭の高句麗好太王壺杅にも、上部に「※」の記号が刻まれていた。この魔除け記号「井」は、古代朝鮮から日本にもたらされたのかもしれない。

護身・除災の必死の願いが、アジア世界に共通した魔除け符号「井」「☆」を広めたといえる。

則天文字の広がり

中国の漢字が意外なかたちで日本に定着した例もある。

唐《とう》の高宗《こうそう》の后《きさき》であった則天武后《そくてんぶこう》は、政権を握ると六九〇年（載初《さいしょ》元年）に独自の漢字一七文字の使用を全国に発布した。この文字を則天文字と呼ぶ。七〇五年の武后の没後、その使用が禁じられたため、中国では後代にはほとんど用いられなかった。

ところが、群馬県前橋《まえばし》市の二之宮宮下東《にのみやみやしたひがし》遺跡から「𠀑寶」と書かれた土器が出土した。「𠀑」は「天」の則天文字、「寶」は「宝」の旧字で、「天宝《てんぽう》」の意味になる。土器の年代は八、九世紀頃と推定された。

石川県金沢市の南郊にある富樫《とがし》山地の北側、標高約一五〇メートルの山中に、八世紀なかばごろの寺院跡である三小牛《みつこうじ》ハバ遺跡が発見され、銅板鋳出《いだし》如来立像《にょらいりゅうぞう》や多くの墨書土器《ぼくしょどき》が出土した。なかでも目をひいたのは、底部に小さく「𤯔」と墨書された土器である。二文字ならば「一生」であろ

則天文字「𠀑」「埊」「𤯔」(天・地・人)

11

うが、一文字と判断される。じつは、これは「人」という則天文字である。一生という語意から考案されたことはいうまでもない。

また、島根県松江《まつえ》市出雲国府《いずもこくふ》跡および宮城県多賀城《たがじょう》市山王《さんのう》遺跡から出土した「埊」という特異な字形は、山、水、土を合成した「地」を表わす則天文字である。

則天文字がわが国にもたらされたのは、七〇四年に帰国した大宝《たいほう》の遣唐使《けんとうし》によるものと考えられている。それが本家の中国で使用が禁止されたあとも、八世紀以降、漢字にまだ十分になじまないはずの古代日本の村々まで浸透していったわけだから驚きである。

日本の古代社会では、漢字がまだ十分に熟知されていなかったために、地方の農民たちは漢字そのものに一定の魔力や権威を感じていたのではないだろうか。その点では、特異な形をした則天文字は、よりいっそう効果的であったろう。則天文字が都ではほとんど出土例を聞かないことも、右のような推測を裏付けている。

おなじみ水戸《みと》黄門《こうもん》こと徳川光圀《とくがわみつくに》の名前にも使われている「圀」は、現在まで使用されている則天文字の唯一の例である。四方の境界を示す〝国構え〟の中に「八方」と書き、まさに〝八方に領土を広げる〟という意味が込められている。

墨書土器の世界

近年、全国各地の発掘調査によって、地下から膨大な量の文字資料が発見されている。それらの文字資料は、木簡《もっかん》・漆紙文書《うるしがみもんじょ》・墨書土器《ぼくしょどき》など、多種多様である。そのなかでも最大の出土量を誇り、しかも各種の遺跡から出土するのが、墨書土器である。

七世紀以降、古代国家による文書行政がしだいに定着しはじめると、日本でもはじめて広範囲の人々の身近に筆・墨・硯《すずり》が備えられたと考えられる。おそらくその段階で〝土器に墨で文字を書く〟ことが始まるのであろう。墨書土器のなかには一〜二文字ではなく、文章を記すものもある。つぎの二点はいずれも千葉県八千代《やちよ》市上谷《かみや》遺跡から出土した墨書土器の例である。

①下総國印旛郡村神郷

丈部□刀自咩召代進上
　延暦十年十月廿二日
②□廣友進召代　弘仁十二年十二月

①②とも願い主の人名（丈部《はせつかべ》□刀自咩《とじめ》、廣友《ひろとも》）に加えて、年号「延暦十年」（七九一）、「弘仁十二年」（八二一）と人面が墨書されている。さらに①には「下総國印旛郡村神郷」と本籍も明記されている。これらは丈部□刀自咩（女性）、廣友（男性）が、冥界《めいかい》に召されるのをまぬがれる代わりにご馳走《ちそう》を土器に盛り、神に進上したことを表わしていると考えられる。

このほかにも「国玉神《くにたまのかみ》」「竈神《かまどがみ》」などの神の名が、土器に記されている場合がある。神にみずからの意思を伝えるのならば木でも石でもよい。ことさらに土器（多くは坏《つき》）に文字を記すのは、その本来的な役割である器としての機能、つまり食物を盛り、神に供献することと深くかかわるのであろう。文字を介して神と対話する行為である。

こうした文章は文書行政の延長上で理解できる。つまり、日常の行政文書での表現（貢進文書や召文）を用いて、神に意思を伝え、ものを供献したのである。いいかえれば、文書行政が定着して、

12

●土着の神の文字と顔が記された土器
千葉県芝山町庄作《しょうじゃく》遺跡出土の墨書土器である。内側に「国《くに》玉神《たまがみ》（土着の神）に奉る」と記し、外側にはその神の顔と、長い手が描かれている。復製品。

はじめて文字をもって神に伝えるという方法を用いたのであろう。

ここで思い起こされるのは、先にみた中国での文字文化の流れである。中国では神との対話から文字が始まり、つぎに各地の豪族が王に忠誠を誓い仕えた由来を、王から褒賞として受けた金属の地金や貨幣でつくった青銅器に記した。さらに秦《しん》代には、書体を統一し、文字を統治の道具とした。

一方、日本の文字文化は、まず中国王朝との外交上の必要性から始まり、つぎに国内政治において王からその臣下に対して銘文を刻んだ刀剣を下賜《かし》した。その後、地方豪族が王に仕えた由来を刀剣や鏡に記すようになる。そして文書行政が定着した八世紀頃から、土器に食物を盛り、神に対して供献するとともに、文字によってみずからの願いを神に伝えたのである。

このような古代における中国と日本の文字文化の流れの相違は、文字の生まれた中国と、その文字を受容した日本との違いを端的に表わしているといえるであろう。

●日本語の語順で書かれた刻書土器
埼玉県鳩山《はとやま》町の広町《ひろまち》B窯跡で出土した刻書土器。壺の底に「此壺使人者億万富貴曰事在」（此の壺使う人は億万富貴と曰《い》う事在り）と、漢字を単純に日本語の語順で並べた文が刻まれている。

古代人の文字の習熟度は？

墨書土器と文字の普及

「古代の人たちはどの程度文字が書けたのか？　読めたのか？」という質問をよく受ける。

奈良時代、都の周辺に住む人たちは、文字を正確に書けるというだけで写経生などに採用され、現金収入の道が開けた。「人夫」（労働者）の賃金が一日に九文《もん》から一〇文であったのに対し、写経生は一日七枚仕上げると、三五文を得ることができた。ただし、誤字五字につき一文、脱字一字につき一文、一行脱行すると二〇文も給与から引かれるという厳しさも伴った。

こうした古代における文字の普及とその習熟度を推測する資料として、かつては「正倉院文書《しょうそういんもんじょ》」など、かなり限られた伝世資料に頼らざるをえなかった。しかし、近年では大量に発見される墨書《ぼくしょ》土器《どき》によって、状況が変わってきた。

墨書土器は一〜二字のものが圧倒的であり、容易には文字内容を決めかねることから、木簡《もっかん》・漆《うるし》紙文書《がみもんじょ》に比べると、その本格的な研究は立ち遅れている。しかし、研究の停滞にもかかわらず、古代の集落遺跡から出土する墨書土器は、ことさらに文字普及のバロメーターとしてとらえられてきた。はたしてそれは正しいのだろうか。

こうした研究状況に鑑《かんが》みて、かつて私は、特定の集落遺跡出土の墨書土器の分析や墨書土器の字形（土器に記された文字のできあがりの形のこと）などから、その本質に迫ろうと試みた。集落遺跡出土の墨書土器は、東日本各地の出土量が圧倒的に多いため、その分析対象として東日本を中心に実施した。その結果、墨書土器の文字はその種類がきわめて限定され、かつ東日本各地の遺跡で共通していること、そして共通文字の使用のみならず、墨書土器の字形も各地で類似しており、しかも本来の文字が変形したまま広く分布していることを確認した。

　このことから、当時の東日本各地の村落における文字の使用は、土器の所有をそれらの文字・記号で表示した可能性もあるが、むしろ村落内の神仏に対する祭祀《さいし》・儀礼行為などの際に、土器に一定の字形――なかば記号として意識された文字――を記したものであることがわかった。つまり、墨書土器は必ずしも、文字普及の直接的なバロメーターにはなりえないのである。なお、最近では西日本各地の出土例も飛躍的に増加しており、東日本とほぼ同一傾向である。

郡家と文書作成

律令《りつりょう》文書行政の実態についても、「正倉院文書《しょうそういんもんじょ》」

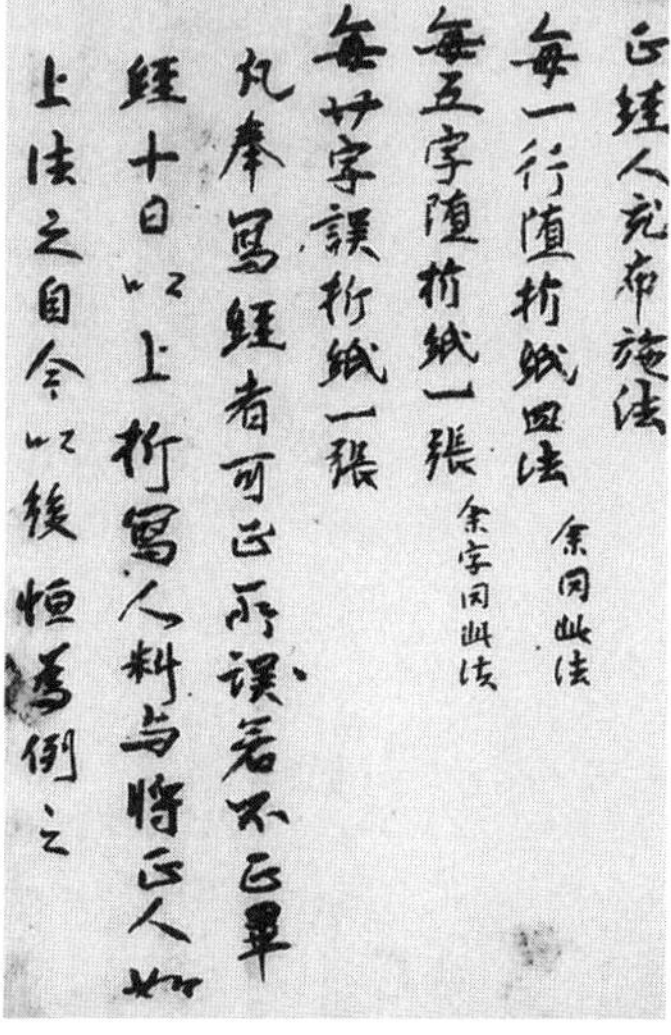

14

◉写経生（経師）の誤字に対する罰則
脱落五字、または誤字二〇字につき写経一張（一枚）分を差し引くと書かれている。一行脱落すると四張の差し引きだが、これは写経生が経文の意味を理解しないまま、たんに機械的に書き写すのみであったことを示している。

や地下から出土する漆紙文書《うるしがみもんじょ》などの詳細な検討により、必ずしも律令の規定どおりではないことが明らかにされてきている。たとえば、戸籍《こせき》・計帳《けいちょう》（徴税台帳）類の作成は、本来、各戸からの手実《しゅじつ》（申告書）によるべきであると規定されているが、その実態は異なっていた。一例をあげるならば、正倉院文書の近《お》江国《みのくに》計帳は、各戸から提出された手実というよりも、郡家《ぐうけ》において前年の計帳手実を転写して作成したものと考えられる。

近江国計帳における各年度の記載内容を比較すると、異同は全体的に認められるが、そのうちでもつぎの二例がもっとも顕著である。

三《み》上部粳賣《かみべのうるちめ》（天平元年）→三上マ蚑女（二年）→三上マ牧女（三年）→三上部牧賣（六年。四・五年は欠損）

伊《い》夜《や》玉賣《たまめ》（天平元年）→伊夜玉女（二年）→伊夜玉（三年）→伊夜多麻賣（四年）→伊夜多麻賣（五年）→伊夜多麻賣（六年）

「三上部粳賣」の変化

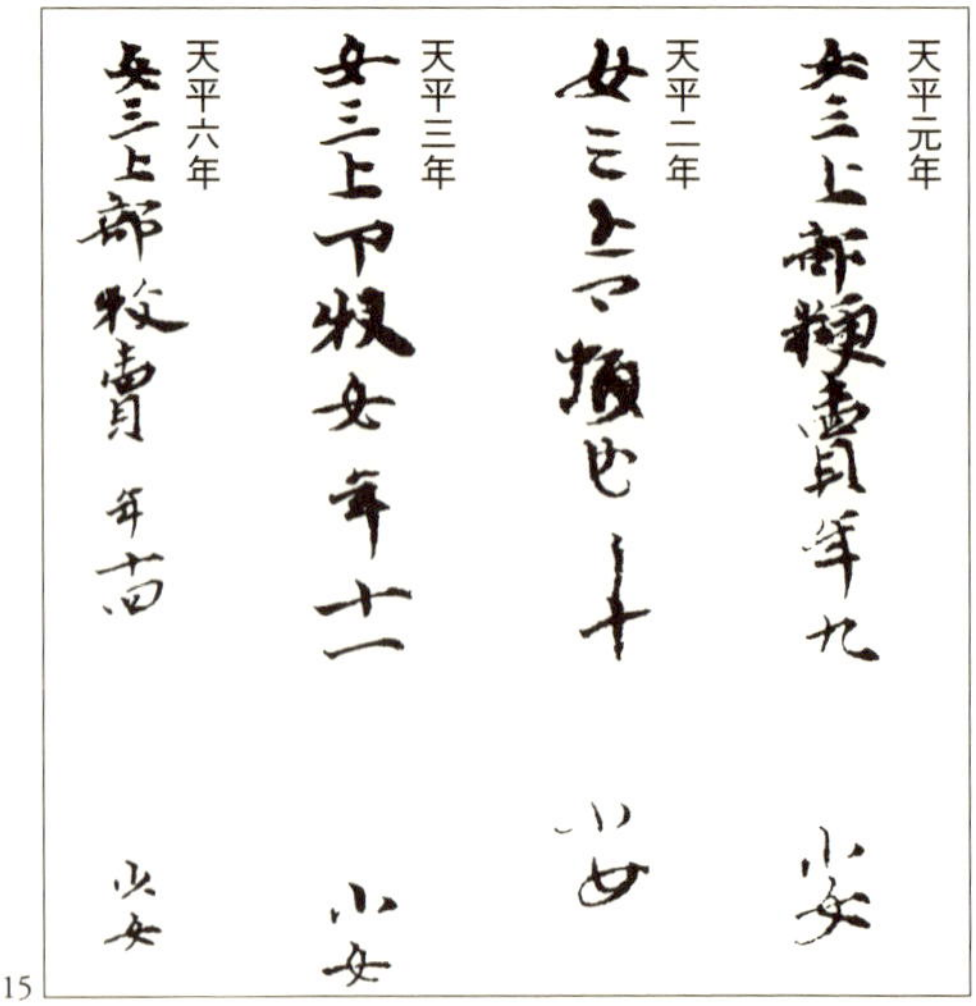

「三上部粳賣」の変化は、楷書体《かいしょ》の天平元年帳を翌年速筆の行書体で書いたために、おそらく天平三年帳を担当した書記官が「粳」のくずしを十分に理解できないまま怪しげな文字に転写し、そののち別の書記官が「牧」と誤読・記載してしまったのであろう。転写の段階で別の人名に変化した例である。

このように、古代においては文字の習熟が末端まで広まっていたとは考えられないだろう。

ところで、こうした郡家における手実のような帳簿類と、郡家から国府《こくふ》へ上申する帳簿および通常の文書には、その書記内容に相違が認められる。文字の習熟の実態を考えるためには、律令文書行政でもっとも重要であった郡家の書記官の文字習熟度を見定めることが、一般集落の墨書土器《ぼくしょどき》との対比も含めて、きわめて意義深いことである。

郡家における文書作成の実態について考えてみよう。郡の役人である郡司《ぐんじ》は四等官制であるが、大領《だいりょう》・少領《しょうりょう》と主政《しゅせい》・主帳《しゅちょう》との間で一線を画されていた。主政・主帳の職掌は、職員令によれば、授受した公文を記録し、公文草案を作成し署名することとされている。簡単にいえば書記官である。

一方、郡家の複雑多岐《たき》な政務を支えたのが、郡雑任《ぐんぞうにん》である。郡雑任には案主《あんず》・郡鎰取《かぎとり》・税長《ぜいちょう》・田領《でんりょう》といった役職があったことが知られており、いずれも村落に居住し、郡家に出仕していた。また、弘仁《こうにん》一三年（八二二）官符《かんぷ》によれば、「郡書生《しょせい》　大郡八人　上郡六人　中郡四人　下郡三人」と見え、この郡書生も郡雑任であろう。彼らの活動は、実例によれば多方面に及び、田地売買の際の券文《けんもん》

（証文）作成や調《ちょう》の貢納などに関知している。しかし、職掌の第一は文字どおり書記である。

『類聚三代格《るいじゅさんだいきゃく》』によれば、河内国《かわち》では寛平《かんぴょう》三年（八九一）頃、百姓が計帳の作成日にその手実を進上しないので郡書生が計帳を作成したが、誤りが目立ったという。また、先にみた近江国の計帳手実の例のように、京畿内を除く一般諸国は、通常、郡家において前年の計帳を転写して計帳手実を作成していたと思われる。その膨大かつ単純な書写作業は、郡雑任である郡書生の役割であったのだろう。

注目されるのは、こうした郡雑任が作成した籍帳類にはしばしば誤字・脱字がみられるのに対して、郡司から国司《こくし》への上申文書や郡司から里長《りちょう》などへの下達文書には、ほとんど間違いを見いだすことができないことである。つまり、郡家内で作成される文書のなかでも、国府《こくふ》へ提出する籍帳類を含む上申文書や下達文書は郡司である主政・主帳が担当し、郡

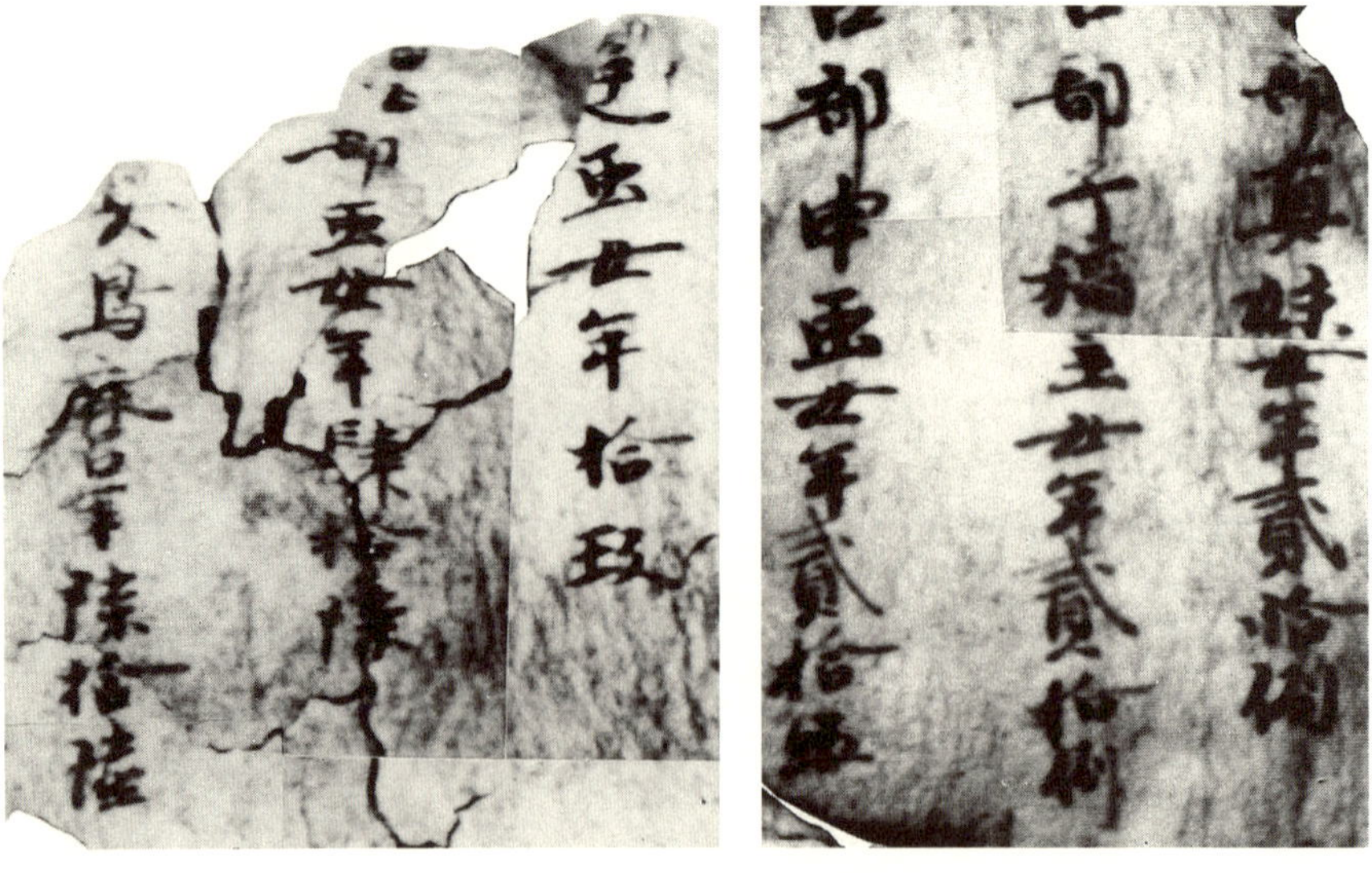

16

家に留め置くような膨大な籍帳類の手実などの文書は郡雑任としての郡書生があたるというように、それぞれに役割を分担していたのであろう。

公式令公文《くしきりょうくもん》条によれば、簿帳（正税帳・計帳・田籍など）は大字《だいじ》、つまり数字を壱貳《いちに》参肆《さんし》伍陸漆《ごろくしち》（柒）捌玖拾《はちくじゅう》のごとく記せという。ところが、おそらく郡書生作成と思われる茨城県石岡《いしおか》市鹿《か》の子《こ》C遺跡出土の計帳手実（漆紙文書）では、捌（八）は例、柒（七）は陎と誤っている。律令文書行政の象徴ともいうべき大字の誤字は、律令官人としてありえないであろう。おそらく、郡司と郡雑任という在地社会における歴然とした階層差が、その文字の習熟度の差をも如実に示しているのではないか。

◉石岡市鹿の子C遺跡の計帳手実に見える誤記
右一行目「真妹女年貳拾例」、二行目「子稲主女年貳拾例」の「例」は、いずれも「捌《はち》」の誤りである。同様に、左三行目の「鳥麿年陎拾陸」の「陎」は「柒《しち》」（漆）を誤って書いている。

墨書土器とヘラ書き土器

先にも触れたように、東日本各地から出土した墨書土器《ぼくしょどき》は、限定されたわずかな文字を共通して記している。さらに、これらの文字はその種類が共通するだけではなく、その字形にも共通した特徴をもつ点が重要である。

近年、全国各地の遺跡からきわめて特異な字形が記された墨書土器が報告されている。そのなかでも「乃」の字形が多量かつ広範囲な分布で目立っている。

千葉県芝山《しばやま》町庄作《しょうじゃく》遺跡、神奈川県秦野《はだの》市草山《くさやま》遺跡などの場合、「乃」字形が単独で出土したため、その変化の過程をたどることができず、なんという字なのかが判読困難であった。ところが、千葉県成田市《なりた》公津《こうづ》原《はら》遺跡や福島県会津《あいづ》若松《わかまつ》市上吉田《かみよしだ》遺跡では、明らかに楷書《かいしょ》体と草書《そうしょ》体が併存していたため、この文字の書体変化をたどることができた。「乃」は「得」の草書体が変化したものだったのである。

この例を参照するならば、「得」の文字が楷書・行書《ぎょうしょ》・草書の各書体などの訓練を経たのちに記されたとは考えがたく、変形した字形「乃」のみが伝播《でんぱ》した結果、その変形した字形のまま記されたと考えられる。庄作遺跡や草山遺跡などでは、本来の「得」の字は知られていなかったであろう。

また、特定の集団内での字形の変化も興味深い。

山形県酒田《さかた》市熊野田《くまのだ》遺跡は、平安時代の出羽《でわ》国府とされる城輪柵《きのわのさく》跡の南方約五キロメートルのと

「得」の書体変化

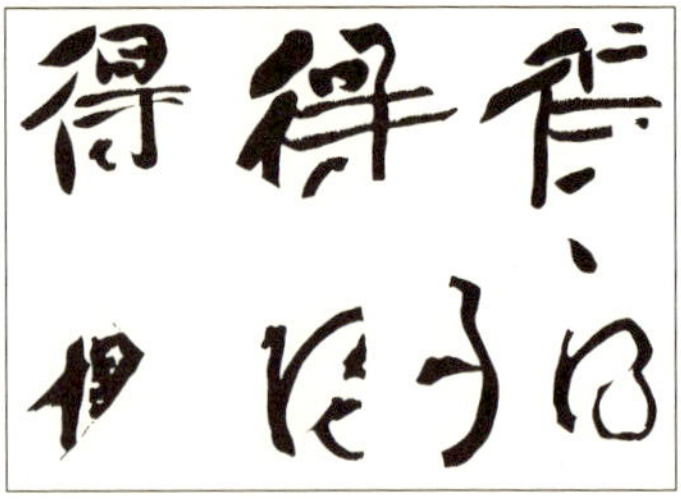

「桑」の書体変化

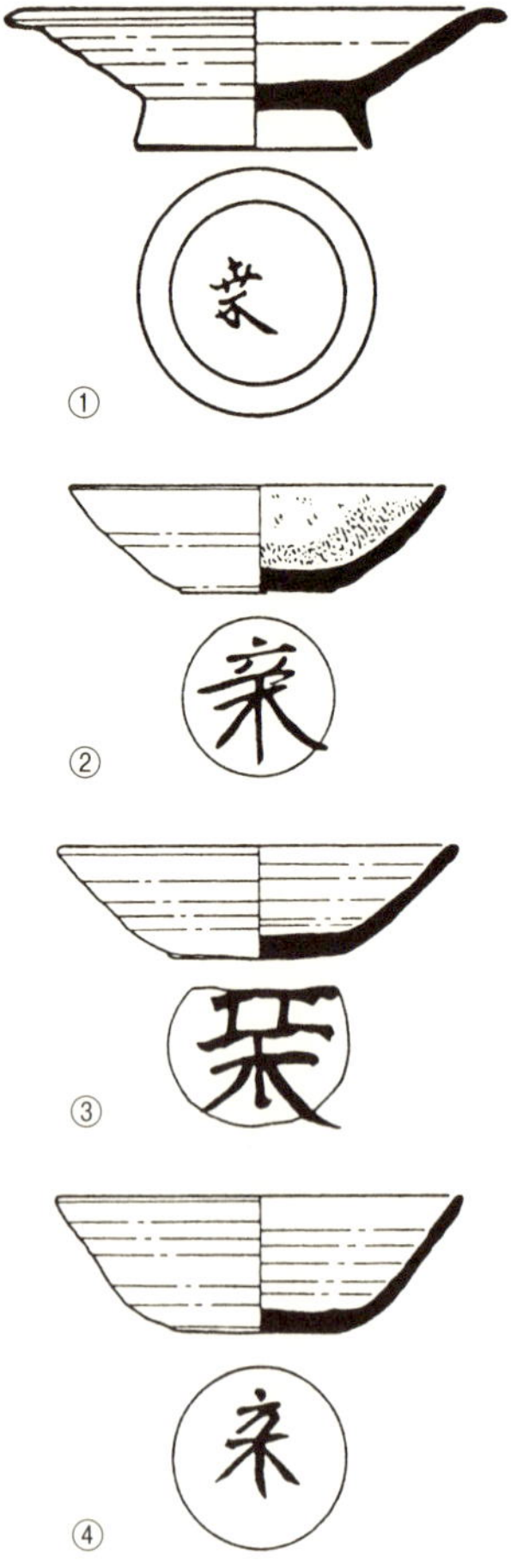

ころにある。城輪柵跡を中心に、酒田市東部から八幡町《やわたまち》にかけて、平安時代の官衙《かんが》跡や集落跡が数多く分布している。遺跡の時期は、出土土器からみて、九世紀中ごろから一〇世紀初頭とされる。

出土した墨書土器は一〇〇点を超え、その内容には「豊」「万」「刀」「西」「仁」「新」などがある。そのなかで、右ページにあげた諸字形①〜④はいずれも「桑」であり、「桑」の別字体①「桒」で記したものが、おそらく②「亲」、③「来」（上部欠損）、さらには④「亲」へと字形変化したのであろう。これらは先にみた、郡家において作成された近江国計帳手実《おうみのくにけいちょうしゅじつ》の「三上部粳賣《みかみべのうるちめ》」の各年次の書写変化と、まったく同様の傾向といえる。

島根県玉湯《たまゆ》町蛇喰《じゃばみ》遺跡は、古墳《こふん》時代から平安時代にかけての玉作《たまつくり》工房跡の一部である。土坑跡から、八世紀後半から九世紀前半の須恵器《すえき》の坏《つき》・蓋《ふた》類が多量に出土した。それらの土器のうち約三〇〇点には、坏の場合は底部外面、蓋の場合はツマミ部分の内側にヘラ書きの文字が記されている。

画数が少なく比較的明瞭な「田」または「由」の筆順を模式的に表わしたのが、左の図である。これほど画数の少なく、使用頻度の高い漢字「田」または「由」の文字でさえ、一群のなかに少なくとも四種類の筆順が想定される。いうまでもなく、通常、同一人物が数種類の筆順で文字を記す

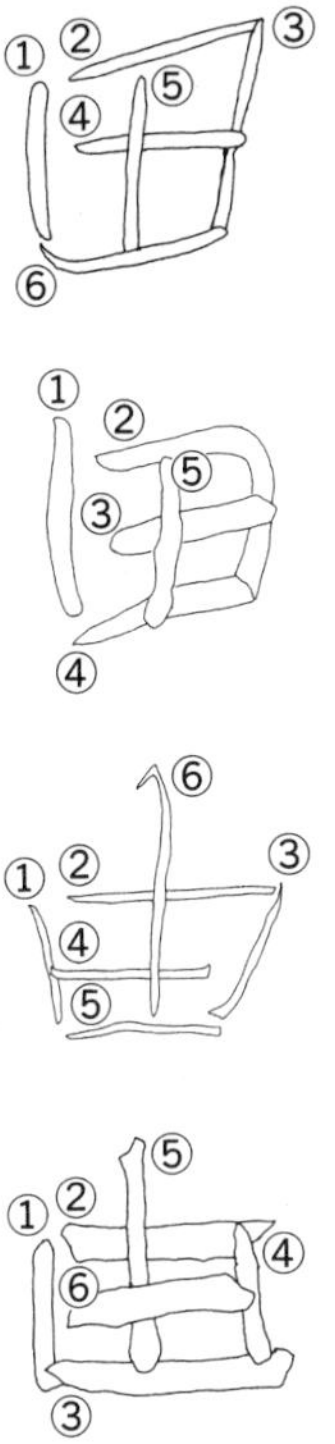

●「田」「由」の筆順
土器製作の際、生乾きの時点で竹ベラなどで文字を刻むと、粘土の動きによって筆順がわかる。「田」も「由」も正しい筆順ではない。

ことはありえない。

この事実は、古代地方社会における文字の習熟の問題を象徴的に示しているといってよい。しかも、八世紀後半から九世紀前半は、一般的には律令《りつりょう》行政が末端にまで浸透し、文字が村落に普及した時期とされ、墨書土器が広範囲かつ多量に分布しはじめた時期である。それにもかかわらず、蛇喰遺跡における須恵器《すえき》工人たちの文字の習熟度は、「田」の筆順でさえ十分に習得しえない状況だったのである。

古代の集落遺跡から出土する墨書土器について、字形を中心として検討した結果、墨書土器が文字の普及の直接的なバロメーターとはなりえないことが明らかになった。特異な字形、集団内の字形変化および筆順の実態は、文字の普及が簡単には進まなかったことを如実に示している。

こうした状況は一般集落に限らない。これまで地方文書行政の実質的機構として注目されてきた郡家《ぐうけ》においても、複雑な様相を呈している。国府《こくふ》への上申文書や下達文書は、ほぼ誤謬《ごびゅう》もなく無難に書き記されているのに対して、郡家に留め置かれた膨大な籍帳類は、「正倉院文書《しょうそういんもんじょ》」や漆紙《うるしがみ》文書で見るかぎり、数多くの誤字・脱字が確認できる。これは、郡家における書き手の問題であろう。つまり、郡司《ぐんじ》である主政《しゅせい》・主帳《しゅちょう》と、郡家に出仕する郡雑任《ぐんぞうにん》である郡書生《ぐんしょせい》とを比較すると、書き手の階層の相違が明白に文字の習熟度の違いとなって表われているのである。郡雑任の文字習熟度の未熟さは、彼らが本拠とする一般集落内の墨書土器の状況（特異な字形・集団内の字形変化・筆順など）と、きわめて類似しているといえよう。

古代社会においては、ごく限定された階層の人々が文字を基礎から練習し、習熟することができた。そうした人々は、一般集落の文字普及に一定の役割を果たしたといえるが、全体的にみればその習熟度は意外と低かったのではないかと推察される。

東アジア交流の原点

文字文化そのものが大きな曲がり角にきている現在、二一世紀にわれわれがどのような文字文化をもちえるのかを真剣に考えていく必要がある。そのためには、古代社会における文字とは何かを、根本から問い直してみることの意義は大きい。

近年、韓国における金石文《きんせきぶん》や木簡《もっかん》資料などの研究の進展に伴い、日本の文字文化が古代朝鮮の影響を強く受けたことが明らかになってきた。さらに音についていえば、たとえば「城」の音をとりあげてみても、古代の複雑な発音の一端がうかがえる。「城」は中国の漢音では「セイ」、呉音では「ジョウ」であるのに対して、古代朝鮮の高句麗《こうくり》では「ホル」、百済《くだら》では「キ」、そして新羅《しらぎ》では「ツァス」↓「サシ」とそれぞれ異なっている。七世紀に大宰府《だざいふ》沿岸に築かれた防衛施設「水城」が「ミズキ」と百済音で呼ばれたことなどを考えると、日本の漢字文化受容期を解くにあたっては、これら朝鮮音についての目配りも重要である。

日本古代史の研究では、これまで東アジア史を政治一辺倒でみてきたが、じつはひとつの文字、ひとつの発音を通しても、東アジア全体の動きを解明できる可能性が生まれてきた。漢字という共通の手段を使用してきた東アジア諸国の交流の歴史を、現在の東アジア交流の原点として生かしてゆくべきであろう。

第七章

今に生きる地域社会

私が育った山梨県甲府市南郊の集落では、道路が交差する衢《ちまた》にあたる場所には、土台の上に丸い石が大切に置かれていた。この丸石が道祖神《どうそじん》であり、ここで毎年一月一四日の夜、どんど焼きと称する小正月の火祭り行事が行なわれた。もちろん、子供のころはその道祖神の意味もわからず、ただ集落全員がうちそろったにぎわいだけが記憶に残っている。山梨県では、現在でもこのような丸石の道祖神が数多くみられる。

地域社会に伝わるこうした民俗行事こそ、その地域の歴史を物語る貴重な生きた資料である。この章ではまず第一に、数多い民俗行事のなかでもよく知られた戌亥隅《いぬいのすみ》信仰（屋敷神《やしきがみ》）と道祖神信仰の源流を探ってみたい。

つぎに、東西の文化的差異は、現代でもさまざまなかたちでわれわれの生活に影響を及ぼしている。たとえば食文化である。お正月の雑煮に入れる餅の形には丸餅《まるもち》と四角い切餅《きりもち》があり、東海以西は丸餅、東海以東は切餅が多い。また、鰻《うなぎ》についても、関東では背開きで皮のほうから焼きはじめるのに対し、関西では腹開きにして身のほうから焼きはじめる。この開き方・焼き方の境界は、近年まで東海道の豊橋《とよはし》と二川《ふたがわ》のあたりにあり、愛知県の豊橋は関西流、静岡県の舞阪《まいさか》は関東流であったとされている。

1

◉山梨県内各地にある丸石道祖神
この道祖神は甲府市上石田《かみいしだ》地区に所在する。これら丸石道祖神は、道路が交差する地点に置かれている。

こういった文化の東西分岐線は、古代における東国・西国の境界が、東海道では遠江国《とおとうみのくに》と三河国の国境に、東山道では信濃《しなの》国と美濃《みの》国の国境にあったことと一致する。だとすれば、現代における日本文化の東西の別は、古代からの東西区分の流れを汲《く》んでいるのではないだろうか。

これまでは、この東西問題は律令《りつりょう》国家形成期にいったんは問題視されなくなり、九世紀に入って律令制に崩壊の兆しがみえるとすぐに、ふたたび東西の差異が表面化してくると認識されてきた。この理解の根底には、律令国家は中央集権国家ゆえに、地方はほぼ均質であるという考え方がある。しかし、東国・西国の位置づけには、律令制下の税負担や各国の国名制定基準などから、明確な相違を見いだすことができるのではないか。これがこの章の第二のテーマである。

第三に、古代の地域社会の実態を知るうえで、きわめて貴重な史料が郡符《ぐんぷ》木簡《もっかん》である。以前、兵庫県氷上《ひかみ》郡春日《かすが》町（現在は丹波《たんば》市）から出土した郡符木簡について論文を書いた際に、氷上郡の地形上の特徴からその郡の特性の解明を試みた。その後、調査依頼を受けてはじめて現地を訪れ、中国山地に所在する氷上郡が、郡名も郷名も河川も道も、ほぼそのまま古代の姿をとどめていることに驚いた。そこで、氷上地方を古代の郡と郷の姿を語るモデルケースと位置づけて紹介したい。

第四に、古代の氷上郡が復元できるのは、やはり地形と地名に負っている点をあらためて強調したい。とくに地名は、現在、全国各地で実施されている平成の大合併により、歴史的地名の改変・亡失という憂《うれ》うべき状況にある。古代の遺跡から出土した一点の墨書土器《ぼくしょどき》に記された地名が、当時の文献には記されていなくても、現在の字名《あざめい》として残っていることがある。自分たちのまわりにある字名が、一二〇〇年以上も前の土器に書かれた地名とつながるのである。いくつかの事例から、旧来の地名が重要な歴史的文化遺産であるという認識を、新たにしてほしい。

民俗信仰の源流を求めて

戌亥隅信仰

日本社会において現在も根強く残っているものとして、艮《うしとら》（丑寅）、いわゆる〝鬼門《きもん》〟とされる方角への信仰がある。中国では、漢《かん》民族の始祖とされる黄帝《こうてい》が撰したという『宅経《たくきょう》』（家宅を占う書）にすでに鬼門について書かれており、福建省《ふっけんしょう》一帯ではこの鬼門を東北方とし、殺気がくる方角として、とくにその方向を忌むという。

鬼門（東北）を忌む習慣が中国から輸入されたものであるとすると、西北に対する信仰である戌亥《いぬいの》隅《すみ》信仰との関係はどうなのか。柳田国男《やなぎたくにお》は、日本には中国から輸入された艮＝丑寅（東北）よりも乾《いぬい》＝戌亥（西北）を恐れる信仰が存在したと強調している。

では、なぜ日本では西北という方角を特別に崇《あが》めるのだろうか。

日本列島では、冬季に西北季節風がシベリアの大陸性高気圧から吹き出し、乾燥した寒冷な気候をもたらす。民俗学の調査によれば、日本各地の沿岸部では、戌亥のほうから吹く西北風をタマカゼやアナジと呼び、ことのほか恐れている。しかし、タマカゼやアナジのために恐しい祟《たた》りにあうのは、この慎み物忌《ものい》みすべき時期に船を出すからで、家で忌み慎んで神事に従っていれば、祝福をもたらす祖霊を乗せてくる方向の風でもあった。西北風は祖霊が来訪した「おしらせ」なのである。

現在の民俗例でも、いわゆる屋敷神を戌亥（西北）隅に祀《まつ》る地方が多くある。屋敷神を祀る神屋も各地まちまちであって、屋敷の西北隅に小さな祠《ほこら》や年ごとの仮屋《かりや》をつくったり、さらに古風なものでは、古木や石を神霊が招き寄せられて乗り移る「依代《よりしろ》」としている。

文献資料に見る「内神」と「戌亥隅神」

東三条殿《ひがしさんじょうでん》は平安時代における歴代藤原《ふじわら》氏嫡流の邸宅で、数代の天皇の里内裏《さとだいり》（平安京《へいあんきょう》内裏の外に臨時に設けられた皇居）でもあった。その創設は藤原良房《よしふさ》（八〇四～八七二）に始まる。

この東三条殿には、鎮守《ちんじゅ》として角振《かどふり》・隼《はやぶさ》の両社が祀《まつ》られていた。『今昔物語集《こんじやくものがたりしゅう》』によれば、東三条殿内の戌亥《いぬい》（西北）の隅に鎮座する神を「内神《うちがみ》」とも表記している。この例は、貴族の邸宅内の西北隅に神を祀ったものであるが、中央の役所においても、同様の例を九世紀の史料で確認できる。

左京職《さきょうしき》や織部司《おりべのつかさ》などにおいては、西北隅には神を祀り、神名そのものを「戌亥隅神《いぬいのすみのかみ》」と呼んでい

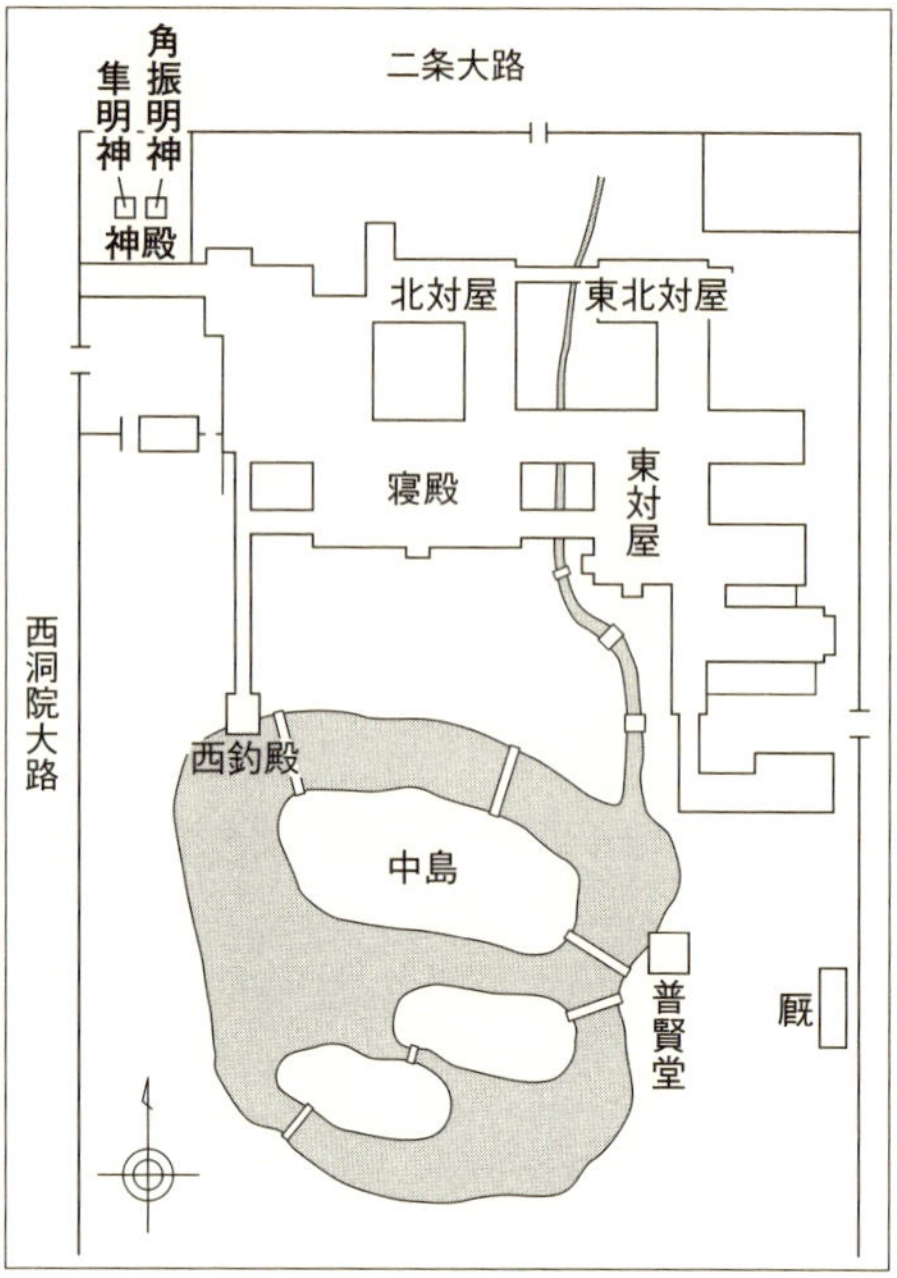

●東三条殿内の神殿
この東三条殿の位置は、平安京二条の南、西洞院《にしのとういん》の東にあたり、東西一町、南北二町の広さを占めた。西北隅の神殿に対し、東南隅には御堂（普賢堂《ふげんどう》）が設けられている。

る。また、朝廷の祭祀《さいし》をつかさどる神祇官庁《じんぎかんちょう》の西北隅にも神殿が設置されていた。神祇官図によれば、斎院《さいいん》（西院）の西北隅に八神殿《はっしんでん》が奉祀されている。この八神殿の殿舎の規模は、『延喜式《えんぎしき》』（臨時祭）に「神殿各一宇《う》。長一丈七尺。広一丈二尺五寸（約五・一×三・八メートル）」とある。この神殿は素朴・単純な建物であり、神座《しんざ》は特定の依代《よりしろ》を常置奉安せず、祭祀のつど、諸神を迎え送るという「空座《あきざ》」型である。

　このように、中央の役所・貴族の邸宅に設けられた神殿そのものはきわめて規模が小さく、簡単な建物で、神座も神祇官の八神殿のように空座型と推測される。

では、古代の地域社会においてはどうだったのだろうか。

地方官衙《かんが》においても、西北隅に神が祀られていたことを示す木簡《もっかん》が、岩手県奥州《おうしゅう》市の胆沢城《いさわじょう》跡から出土している。

胆沢城は、延暦《えんりゃく》二一年（八〇二）に坂上田村麻呂《さかのうえのたむらまろ》によって造営された古代の城柵《じょうさく》である。八世紀なかばから後半にかけて、陸奥国《むつのくに》北部を舞台に、政府軍と蝦夷《えみし》との間で激しい戦いが繰り返された。両者とも長期の戦いに疲れ、田村麻呂の登場で戦いは一応の終止符が打たれた。胆沢城が造営されたのは、その直後である。

木簡は、その中心施設（儀礼空間）である政庁内の西北隅区域から、平成元年（一九八九）に発見された。この木簡の廃棄年代は、九世紀末から一〇世紀前半である。

射手所請飯壹斗五升
右内神侍射手巫蝪万呂□〔請〕如件
長さ三一〇×幅二一×厚さ二ミリメートル

木簡の形状は短冊型《たんざく》で、墨痕《ぼっこん》の残りはあまりよくないので、赤外線テレビカメラを使用して解読した。「射手所請飯壹斗五升」までの部分を木簡の右端に書きはじめ、「右内神…」以下はやや中央近くに記しており、紙の文書の行がえを意識した記載様式である。射手所《いてどころ》は射手（弓を射る兵士）を

胆沢城の「射手所」木簡出土地点

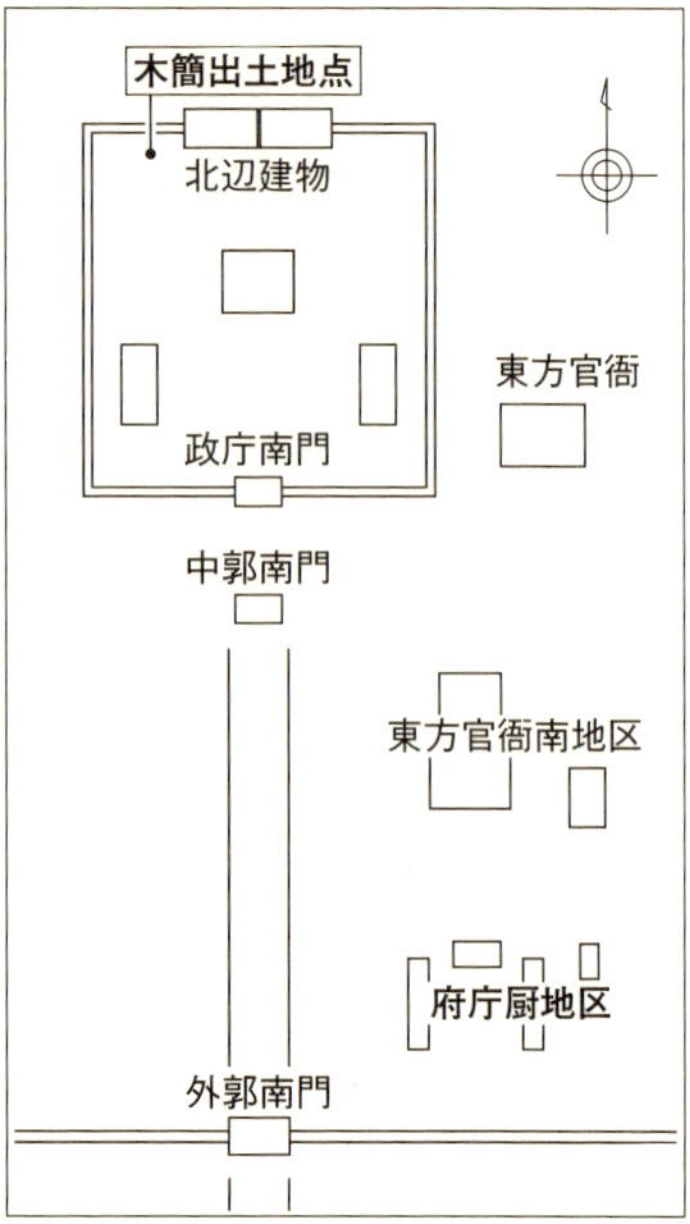

統括する組織であろう。

一般的に古代の兵士は一〇番に分けられ、各番が一〇日ずつ軍団に上番《じょうばん》（勤務）することになっていた。陸奥・出羽《でわ》両国では鎮兵《ちんぺい》（坂東《ばんどう》諸国の兵士）の日粮《にちろう》（一日の日当）は一升六合とされ、やはり一〇日ずつ勤務していた。

この木簡の内容では、射手所が公粮《こうろう》一斗五升を請求しているが、これは内神に侍する射手巫蜴《かんなぎのとか》万呂《げまろ》の公粮一〇日分である。公粮の請求先は胆沢城内の厨《くりや》であり、請求元は射手所であるが、実際にこの木簡を持参して飯を請求し、支給された飯と木簡を持ち帰ったのは巫蜴万呂自身であろう。

以上から、神殿の遺構は確認されていないが、この木簡が廃棄された地点付近に射手が警護する内神が所在したと想定できる。

内神のそばに仕える射手の役割は、弓を射る兵士として神殿を武力警護することであるが、警護内容としてもうひとつ重要な点がある。『うつほ物語』によれば、西北隅にあった蔵は邸内でもっとも重要なものとして扱われ、毎夜、馬にまたがった誰とも知れない者が来ては、弓弦《ゆづる》（弓に張る撚《より》糸《いと》）を鳴らして夜警をしたという。内神を警護する射手は、弓弦を鳴らして邪《じゃ》を除いたのであろう。胆沢城木簡の内神に侍する射手が神社と深くかかわる巫（神を和《やわ》らげ、神に願う人の意とされている）姓であることも、そのことを示唆している。

また九世紀には、国府《こくふ》内においても石見《いわみ》国の「国府中神」「府中神」、伯耆《ほうき》国の「国庁裏神」が存在したことが知られている。

つまり、国府の「裏神」「中神」は、「禁裏」「禁中」「禁内」がいずれも天子の御所を意味するのと同様に、等しく「ウチガミ」と読み、裏神＝中神＝内神として通用していたのだろう。

さらに、郡家《ぐうけ》の西北隅にも神が祀られていたことを示す貴重な史料が、宝亀《ほうき》三年（七七二）一二月一九日の太政官符《だじょうかんぷ》である。

この太政官符の内容は、奈良時代後半以降、坂東諸国を中心に頻発した正倉神火《しょうそうじんか》事件に関するものである。武蔵《むさし》国司《こくし》の上申書によれば、入間《いるま》郡の正倉四棟が火災にあい、糒《ほしいい》（乾飯）穀一万五一三斛《こく》を焼失して死者を出したが、その原因は郡家の西北隅に祀られた神、出雲伊《いずもい》波《は》比神《ひのかみ》の祟《たた》りであったという。これら「神火」の正体は、国司や郡司が貢納物の横領などの不正を隠すために行なった放火なのだが、いずれにせよ、入間郡の郡家では、戌亥の隅に延喜《えんぎ》式内社《しきないしゃ》である出雲伊波比神が祀られていたのである。

この入間郡の例から考えると、奈良時代には郡役所の西北隅は神聖な場とされ、小さな神殿ではなく、式内社《しきないしゃ》クラスの比較的規模の大きな神社が置かれていたようである。

平安時代に入ると、中央の各役所、さらに地方の国府や胆沢城のような城柵など、国が設置した施設のもっとも中心的な場所に、規模の小さい社《やしろ》を設けて、象徴的かつ形式的に西北隅を鎮護している。こうした内神は、公の施設から、やがて貴族の邸宅など個人の住居の西北隅に祀られるようになり、現代につながる屋敷の守り神となったのではないか。

東京都新宿区の早稲田大学安倍《あべ》球場跡地の一画に、居館の遺構が発見されている。その調査区域の西北部には二〇メートル四方の溝が巡らされており、一棟の小型の建物（面積三〇平方メートル）が置かれていた。これは中世の居館の屋敷神ではないかとみられている。

道祖神は日本固有の信仰か

日本列島各地における民間信仰の神々のうちで、古くかつ広く信じられた神の代表格として道祖《どうそ》神《じん》があげられる。まず、その道祖神について民俗学の通説的な理解をあげておきたい。

民俗学では、道祖神の性格や歴史的展開については明らかでないとしながらも、①境界に機能する神、②旅の神、③結ぶ神、④祈願・祝福する神、⑤その他など、道祖神は古代から複雑・多岐《たき》な要素を含み、しかも人々がムラをつくり、社会生活を営むようになった古代から形成されたものであるとしている。

現在の道祖神のなかには、木製や藁《わら》製の男女一対で、しかも陽物《ようぶつ》・陰物《いんぶつ》（男女の性器）を表現した特異な神像も存在する。しかし、このような特異な形態がわが国固有の信仰に基づくものであったかどうかについても、民俗学では明らかにされていない。

道祖神信仰がその始まりから複雑・多岐な要素を含むものであったのか、また特異な形態の源流は何かなどについては、近年の考古学の成果に基づき、古代日本のみならず、古代朝鮮にまで視野を広げて考える必要がある。

百済・陵山里寺跡出土陽物形木簡の発見

韓国西部、黄海《こうかい》に面した忠清南道扶餘《チュンチョンナムドプヨ》郡《グン》にある陵山里寺《りょうざんりじ》跡は、百済《くだら》の都が泗沘《しひ》にあった時代の寺院遺跡であり、扶餘の羅城《らじょう》と陵山里古墳群の間の渓谷にある。

発掘調査の結果、中門・木塔・金堂《こんどう》・講堂が南北一直線に置かれ、周囲には回廊を配置する、典型的な百済伽藍《がらん》様式であることが明らかになった。

2

◉藁製陽物を用いた道祖神祭
山梨市牧丘《まきおか》町内で行なわれている道祖神祭では、藁《わら》でつくった陽物を御神体とする。この御神体はオカリヤと呼ばれ、とくに陽物部分をオタマシイと呼んで、オカリヤのなかでも重要な部分とする。

一方、工房と推定される建物跡から金銅製大香炉《こうろ》が出土し、現在では扶餘のみならず韓国のシンボル的文化財のひとつとなっている。また、木塔跡の心《しん》礎《そ》から出土した石造舎利《しゃり》龕《がん》に、昌王《しょうおう》（威《い》徳王《とくおう》）一三年（五六七）に公主《こうしゅ》（王の息女）が舎利を供養したという銘文が確認されたことによって、この寺が百済王室の祈願寺院であることも判明した。

木簡《もっかん》は陵山里寺建立以前の排水路から出土した。したがってこの木簡の年代は、五三八年に百済の都が泗沘に遷《うつ》されて以降、石造舎利龕の紀年銘五六六年以前のものと見なすことができる。

〔第一面〕无奉義（刻書）　道縁立立立　○

〔第三面〕无奉（刻書）　天（刻書）　○

第二・第四面は省略。○は穴を示す。二二六×二五×二五ミリメートル

文字は四つの面すべてに記されており、刻書《こくしょ》と墨書《ぼくしょ》とで書き分けられている。刻書は、第一面

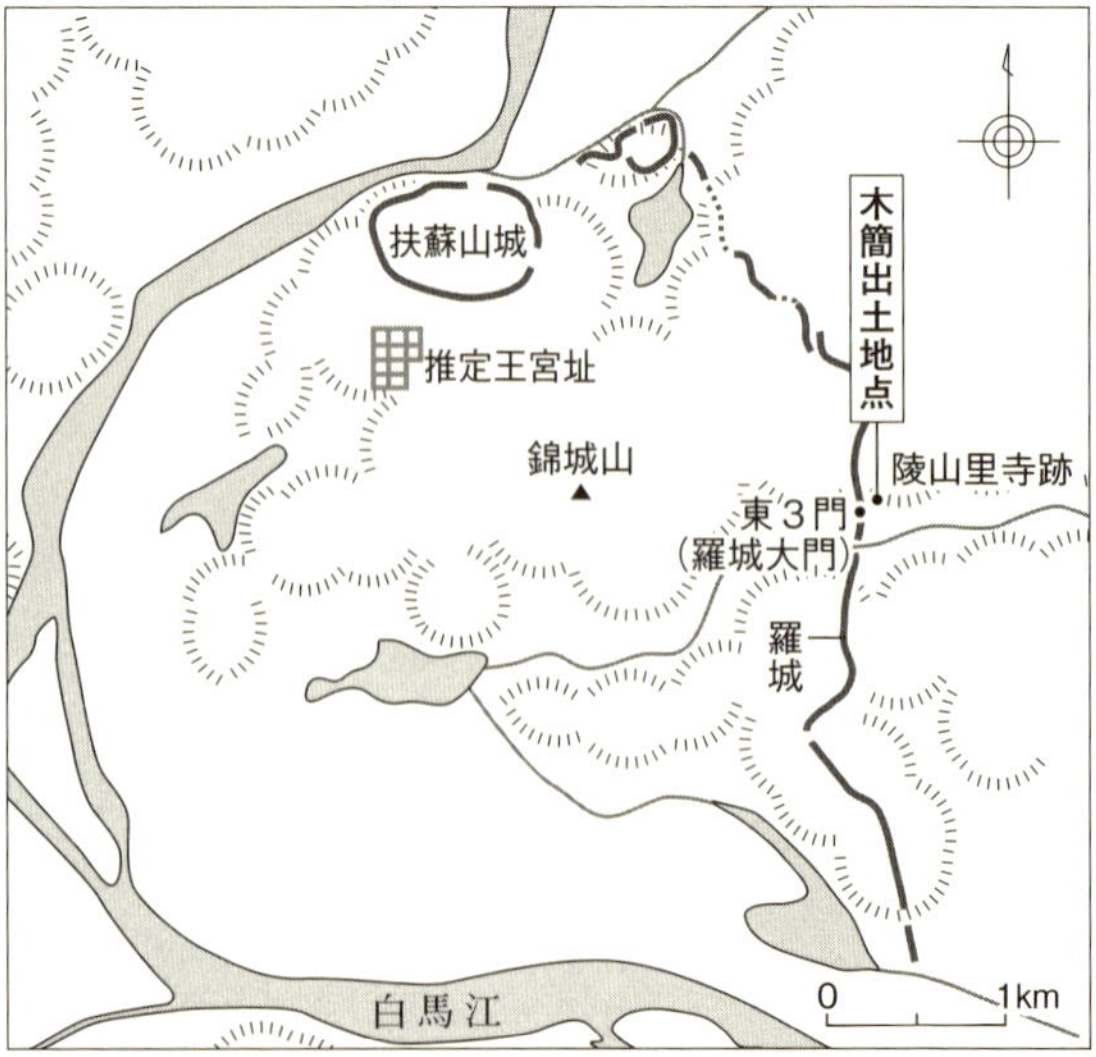

●扶餘にある百済の王宮を囲む羅城と陵山里寺跡
木簡は東辺羅城に設けられた北から三番目の門跡の外側、陵山里寺跡の南から出土した。

「无奉義」と第三面「无奉」「天」である。「奉義」は「義《のり》（人の行なうべき徳）を守る」という意味であることから、おそらくは、祭祀《さいし》にかかわる行為の成就を願ったものであろう。

つぎに墨書の第一面「道縁立立立」の意味は、文字どおり、道路の縁に木簡を立てるという掲示方法を表記したものといえよう。なお、「立立立」のように三文字繰り返すことは呪符《じゅふ》では一般的であり、手習いではない。古代日本においても、たとえば、静岡県浜松《はままつ》市伊場《いば》遺跡出土の百怪呪符《ひゃっかいじゅふ》木簡には、呪文「急々如律令《きゅうきゅうにょりつりょう》」とともに「戌戌戌」と記している。

形状は、先端部分を加工し陽物《ようぶつ》形に仕上げ、もう一端は第一面の部分に抉《えぐ》りを入れて薄く削り込み、穿孔《せんこう》している。また長さ二二・六センチメートル、幅二・五センチと小型である。陽物形部分を下に向け、常設された柱の釘に掛けられていたとすれば、おそらく道行く人々の目線で見ることができたのではないか。第三面の「天」が上下逆に刻まれていることも、このような使用法を示している。

百済の泗沘の都城は、西から南に錦江《クンガン》（白馬江《ペンマガン》）の大河が流れ、北には扶餘山があり、さらに王京

3

◉**陵山里寺跡出土の陽物形木簡**
第三面（左）の先端部分が平滑に削られているのは、第三面を柱に接触させ、第一面（右）が正面を向くように掲示するためと推測できる。陽物形の先端を道路に向け、道から侵入する邪悪なものを威嚇《いかく》する意図がうかがわれる。

を羅城（外郭）が取り囲んでいる。その羅城のうち、もっとも直線的かつ完全に閉鎖しているのは東辺である。これは、平野部へ通ずる唯一の道路が東にあるためである。

陽物形木簡は、道の祭祀に関連し、六世紀なかばの扶餘（百済王京）を囲む羅城の東門入り口付近に設置された柱に掛けられていたのであろう。

春成秀爾《はるなりひでじ》によれば、日本列島では、陽物形の製作・使用は旧石器時代から現代まで続いており、活力または威嚇《いかく》の機能を象徴する辟邪《へきじゃ》の呪具として用いられていたとされる。また、現在各地で行なわれている民俗行事としての道祖神《どうそじん》祭においても、陽物を用いた祭祀形態が広範に見受けられる。現在の韓国でも、農家の門口に五穀などと一緒に陽物形木製品をつり下げる民俗例がある。したがって、古代朝鮮においても陵山里寺跡出土の陽物形木簡は、王の居住する王京をつねに清浄に保ち、道を通じて邪悪なものが王京に侵入するのを防ぐために、東門入り口付近の「道の縁」に立てられていたのである。

4

◉韓国の古い農家に下げられた陽物形木製品
京畿道《キョンギド》水原《スウォン》にある韓国民俗村には、古民家が移築・復元されている。韓国南部地方の農家の入り口や柱の上には、五穀などとともに陽物形木製品（左の三本）がつり下げられている。

日本の都城と道の祭祀

つぎに、日本での例をみてみよう。

大化《たいか》元年から白雉《はくち》五年（六四五～六五四）までの孝徳《こうとく》天皇の治世下において、都は飛鳥《あすか》から難波《なにわ》へ遷《うつ》されている。このときの難波宮を前期難波宮（難波長柄豊碕宮《ながらのとよさきのみや》）と呼び、その宮域は一応の推定として、東西約六〇〇メートル、南北約五三〇メートルとされている。

平成一一年（一九九九）には、難波宮北西部にあたる大阪府警察本部の敷地で、数多くの土器や木製品、三三点の木簡《もっかん》が出土した。このなかに「戊申《ぼしん》年」と記された木簡があるが、「戊申年」はともに出土した土器の年代から判断すると、大化《たいか》四年（六四八）にあたる。

出土物には、二点の陽物形木製品が確認されている。一点は、下方に括《くく》れが削り込まれている。もう一点は、陰嚢《いんのう》部分まで表現したものである。

前期難波宮の北西隅にあたる地点で、陽物形木製品を用いた「道饗祭《みちあえさい》」のような道の祭祀《さいし》が実施

難波宮の陽物形木製品

されていたと考えられる。しかも二点の陽物形木製品は、百済《くだら》・陵山里寺《りょうざんりじ》跡出土陽物形木簡と同様に掲示するために、括《くく》り部分に紐《ひも》をかけ、陽物形の先端を下方に向けてつり下げたと想定できる。

神祇令《じんぎりょう》によれば、「道饗祭」は夏六月・冬一二月の祭祀とされる。道饗祭は、亀卜《きぼく》を職務とした神官である卜部《うらべ》らが都城《とじょう》の四隅の道上で祭るもので、外からくる鬼魅《きみ》が京域に入らぬよう、あらかじめ道に迎えて「饗遏《きょうあつ》」するものであるという。饗遏の語意は、饗がもてなす、遏が阻止する。つまり、もてなして鬼魅が都域に入るのを阻止するのである。

神祇令ではこのほかにも、「宮城の四隅の疫神《えきしん》の祭」「畿内の堺十処の疫神の祭」「蕃客《ばんきゃく》を堺に送る神の祭」「障神《さえのかみ》の祭」などが規定されているが、このうち後二者は、外国から使節が入京する際に疫病などの侵入を防ぐ目的で、畿内の境や都城の四隅で祭ったものである。

道饗祭は、卜部が祭祀を執行し、牛・鹿・猪など動物の皮を供饌《ぐせん》するが、この動物皮の供饌は臨時に行なわれる疫神祭や堺神祭など、道と堺の祭りに限られている。こうした特異な形態をもつ道と境の祭りは、外来の大陸的祭祀の影響が強いものとみられる。

もうひとつ、日本の都城における道の祭祀と百済との関連をうかがわせる、注目すべき事実を指摘しておきたい。難波宮の南辺には、四天王寺《してんのうじ》や阿倍《あべ》氏の氏寺とされる阿倍寺のほかに、百済の亡命王族百済王《くだらのこにきし》氏の氏寺とされる百済寺《くだらでら》（堂ヶ芝廃寺《どうがしばはいじ》）がある。さらに、大阪市天王寺《てんのうじ》区の細工谷《さいくだに》遺跡からは「百済尼」「百尼寺」などと墨書された土器が見つかっており、この地に百済王氏のもうひとつの氏寺「百済尼寺」が存在したことが知られている。この事実は、古代朝鮮の百済王都の祭祀が、前期難波宮の北西隅で同様に実施されたことを十分に示唆するものである。

なお、渡来系氏族名として「道祖史《ふなとのふひと》」が知られているが、道祖史は百済国から渡来し、「道祖」という氏名《うじな》を称していたという。

東北地方の多賀城《たがじょう》跡からも陽物形木製品が二点出土している。その一点は、外郭東南隅地区で出土したものであり、自然木の樹皮を剝《は》ぎ落として細工し、先端部を亀頭状に仕上げた棒状品である。前期難波宮出土陽物形木製品と同様に括れが削り込まれ、先端を下方に向けつり下げていたと想定できる。陽物形木製品が、一辺約九〇〇メートル四方の多賀城外郭線の東南隅および外郭南門跡付近から出土したことは、都城における道饗祭と類似した祭祀が、地方都市でも実施されていたことを示している。

岐神・道神、そして道祖神

イザナギが投げ捨てた御杖が成った神の名は、『古事記《こじき》』では衝立《つきたつ》船戸神、『日本書紀《にほんしょき》』では岐神とあり、船戸神・岐神はともに「フナトノカミ」と呼ばれた。国づくり神話のイザナギ・イザナミにかかわる物語のなかで、この杖はもともと根のついた樹木で、その生命力は豊饒《ほうじょう》の霊力を示すものであると一般的には理解されてきた。それが陽物の機能と混同されて、集落の入り口や岐路に立てられ、邪悪なものの侵入を防ぐ

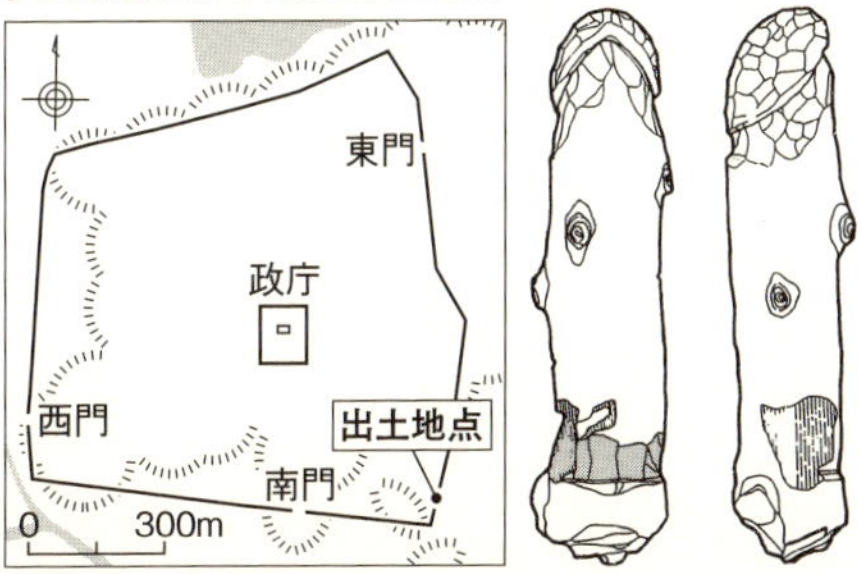

多賀城陽物形木製品と出土地点

役をしたようである。

『倭名類聚抄《わみょうるいじゅしょう》』鬼神部の神霊類では、道祖は「佐倍乃加美《サヘノカミ》」、岐神は「布奈止乃加美《フナトノカミ》」、道神は「太無介乃加美《タムケノカミ》」と読まれている。しかし、その解釈部分は複雑である。道祖の項によれば、中国の古代神話に登場する神、共工氏の子である脩《ゆう》は遠遊を好み、路上で死去したため、後世、祖神とされ、道路の神として祀られたという。この説明は明らかに「道神」のことであり、旅立ちにのぞんで道路の神を祭ること、つまりタムケノカミ（手向けの神）のことである。道祖の和名サエノカミ、つまり邪悪なものの侵入を防ぐことの説明にはなっていない。

このことから考えると、当時はフナトノカミ、タムケノカミなど道にかかわる神を総称して「道祖」とし、あえて「道祖神《どうそじん》」のようには神名を特定していなかったのではないか。『倭名類聚抄』では「道祖・岐神・道神」の三神が横一線に並べて記載されているが、これは三神の並列を意図したものではなく、

道祖
　　岐神
　　道神

という記載の仕方と理解すれば、右記の内容と合致するといえよう。

時代が下り、一〇世紀前半の『小野宮年中行事《おののみやねんじゅうぎょうじ》』には「六月行事・道饗祭事」として、木を刻んで男女二体の神像をつくり、平安東西両京の大小道の衢《ちまた》に相対して安置している旨が記述されてい

る。これらは岐神《フナトノカミ》と称され、悪霊の侵入を防ぐ道饗祭の行事が実施されていたことがわかる。この神像は下半部に陰陽部を刻んでいる。これは当初の陽物形から、人形に陰陽部を刻む形に変化したものと理解できる。こうした祭りは、「時人奇レ之《ときのひとこれをきとす》」と見なされていた。

さらに一二世紀になると、これらの神像は「道祖神」と呼称されるようになっていった。それを確実に示しているのが、『今昔物語集《こんじやくものがたりしゆう》』巻第一三第三四話である。四天王寺《してんのうじ》の僧が、熊野参詣《さんけい》の帰りに紀《き》伊国《いのくに》美奈部（南部）郡の海辺で道祖神と出会うこの説話には、注目すべき点が二つある。ひとつは、このころには道祖神信仰が、都・地方官衙《かんが》のみならず、すでに各地に広がっていることである。もうひとつは、おそらく下半身に陰陽部を表現した男女一対の道祖神像が道端に立ち、それが当時の人には「下劣《げれつ》ノ神形《しんぎよう》」とみられていたということである。

一方、「道祖」に包括されたもうひとつの性格としての「道神《タムケノカミ》」も、一二世紀以降、絵画の世界で具体像が明確に描かれている。

一二世紀なかばごろに描かれたとされる『信貴山縁起絵巻《しぎさんえんぎえまき》』

5

◉『信貴山縁起絵巻』に描かれた丸石
道行く旅人と祠の前の丸石という画面構成は、『扇面古写経』など数多くの絵巻で共通している。丸石が〝旅人の安全を守る道の神〟の御神体であることがわかる。

「尼公《あまぎみ》の巻」のうち、前ページの絵は、主人公である尼公が、南都近くで古老に弟の命蓮《みようれん》の消息を尋ねている場面である。尼公とその従者の背後の道端に、旅行く人の安全を祈願する小さな祠《ほこら》が道端に祀《まつ》られている。その祠の前の幣串《ぬさ》で囲まれた老木の切り株の上に、球状のものが描かれている。このように、数多くの絵巻のなかで、道端あるいは辻の小祠の中に丸石が供えられている。小祠は旅人の安全を祈願する神を祀ったもの、いわゆる道神を祀ったものであろう。これらの丸石が、本章の冒頭でも紹介した現在の山梨県内で特徴的にみられる丸石道祖神に系統的につながるものと思われる。

「道祖」は少なくとも七世紀から一〇世紀頃まで、フナト（クナト）ノカミ・サエノカミという〝邪悪なものの侵入を防ぐ神〟と、タムケノカミという〝旅人の安全を守る道の神〟という二要素を包括する概念だったのであろう。前者は日本の都城や地方官衙においても、百済王京と同様に四隅や入り口付近に陽物を掲げる祭祀が実施されていた。それが一〇世紀以降、政治と儀礼の場の多様化とともに、道の祭祀は都城や地方官衙の方形区画の四隅ではなく、京の街や各地の辻などで実施されるようになったと考えられる。その祭祀形態も、フナト（クナト）ノカミ・サエノカミとして京などの衢に男女の陽物・陰部を表現した特異な人形が登場するようになる。一方、後者の旅人の安全を守る道の神の御神体《ごしんたい》も〝丸石〟という具体的な姿で絵巻物に描かれている。〝邪悪なものの侵入を防ぐ神〟〝旅人の安全を守る道の神〟という「道祖」の二要素は、中世的世界のなかで男女の人形と丸石として具現化されるが、おそらく両者とも「道祖神」と呼称されていたのであろう。

列島の東と西

西国の国名

都府県の旧国名の由来については、これまでにも地域別通史や自治体史、さらには地名辞典などで説明されている。しかし、これら国名の由来は、近世以来の地誌をはじめ現在に至るまで、それぞれ国別に考察されているにすぎない。古代の国名は、古代国家が「国《くに》」「評《こおり》（郡）」「五十戸《さと》（里・郷）」という行政区画として画定したものである。したがって国名は、日本列島におけるヤマト朝廷と各地域の支配関係を十分に反映して決定されたものであろう。いいかえれば、国名決定に際しては、一貫した原理原則のもと、行政的にも徹底した方針が貫かれたと見なすべきである。

その点からも、従来のように各国個別に考察された由来というものは、再検討する必要がある。

まず、列島全体をみると、国名決定の原理には西の諸国と東の諸国で大きな違いがある。

西国の国名は「出雲国《いずものくに》出雲郡」のように、国名と同じ郡名をもつ例が多い。「河内《かわち》国河内郡」をはじめ、和泉《いずみ》・安芸《あき》・阿波《あわ》・伊予《いよ》・土佐《とさ》・大隅《おおすみ》・薩摩《さつま》・壱岐《いき》も同様である。

これに対して東国の場合は、上総《かずさ》国安房《あわ》郡が分立して安房国となるような例を除けば、駿河《するが》国駿河郡の一例があるのみである。

西国は東国に比べて、早い段階からそれぞれの地域が自立的に地域支配を確立し、一時期は畿内

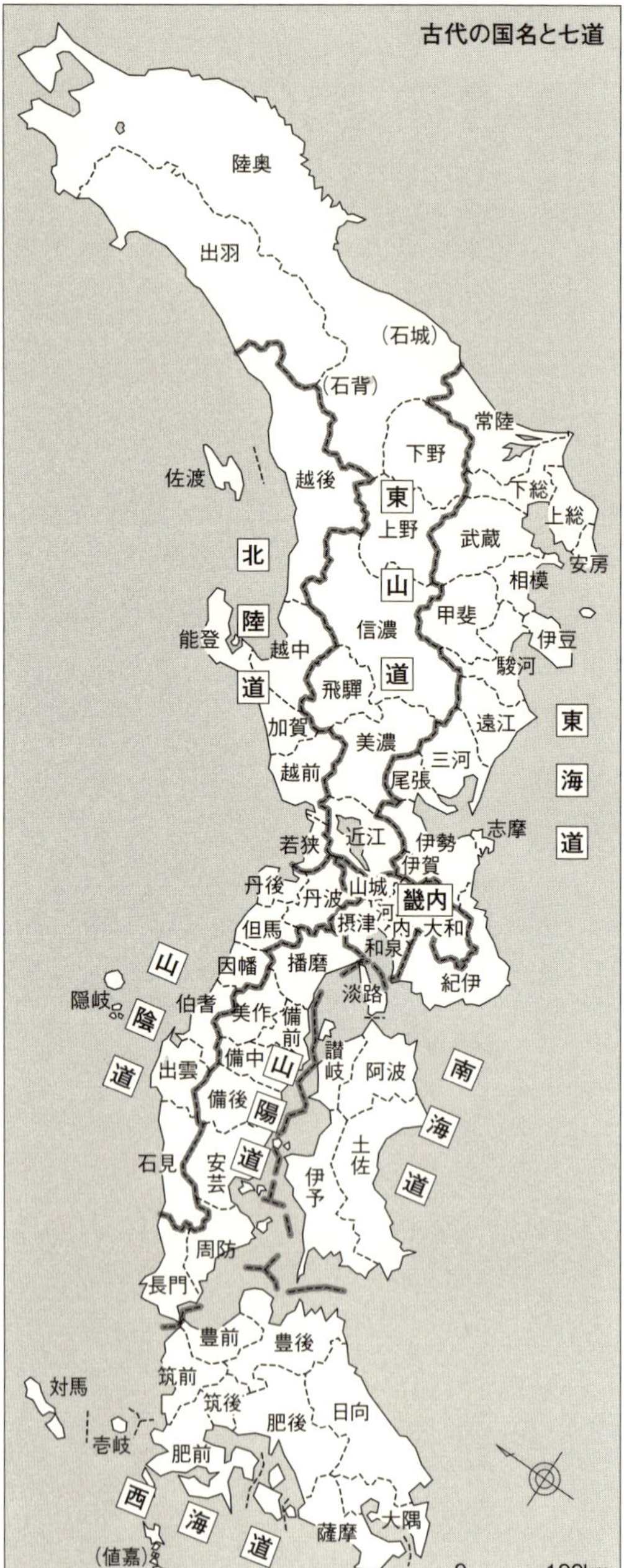

を基盤とするヤマトと拮抗《きっこう》する勢力さえ存在した。しかし、ヤマト朝廷による全国的支配の確立に伴い、それぞれの国の成立に際しては、出雲・吉備《きび》などの地域勢力の名称がそのまま国名として命名された。このため、西国の国名については、郡名と同一の国名が多く存在すること、また各国相互の関連性（命名に際しての共通の原理）も認められないことなどの傾向が指摘できるのである。

東国の国名の共通原理

一方、東国はヤマト朝廷に新しく服属した地域であり、朝廷は現地の豪族を国造《くにのみやつこ》に任命し、その勢力基盤とした。そのために東国の国名は西国とは異なり、ヤマト朝廷側からの視点で命名されたのではないか。以下、具体的に検証していこう。

●近江《おうみ》国と遠江《とおとうみ》国

近江は都に近い琵琶湖《びわこ》を「近《ちか》つ淡海《あわうみ》」と称したことに由来する国名である。これに対し、遠江は都から遠い浜名湖《はまなこ》を「遠《とお》つ淡海」と称したことに由来する。七世紀後半の木簡《もっかん》の国名表記にも「近水海国」「遠水海国」とあるが、実際にそこに住む人にとっては「近い」「遠い」という意識などありえない。あくまでもヤマト朝廷の立場からみてこその遠近感であろう。

●美濃《みの》国と三河《みかわ》国

美濃はもともと「三野」「御野」と書いた。「野」には山すその緩やかな傾斜地の意味があり、この場合には各務《かがみの》野・青野《あおの》・加茂野《かもの》(または大野《おおの》)の三つを指す。つまり、三つの野があることから「三野」と名付けられたのである(『新撰美濃志《しんせんみのし》』)。

一方の三河も、男川《おとかわ》・豊川《とよかわ》・矢作川《やはぎがわ》の三つの川があることがその名の由来となっている(『国名風土記《こくめいふどき》』など)。

●信濃《しなの》国と駿河《するが》国

信濃は「科野」とも表記する。「野」は三野と同じく、山すその緩やかな傾斜地を指す。「しな」の由来は「級坂《しなさか》（段丘）」「科の木《しなのき》」の二説が有力である。

駿河は「流れが速くてするどい川」を意味し、富士川《ふじがわ》に由来する国名であろう。

近江から不破《ふわ》の関を越え、美濃・信濃・上野《こうずけ》・下野《しもつけ》と行くルートが東山道である。近江から鈴鹿《すずか》の関を越え、尾張《おわり》・三河・遠江・駿河・伊豆《いず》・相模《さがみ》と行くルートが東海道である。この山道と海道で、北と南の地の国名が、「野」と「河」という対《つい》になって付けられていることに注目したい。山側の美濃に対しては海側の三河が、信濃に対しては駿河が対になっている。このように対になっている国名というのは、ヤマト朝廷がいっせいに命名したためであることがわかる。

●甲斐《かい》国

「甲斐（カヒ）」の語源については、近世以来、山と山の狭間《はざま》を意味する「峡《かひ》＝賀比・可比」であるというのが通説であった。しかし、古代の万葉仮名《まんようがな》にみられる一三の音（ヒ・エ・キ・ケなど）に漢字をあてるとき、ひとつの仮名には甲・乙の二種類の音があるとされる。これによると、甲斐の「斐」がヒの乙類であるのに対し、峡＝賀比の「比」はヒの甲類で発音が合わないことが明らかとなり、「峡」説は学問的に成立しがたいことになった。西宮一民《にしみやかずたみ》は新しい解釈として「甲斐＝交《か》ひ」説を提示し、他界と現世の「交ひ」の国とした。しかし、この説明では国名が本来、行政的視点から命名されたことと合わない。

『古事記《こじき》』『日本書紀《にほんしょき》』のヤマトタケルの東征伝承は、ヤマト朝廷の東国支配の過程を物語っている。両書に共通するのは、ヤマトタケルが東海道からわざわざ甲斐国の酒折宮《さかおりのみや》（山梨県甲府《こうふ》市）に立ち寄って東山道へ向かい、最終地の尾張国（愛知県）に戻るという伝承である。

東海・東山両道の結節点が、酒折宮（坂折宮）に象徴される甲斐国であった。この東国支配における重要な結節点の役割こそが、「交ひ」、つまり甲斐国の原義であろう。

朝廷は、大宝《たいほう》四年（七〇四）に諸国の国印をいっせいに作成するにあたり、正方形の印面を「〇〇国印」と四文字構成にするため、国名はすべて二文字で表記することを決めた。しかもその文字は、「三野」「御野」を「美濃」とするなど、よい意味のもの（吉《きっ》祥語《しょうご》）を選んで使用した。「交ひ」の国名も、おそらくこのときはじめて「甲斐」の二文字をあてたのであろう。「甲」は干支《かんし》の十干の第一、もっとも優れた物事を意味し、「斐」は美しく盛んなさまであり、ともにめでたい文字である。

ヤマトタケルの東征ルート

●武蔵国《むさしのくに》と相模国《さがみのくに》

武蔵と相模の国名由来には、ひとつの地域が上下に分割されたものと考える説と、それぞれを別個に考える説とがある。

前者をとる『古事記伝《こじきでん》』は、「牟佐《むさ》」が「牟佐上《むさかみ》」「牟佐下《むさしも》」の二国に分割され、「牟佐上」の「む」が略されて相模に、「牟佐下」の「も」が略されて武蔵となったと説く。ただし「牟佐」の意味は不明である。さらに『国号考《こくごうこう》』では、「御坂上《みさかかみ》」が相模、「御坂下《みさかしも》」が武蔵の語源であるとしている。

一方、武蔵・相模を個別に考える説としては、隣国六国（相模・下総《しもうさ》・甲斐・信濃・上野・常陸《ひたち》）と境を差し向かい合っていることから「六差」が語源であるとする『武蔵志料《むさししりょう》』、「さし」とは道路のことで、この国は諸州の人が通る街道であるから「六さし」であるとする『温古随筆《おんこずいひつ》』などがある。

武蔵国は古くは東山道に属したが、宝亀《ほうき》二年（七七一）に東海道に編入されたことからもわかるように、両道に深くかかわる大国である。いずれにせよ、甲斐と同様、武蔵はヤマト朝廷による東国支配政策のなかで、東海道と東山道をつなぐ役割を課されたことに基づく国名なのではないか。

●常陸国《ひたちのくに》と陸奥国《むつのくに》

ヒタは「直《ひた》」、直接にという意味で、チは道である。つまり、「ひたち」とは「みちのおく」に直に接する国という意味で、東北地方が道奥《みちのく》と呼ばれていたころには「常道」（ひたみち）と書かれ、陸奥と呼ばれるようになると「常陸」と書かれるようになるのである。

古代国家がしだいに東日本にその支配を及ぼすようになっても、そのさらに東の奥に依然として残された「化《け》外《がい》の地」（統治の及ばないところ）があるという意味で、「陸奥」と、そこに接続する「常陸」の名が生まれたのであろう。

●伊豆《いず》国・総《ふさ》国・出羽《でわ》国

伊豆は難波《なにわ》朝には駿河に属し、天武《てんむ》朝にふたたび分置されている。伊豆半島の形状から、「出《い》ずる」が語源であると理解するのが妥当だと思う。

総国は七世紀段階の出土文字資料によれば「総」でなく「捄」を用いていることが判明した。昭和四二年（一九六七）に奈良県橿原《かしはら》市の藤原宮《ふじわらきゅう》跡から、のちの上総《かずさ》国のことを「上捄国」と書いた木《もっ》簡《かん》が二点発見されている。

①己亥年十月上捄国阿波評松里（己亥《きがい》年は文武《もんむ》天皇三年（六九九））　一七五×二六×六ミリメートル
②天観上捄国道前〔日下マ〕　二五六×二六×八ミリメートル

それでは、「捄」という字にはどのような意味があるのだろう。「総」も「捄」も訓は同じ「ふさ」であるが、音は「ソウ」と「キュウ」で別字であり、意味も異なる。「捄」は果実の房、たとえば房

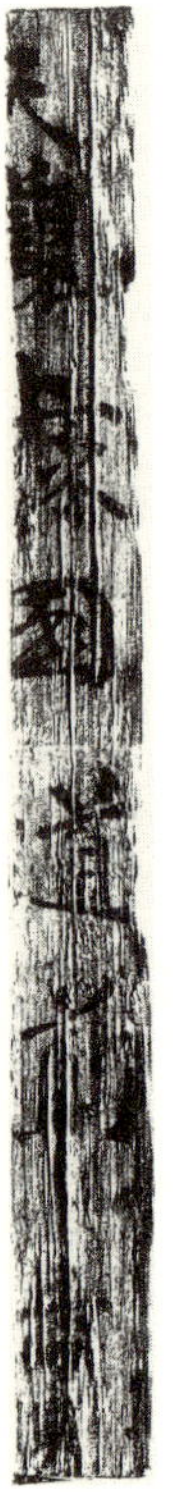
6

◉「上捄国」という国名表記
木簡は断片であるが、僧天観が上捄（上総）国の出身で、俗名は日下《くさか》マ《べ》某であったことが記されている。

なして実るブドウの実のようなものを意味する。東国全体の国名のあり方からすれば、「捄」の意味は地形に基づくものと理解すべきであろう。つまり房総半島の形状を海上から見たときに房状と把握されたのではないか。伊豆国と類似した国名のあり方といえよう。

和銅《わどう》元年（七〇八）に創設された出羽郡、そして和銅五年に建てられた出羽国は「伊氏波《いでは》」と読まれており、越《こし》国の「出端《いでは》」の意味とされている。伊豆国・総（捄）国と近似した国名であろう。

●越《こし》国

七世紀段階では「越」ではなく「高志」と表記されている。「高志」は「高麗《こま》」などと同様の字音表記であり、「越」はむしろ八世紀以降の吉祥語の表記と考えられる。

「越国」は、東国の国名の原理とは異なるかもしれない。つまり、西国の吉備《きび》（備前《びぜん》・備中《びっちゅう》・備後《びんご》）、筑紫《つくし》（筑前《ちくぜん》・筑後《ちくご》）、肥《ひ》（肥前《ひぜん》・肥後《ひご》）、豊《ぶ》（豊前《ぶぜん》・豊後《ぶんご》）の各国が前・中・後に分立したのに対して、東国では毛野《けの》（上野《こうずけ》・下野《しもつけ》）および総《ふさ》（上総《かずさ》・下総《しもうさ》）の国は上・下に分立している。「越」が分割されて生まれた「越前《えちぜん》」「越中《えっちゅう》」「越後《えちご》」という方式は、西国における命名ルールと同様である。

●毛野国《けののくに》

『宋書《そうじょ》』倭国伝《わこくでん》に見える倭王武《わおうぶ》の上表文の「東征毛人五十五国」という毛人の国と毛野国は、無関係ではないであろう。毛野は歴史上、東国のなかで独自な地域的展開を見せており、ヤマト朝廷からみた場合、内陸で地域隔絶性がとくに意識されたため、かつての毛人国と結びつけたことによる国名であろう。

ちなみに、「上野国《こうずけのくに》」「下野国《しもつけのくに》」は本来、「上毛野国《かみつけののくに》」「下毛野国《しもつけののくに》」であったのが、前述の大宝四年（七〇四）の国印作成に伴う国名の二文字化により「毛」の字を省いたうえ、「野」の字の読みまで飛ばしてしまったために生じたものである。

このように、ヤマト朝廷に新たに服属した東国は、朝廷の側からの視点による国名表記となっている。国名からいえば、越国（高志国）は東国の範疇《はんちゅう》に入らず、また、毛野国は東国のなかでも自立性・隔絶性をもった国名かもしれない。しかし、それ以外は、陸奥と常陸、甲斐と武蔵といった道の視点、または美濃（三野）と三河、近江と遠江といった地形・地理の視点から命名されていることがわかる。それゆえに、陸奥国陸奥郡も常陸国常陸郡も存在しないのである。

道の視点、地形・地理の視点いずれの場合も、東国全体の構図のなかで、二国または数国をセットとし、それぞれの命名時期はともかく、中央政府によって立案され命名されたと考えられる。

古代の郡・郷の姿

水陸交通の幹線「氷上回廊」

南北に細くのびる日本列島の本州には、背骨となる山脈が長く連なっている。この山脈の尾根筋に形成される中央分水界から分かれ出た河川は、太平洋・瀬戸内海と、日本海とに注いでいる。この中央分水界によって、太平洋・瀬戸内海側と日本海側とでは気候や風土、生態系などに違いが生じる。そして、この急峻《きゅうしゅん》な山並みが自然の障壁となって、古来、それぞれの地域の人々の往来を妨げてきた。

この本州を縦断する中央分水界のなかで、もっとも標高の低い場所が兵庫県丹波《たんば》市氷上《ひかみ》町石生《いそう》の「水分《みわか》れ」である。この地は平地に分水界が形成された「水分れ」で、もっとも低いところでは海抜わずか九五メートルにすぎない。

「水分れ」の中央分水界は谷間を通っており、谷中《こくちゅう》分水界と呼ばれている。この谷中分水界の南には高谷川《たかたにがわ》が西流し、柏原川《かいばらがわ》に合流したのち加古川《かこがわ》となり、瀬戸内海へと流れる。一方、「水分れ」の北には黒井川《くろいがわ》が北流し、竹田川《たけだがわ》、土師川《はぜがわ》と流れを集めて由良川《ゆらがわ》に合流し、日本海へと流れ出る。

近年、気候の温暖化が問題となっている。もしも気温がさらに上昇して南極・北極の氷がいっせいに溶けはじめ、海水面が一〇〇メートル上昇したならば、加古川をさかのぼって瀬戸内海からくる海水と、由良川をさかのぼって日本海からくる海水が「水分れ」で合流し、ここに本州を分断する海峡、いわば「氷上海峡」が出現することになる。

ところで、加古川水系と由良川水系では、谷中分水界を経由することで、険しい難所の山越えをすることなく容易に人と物資と情報が流通する交通路が形成され、瀬戸内海側と日本海側とがつながっていた。このルートは「氷上回廊」と呼ばれ、古くからの水陸交通の重要な幹線であった。ルート上に位置する丹波市付近は、これまでも、ナウマンゾウの群れが北の日本海側から南の瀬戸内海側へ移動する際の通り道ではないかと想定されている。

この「水分れ」を中心とする地域に、古代の氷上郡が設置されていた。氷上郡および諸郷（里）のあり方は、律令《りつりょう》国家における郡や郷のあり方の典型ともいえるものである。しかも、中国山地のなかで地形的に交通の便に恵まれた「氷上回廊」は、高速道路のルート設定にも最適であったため、その建設に伴う事前発掘調査によって数多くの遺跡・遺物が発見された。山間部にある限られた平地は、現在の地域社会でも中核的集落となっているが、古代においても郡の役所や駅家《うまや》などが設置されていたのである。

氷上回廊の衛星写真

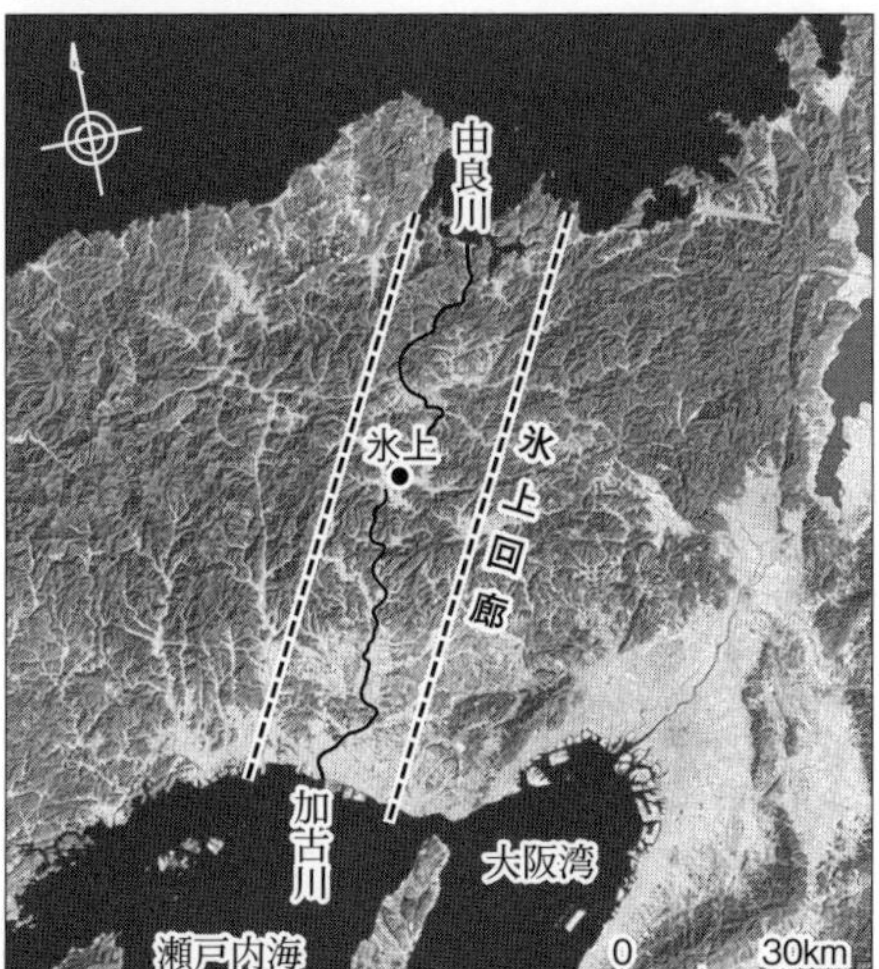

7

氷上郡家別院——春日町山垣遺跡

山垣《やまがき》遺跡は氷上《ひかみ》郡の東部、現在の兵庫県丹波《たんば》市春日《かすが》町にある八世紀前半の遺跡である。発掘調査の結果、堀で囲まれた南北五〇メートルほどの規模の施設であったが、遺跡の西半分は未調査であり、その全貌《ぜんぼう》を知ることはできない。「春部《かすかべ》」「春マ」(マは部の略字)などと記された墨書土器《ぼくしょどき》や木簡《もっかん》が多数出土した。なお、山垣遺跡のすぐ西北にある春日《かすが》・七日《なぬか》市《いち》遺跡は、大型の掘立柱《ほったてばしら》建物跡が並んだ奈良時代後半から平安時代初頭の官衙《かんが》遺跡である。「春マ郷長」の墨書土器などが出土しており、奈良時代前半の山垣遺跡の役割を継ぐものである。

まず、山垣遺跡から出土したつぎの郡符《ぐんぷ》木簡からみていこう。

〔表〕符春部里長等　竹田里六人部　□□　□依而□

〔裏〕春マ君広橋　神直与□　□〔部〕里長□□〔弟足〕木参出来　四月廿五日　碁萬侶、
春マ鷹麻呂　右三人　　少領
今日莫不過急々　□

古代氷上郡域と郷

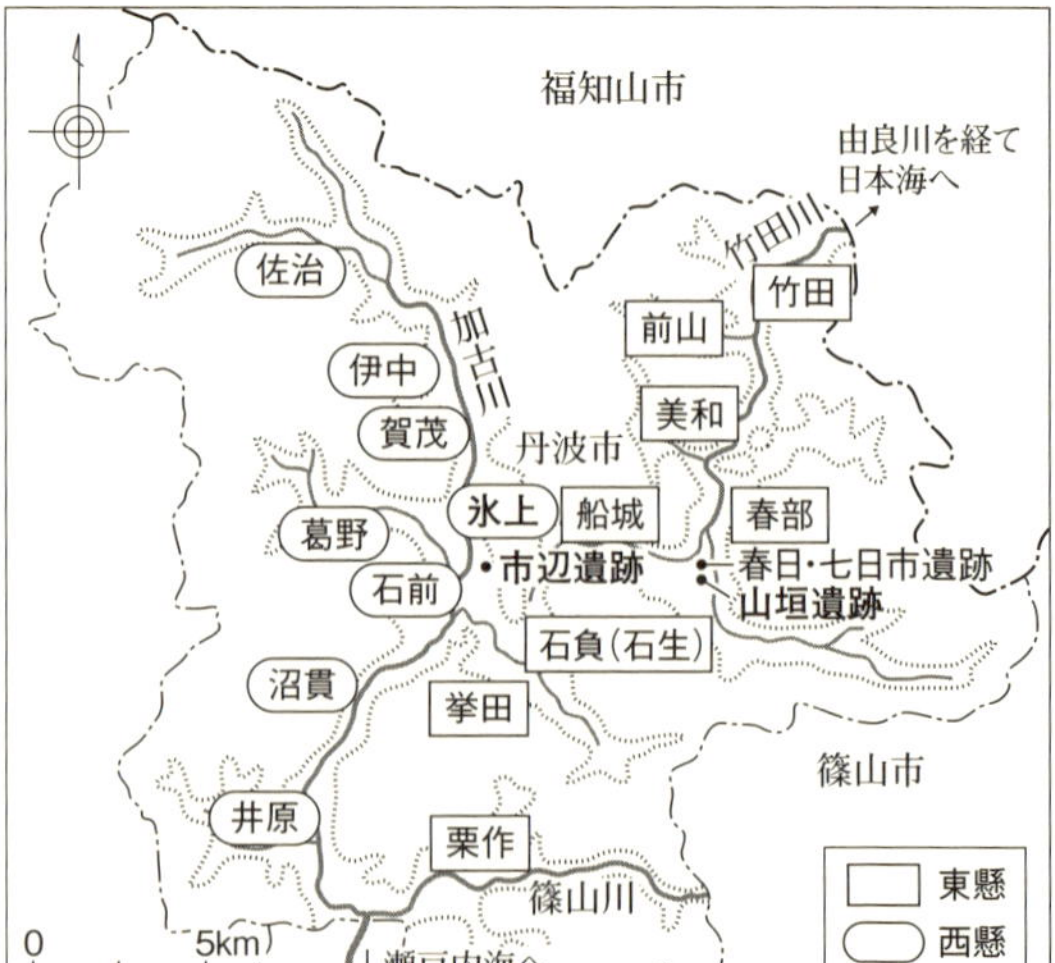

六一九×五二×七ミリメートル

木簡の内容は、氷上郡司《ぐんじ》から春部里長らにあてた、春マ君広橋《かすかべのきみひろはし》ら里人を召喚するための命令文書である。遺跡の性格を考えるうえで、この郡符木簡とともに出土した、つぎの木簡にも注目したい。

丹波国氷上郡　　三六五×三五×七ミリメートル

この木簡の形状は特異である。上半部は短冊形であるが、上端近くと中ほどにそれぞれ左右から切り込みを入れ、下端に向かって緩やかに細めて、全体が羽《は》子《ご》板《いた》に近い形になっている。奈良県長屋《ながや》王《おう》家跡や新潟県八幡林《はちまんばやし》遺跡などから出土した同様の形状の木簡のなかには、紙の書状送付の際に、二枚の板、または一枚を割いたものに書状を挟んで紐《ひも》で縛り、紐の上から「封」の文字または墨を打って封印したことを示すものが確認されている。現在の封筒に相当するこの種の木

8

◉丹波国氷上郡の郡符木簡（部分）と封緘木簡
右の郡符木簡は権威のある命令書なので、悪用防止のため、用がすんだあとは差出人の側で、この木簡の下端に見るように切断処分していた。左の封緘木簡の文字は、書状の上書きにあたり、あて先である「丹波国氷上郡」だけしか記されていない。

簡は、封緘《ふうかん》木簡と呼ばれている。

これを参考にすると、「丹波国氷上郡」はあて先を記したものであり、この封緘木簡はあて先で紐が解かれ廃棄されたものであるから、山垣遺跡は郡家《ぐうけ》にかかわる施設と理解できる。さらに、もう一方の郡符木簡のあて先には春部里長のほか「竹田里《たけだ》」などを含んでおり、ほかの木簡にも氷上郡内の各里の名がみえるので、この遺跡が里（のち郷）を管理する郡家関係の施設であったことも確認できる。

氷上郡は中国山地に位置し、中世に各郷を中心として荘園《しょうえん》化されたのちは、大きな改変がなかったため、現在の郡内には古代の郷名がほとんど完全に遺存している。そして、それらの郷は二つの水系によって東部と西部の二グループに大別される。

この二グループは、つぎにあげる一〇世紀前半の『倭名類聚抄《わみょうるいじゅしょう》』高山寺《こうざんじ》本が表記する「東縣《ひがしのあがた》」「西縣《にしのあがた》」に相当する。

東縣　栗作《くりつくり》、挙田《そくた》、原屓（石生《いそう》の誤写か）、船城《ふなき》、春部、美和《みわ》、竹田、前山《さきやま》

西縣　佐治《さじ》、伊中《いなか》、賀茂《かも》、氷上、石前《いわさき》、葛野《かどの》、沼貫、井原《いはら》

氷上郡の郡家は西部の氷上里に設置されたが、郡家とは異なる水系に発展した東部地区は、郡家相当の施設、いわば別院を必要としたはずである。それが春部里内に属していた山垣遺跡であろう。

郡家の別院には郡司《ぐんじ》が常駐し、春部里長をはじめ東部の各里長が頻繁に出仕することによって機能していたのである。

律令《りつりょう》制下の郡そのものは、氷上郡にみるように地形上、行政上の矛盾を内包したまま、形式上で設定された。そのため、設置当初から行政実務に即応したかたちで、別院が建置されたのであろう。

氷上郡家とその関連施設――市辺遺跡

兵庫県氷上《ひかみ》町市辺《いちべ》遺跡は加古川《かこがわ》の上流域にある。平成一一年(一九九九)の発掘調査の結果、八世紀後半に建てられた三棟の大型掘立柱《ほったてばしら》建物と、九棟の総柱《そうばしら》建物の倉庫が検出された。倉庫は床面積九～二四平方メートル前後の規模の小さい建物である。

遺跡の東方の山ぎわには古代山陰道が想定されており、まだ遺構は確認されていないが、その官道に接して氷上郡の郡家《ぐうけ》が設置されていたのではないか。市辺遺跡は、加古川の舟運を利用した、氷上郡家の物資集積施設であろう。

ここで郡家本院(市辺遺跡周辺)と郡家別院(山垣遺跡)の関係をうかがわせる、貴重な封緘木簡《ふうかんもっかん》を紹介しておきたい。

(墨点)返抄進送　　　　　　　　　　　五三〇×四八×八ミリメートル

製作方法は、まず厚さ八ミリメートルの一枚板を羽子板状に整形し、上下二か所に紐《ひも》で縛るための切り込みを左右から入れ、つぎに板の頭部から羽子板状の柄の上部まで割いている。

封緘木簡の場合、上書きには書状にかかわる文言しか書かない。この封緘木簡の上書きは、差出・あて先を明記しないで、「返抄」という〝文書の領収〟の意味と、「進送」という〝上申〟のかたちで送付したことを示す文言しか記されていない。このような記載の仕方から判断して、同一行政機構内のやりとりとみることができる。おそらくは、山垣遺跡に置かれた郡家別院から氷上郡本院にあてたものではないか。

以上の事実を整理してみよう。

「氷上回廊」では、日本列島においてもっとも低い分水界を中心として、東部と西部が地形的に二分され、歴史的にも異なる展開をしてきた。律令《りつりょう》国家は、陸上交通は山陰道と丹波道《たんばどう》、水上交通は日本海に注ぐ由良川《ゆらがわ》と瀬戸内海に注ぐ加古川《かこがわ》など、水陸交通の要衝の地であるこの地域を、一六郷からなる氷上郡として設定した。

中国山地のような地形では、古代の陸上交通ルートはそのまま現在の国道および高速道路計画と

9

◉氷上郡家あての封緘木簡
上部の切り欠きに残る墨痕《ぼっこん》（斜めの二点）は紐の上から封印の墨を打った際のもの。

合致するため、近年大規模な発掘調査が実施された。その結果、大宝《たいほう》律令施行当初の八世紀初めから、氷上郡はその地形および歴史環境を十分に配慮し、西部の郡名を冠する氷上郷に郡家本院（氷上町の市辺遺跡を含む一帯）を置き、東部の春部《かすかべ》郷に郡家別院（春日町の山垣《やまがき》遺跡）を置いたことが判明した。さらに一〇世紀の史料では、氷上郡は西部地域を西縣《にしのあがた》、東部地域を東縣《ひがしのあがた》と定めており、こうした八世紀以来の実態が明確に行政区画として反映されているのである。

地名を探る

出土文字資料と地名

われわれの住んでいる地域の地名は、いったい、いつごろまでさかのぼることができるだろうか。東京の都心の地名でも、江戸時代に付けられたものとは限らない。たとえば、一〇世紀前半の『倭《わ》名類聚抄《みょうるいじゅしょう》』には、武蔵国荏原《むさしのくにえばら》郡の郷名としてすでに「蒲田《かまた》」（東京都大田区）、「荏原」（品川区）、「美《み》田《た》」（港区三田）などが見える。

古代律令《りつりょう》国家は全国を畿内七道に分け、その下に国《くに》・郡《ぐん》・里《り》（のちに郷《ごう》と改称）を設けた。この国・郡・里制は、奈良県の平城宮《へいじょうきゅう》跡出土木簡《もっかん》「備後国《びんご》御調《みつき》郡諫山《いさやま》里白米五斗」のように、各地から都へ送られた税の付札《つけふだ》などから、その実施の様子を知ることができる。

しかし、こうした公の目的をもって記載された資料に基づいて古代の地方社会をみてきた結果、郡・里という行政区画以外の地名が見落とされてきたともいえるのである。

近年、全国各地の遺跡で発見される出土文字資料には、郡郷名以外の地名と思われるものが数多くある。その一例をあげてみよう。

一般的に、遺跡名は現在の小字《こあざ》などの地名を用いる。千葉県市原《いちはら》市草刈《くさかり》遺跡出土の八世紀前半の土器に「草苅於寺坏」と墨《ぼく》書《しょ》されたものがあった。寺の名が「草苅於寺《くさかりうえでら》」（於＝上）であり、その寺の坏《つき》型の土器という意味である。古代の仏教説話集『日本霊異記《にほんりょういき》』に、紀伊国名《きのくにな》草《くさ》郡の貴志《きし》の里に村人たちが建てた寺を「貴志寺《きしでら》」と呼んだとある。「草苅於寺」も、古代の「草苅」という郷名ではない地域名を寺の名に付けて呼んだのであろう。現在の市原市内の字名《あざめい》「草刈」が八世紀代

草刈遺跡と墨書土器「草苅於寺」

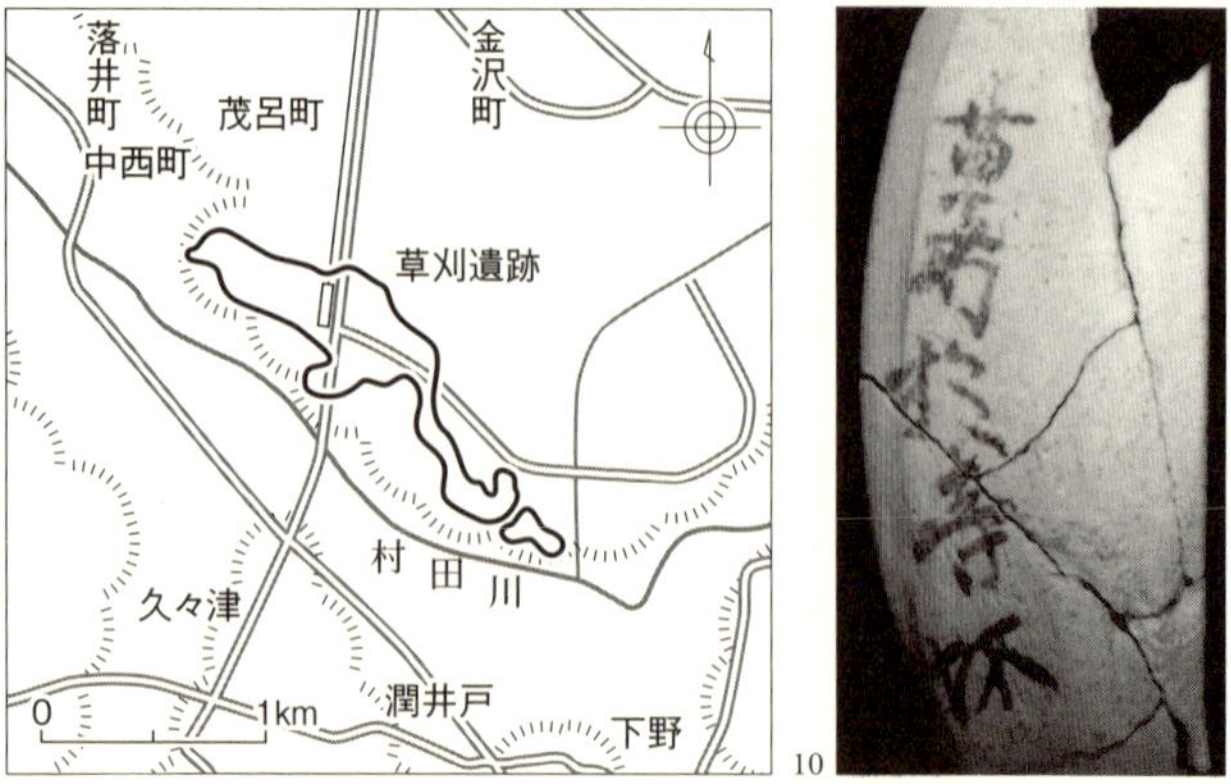

10

にまでさかのぼることが、一点の墨書土器で明らかになったのである。
また、平成七年（一九九五）、栃木県宇《う》都宮《つのみや》市の中心部から東へ約七キロメートル、北から南に流れる鬼怒《きぬ》川《がわ》沿いの段丘上に立地する国指定史跡、中世の飛山城跡《とびやまじょう》から「烽家《とぶひや》」と墨書された九世紀の土器が発見され、大きな話題となった。

古代における最速の情報伝達手段は〝のろし〟である。律令《りつりょう》国家は、のろしを大々的に軍事通信手段として運用する、いわゆる烽《とぶひ》制度を中国から導入した。烽は四〇里（約二〇キロメートル。古代の一里は約五〇〇メートル）ごとに設置され、昼は煙を上げ、夜は火を放つことと定められた。その古代の軍事通信施設である烽家が、全国ではじめて姿を現わしたのである。

この飛山城跡は、鬼怒川の河床より二〇メートル以上高い段丘上にあり、東山道を眺望できる。中世文書に「飛山」「鵄山《とびやま》」「富山《とみやま》」などと表記され、中世においてすでに「とびやま」城と呼称されていたことがわかる。「とびやま」は古代の〝とぶひのある台地〟に由来する地名であったことが、これまた一点の墨書土器の発見で判明したわけである。

墨書土器「烽家」

11

地名の読み方を知る

『倭名類聚抄《わみょうるいじゅしょう》』には、愛知県の県名の由来である「尾張国愛智《おわりのくにあいち》郡」という郡名が見える。一方、『日《に》本書紀《ほんしょき》』ではこれを「年魚市郡」、「正倉院文書《しょうそういんもんじょ》」の山背《やましろ》国計帳《けいちょう》（徴税台帳）では住民の逃亡先として「尾治《おわり》国鮎市郡」と記している。いずれも鮎《あゆ》（年魚）の字を用いており、愛智（ai-chi）を鮎市（ayu-ichi）とあてている。古代の日本語には、母音の連読を回避し、二母音の片方を省くという傾向がある。このayu-ichiの場合もu-iの二母音のuを省略し、アイチと読ませたのであろう。

また、服部という苗字《みょうじ》は現在ではハットリと発音されているが、じつは服部は、古代においては織物に従事する職業集団の氏名《うじな》であり、もともとは「服（機）織部」と記され、全国に広く分布していた。この「服織部」（ハタオリベ hata-ori-be）が、先の例と同様にa-oの二母音のaを省略してハトリベ（hatoribe）へと変化したのである。さらに古代においては、錦織部《にしこりべ》をニシコリなどと「部」を読まないように、服織部も通常ハトリと呼ばれたのであろう。

このハトリの読みは、最近発見された出土文字資料の、漢字の音だけを用いた表記によって裏付けられた。千葉県印旛《いんば》郡栄町五斗《ごと》蒔瓦窯《まきがよう》跡から出土した瓦には「皮止阝（部）」の文字が記されており、また、滋賀県野洲《やす》市中主《ちゅうず》町西河原森ノ内《にしがわらもりのうち》遺跡出土の木簡にも「羽止里阝（部）」と記されている。「皮止阝」（リの音が略されている）・「羽止里阝」は、いずれもハトリと読み、二点とも「服部」を漢字の音で表記したものである。現在も五斗蒔瓦窯跡のすぐ東に成田《なりた》市羽鳥《はとり》という地名があり、西河原森ノ内遺跡のすぐ西に守山《もりやま》市服部《はっとり》町が存在することも興味深い。

また、『倭名類聚抄』に見える「上総《かずさ》国武射《むさ》郡高文里」の「高文里」の読みは、平城京《へいじょうきょう》跡のいわゆる長屋《ながや》王《おう》家木簡「上総国武昌郡高舎里荏油」によって、はじめて明らかとなった。「高舎」はタカヤ（taka-ya）と読むことから推して、「高文」はタカフミではなくタカアヤ（taka-aya）がタカヤ（takaya）と変化したものであることがわかる。

『倭名類聚抄』の原本は現在伝わっていないが、書写本がいくつか残されており、最古の書写（平安末期）である天理《てんり》図書館所蔵の「高山寺《こうざんじ》本」、室町《むろまち》時代初期に写した伊勢《いせ》神宮《じんぐう》文庫所蔵の「伊勢二十巻本」などが知られている。『倭名類聚抄』のなかの〝国郡部〟とされる部門は、古代における全国の郡・郷名を知る貴重な史料である。しかし、各種の写本によってその地名記載が異なっているケースがあり、その場合、いずれが正しいか判断する根拠がない。たとえば、参河《みかわ》国の八名《やな》郡の郷名のひとつに「多米郷」（高山寺本）と「多木郷」（大東急文庫本）があるが、この場合は平城宮跡から発見された参河国から都に送った和銅《わどう》六年（七一三）の付札《つけふだ》木簡に「八名郡多米里」とあり、高山寺本の「多米里（郷）」が正しいことが判明した。同様の例で、同国幡豆《はず》郡には「析嶋郷」（高山寺本）と「新島郷」

12

◉七世紀後半の瓦に刻まれた「皮止阝（部）」
五斗蒔瓦窯跡に出荷されないまま残っていた瓦片には、四〇〇点以上の文字瓦が含まれていた。七世紀代の東国における人名や地名表記を研究する際、字音表記の実態がわかる貴重な文字群である。

（大東急文庫本）という二つの異なる表記の郷が見える。これも藤原宮《ふじわらきゅう》跡および平城宮跡から数多く出土した海産物の付札に「析嶋」「佐久嶋」と記載されていたことから、「析嶋《さくしま》郷」という郷名であることが明らかになった。

このように、地名はその地域の位置した自然環境や歴史をわれわれに伝えてくれる、貴重な証言なのである。

地域の歴史が現代に息づく

日本列島各地に現在も伝えられている民俗信仰のうち、戌亥隅神《いぬいのすみのかみ》と道祖神《どうそじん》はその代表格である。

地方豪族の拠点に整備された郡役所の西北隅には、少なくとも八世紀には式内社《しきないしゃ》クラスの神社が

13

◉里の地名の読みを決定した一点の木簡

「武昌」の「昌」は万葉仮名では「サ」にあたるので、この木簡は「武射郡」を指している。続く「高舎」の読みが「タカヤ」であるとすると、『倭名類聚抄』では武射郡内にはないが、隣接する山辺郡《やまのべ》に「高文郷」があるので、taka-aya の母音連続を避けた読み方と合致する。

置かれていた。この点から考えると、西北隅を鎮護する信仰は、各地に古くから存在した可能性がある。

平安時代には、中央の役所や地方の国府《こくふ》・城柵《じょうさく》など中核施設の西北隅に、小さな社《やしろ》が設置された。公の役所から始まり、やがて貴族の邸宅など個人の住居の西北隅に祀《まつ》られたものが屋敷神《やしきがみ》となった。日本各地の民俗例として、現在においても屋敷の西北隅に屋敷神を祀る地方は数多い。

道祖神信仰は、これまで民俗学で想定してきたように古代の村々に当初から存在したものではなく、古代の都城祭祀《とじょうさいし》として政治的に創出された、特異な祭祀形態と考えるべきものである。それゆえに道祖（神）信仰は、まず都城で成立したのであり、やがてその出先ともいうべき地方都市でも実施されるようになり、一〇世紀以降には京の街や各地の辻などへと広がっていったのである。

古代の都城と同様に、村落に邪悪なものが侵入するのを防ぐ村の祭りとしての道祖神祭は、おそらく村の自治が本格的に確立される中世末から近世に、村落内祭祀として確立されたのであろう。そして、村落における境界祭祀的要素に加え、豊作・縁結び・夫婦和合・安産・子宝などの諸祈願、さらには地蔵《じぞう》信仰などが近世以降に加味されていったのであろう。それに伴い、祭りの場も村境から村の中心部の衢《ちまた》に移っていったと思われる。

考古学の発掘調査成果を契機として文献資料を博捜《はくそう》し、さらには民俗学・国文学にまで検討が及んでこそ、現在の地域社会においても根強く残る戌亥隅信仰、屋敷神信仰そして道祖神信仰の実態が、はじめて明らかにできるのである。

古代日本においては、中華思想に基づいてきわめて政治的に、ヤマトを中心とする東西南北を設定した。しかも、東西は南北より強く意識されたのである。その列島における東と西の問題について、もっとも両者の歴史的位置づけを象徴するものとして、国名のあり方をとりあげてみた。

その結果、東国と西国の国名はまったく異なる命名原理のもとに定められ、自立的に命名された西国の国名に対して、東国の国名が中央からの視点で付けられたことが明らかになった。このことは、ヤマト朝廷による国家確立過程を見事に読みとることのできる、新しい視点の発見ともいえるであろう。このように、古代日本における東と西の問題は、その後の歴史のなかで変質しながらも、現代社会においても政治・文化などに強い影響を与えている重要なテーマである。

つぎに、今に生きる古代の地域社会における合理的な行政運用の事例を検証してみた。

中国山地の厳しい自然環境のなか、丹波《たんば》地方で人々の集住する地は、由良川《ゆらがわ》に合流する東部の竹《たけ》田川《だがわ》流域と、西部の加古川《かこがわ》およびその支流域に限られている。古代の人々が集住した一六郷は、中・近世を通じてほぼそのままに維持され、現在でもそのほとんどを現地に比定できる良好な条件の地域である。

律令《りつりょう》国家は、地形的にも歴史的にも異なる東部と西部の二地域を、机上で氷上郡《ひかみ》として設定した。しかし実際は、設定当初から郡家《ぐうけ》を本院と別院に分けて役所実務を運用していたのである。この氷上郡における郡の行政および郷（里）のあり方は、列島各地の郡郷行政においても、自然環境を十分に生かした行政機能の合理的運用が実施されていたであろうことを推測させるものである。

平成一六年（二〇〇四）、古代の氷上地域は「丹波市」と改められた。平成一八年には、日本列島を縦断する原始以来の通路「氷上回廊」の地で白亜紀《はくあき》の恐竜ティタノサウルス類の化石が発見され、丹波市の地域振興のシンボルとして空前の盛り上がりであると聞いている。この発見に、古代氷上郡から近世・近代まで続く加古川水運など、特異な自然環境を生かした豊かな地域の歴史を加えることを、ぜひとも切望するものである。

さらに、この章では平成の大合併により、危機的状況に追い込まれている地名の問題をとりあげた。私たちの身近にある大字《おおあざ》・小字《こあざ》地名は一二〇〇年前にまでさかのぼることができる。この事実がたった一点の墨書土器《ぼくしょどき》によって証明できるというのは、じつに驚くべきことである。

しかし、平成の大合併による歴史的地名の改変・抹消などはいうに及ばず、全国各地の自治体は現在、中央〇丁目や大手〇丁目、〇〇ヶ丘などのような画一的な地名変更を推し進めている。このような施策は地域固有の歴史を抹殺し、貴重な歴史遺産を破壊する愚かな行為といわざるをえない。

14

◉新潟県栃尾市の双体道祖神
男神と女神が手を握り顔を寄せ合う、いわゆる双体道祖神である。現在、栃尾《とちお》市ではこうした道祖神を「さいのかんさま」（塞の神様）や「きんか（ん）さま」などと呼び、下半身の病の治療や子宝の神として尊崇している。

地下から掘り出される資料から信仰や地名の歴史を読みとり、地域の豊かな歴史像を描いていく作業は、まさにこれから本格的な段階に入る。そのためにも、今に残された民俗行事や地名を、われわれは大切に守っていかなければならない。

第八章

辺境世界は古代国家の理想像か

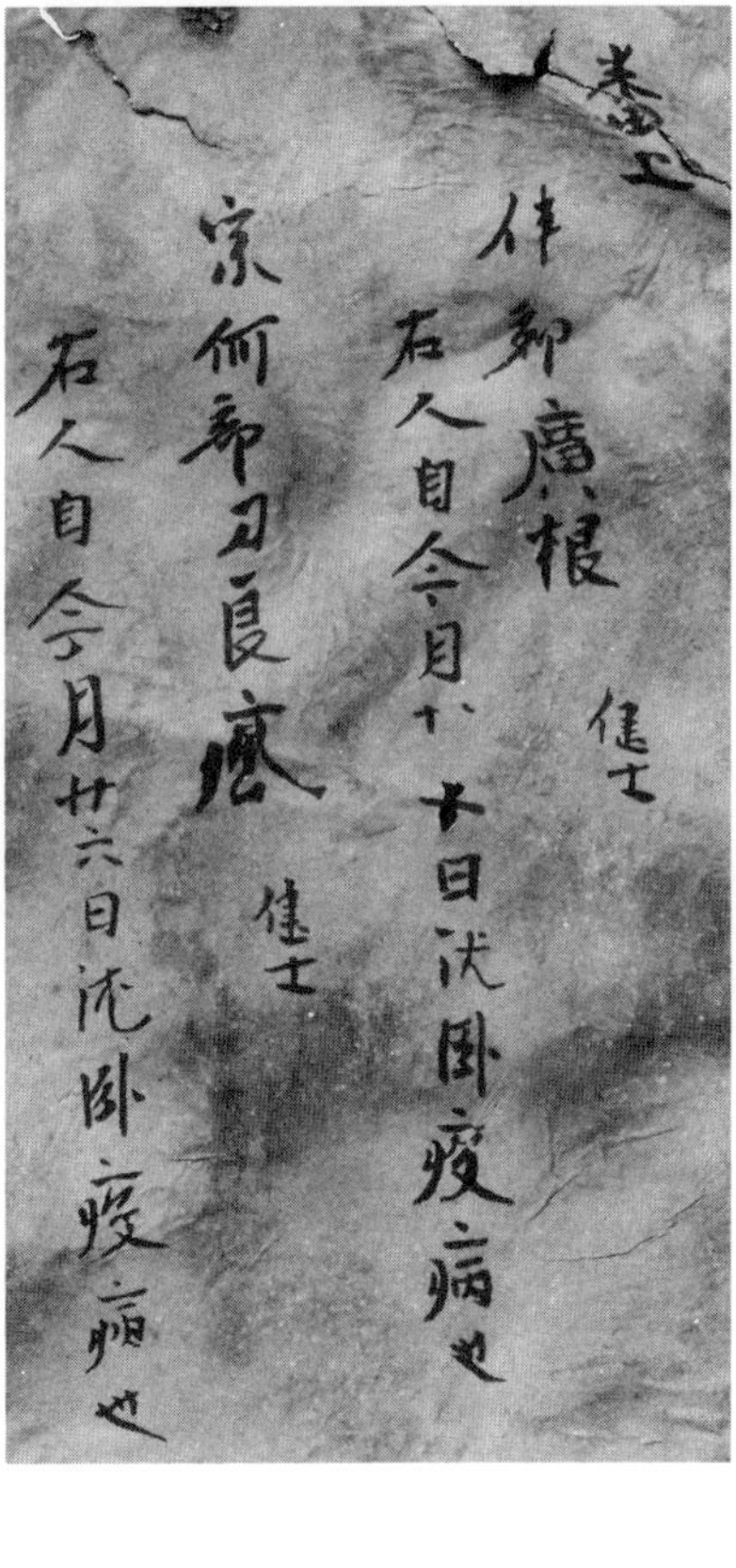

古代中国の〝中華思想〟の影響を受けたわが国では、天皇の支配する〝中華〟の周辺には蝦夷《えみし》や隼人《はやと》が住み、彼らはしだいに王の徳に従うかたちで服属し、支配者は彼らを教え導くという考え方が取り入れられていた。律令《りつりょう》国家において辺境とされていたのは、東辺・北辺は東海道・東山道・北陸道の蝦夷と接する地域であり、西辺は西海道の隼人に接する地域を指している。

政府は、つねに蝦夷や隼人に対して食を饗《きょう》し禄《ろく》を与えるなどの懐柔策をとる一方、その攻撃などを予測して、軍隊を常駐させ防衛機能を備えた〝城柵《じょうさく》〟を辺境の地に設置していた。

南九州の隼人は八世紀前半には国家にほぼ服属したが、東北の地においては蝦夷の勢力が強く、政府は八世紀後半、新しく城柵を設置した。これを基点として、つぎつぎに新たな郡《ぐん》を設立し、住民から税を徴収しようとしたのである。

古代国家が隼人・蝦夷などと対峙《たいじ》したときに、もっとも重視したのは、国家の威容を示すことである。

〝遠《とお》の朝廷《みかど》〟と呼ばれた西の大宰府《だざいふ》（福岡県）・東の多賀城《たがじょう》（宮城県）は、辺境支配の行政・軍事の中核機関にふさわしい威容を外国の使節や隼人・蝦夷に誇示し、都城《とじょう》を模した都市的景観を整えていたであろう。この章ではまず、近年の大規模な発掘調査の成果に基づいて、多賀城をはたして古代都市とみることができるのかどうかを、都市成立条件に照らして検証してみたい。

つぎに、国家というものは夷狄《いてき》と接する辺境においてもっとも強く意識されるとすると、鎮護《ちんご》国家のための儀礼は、辺境において率先して挙行されたものと推測される。それを裏付ける出土文字資料に注目したい。

さらに、西辺の防備の主役〝防人《さきもり》〟については、これまでまったく出土資料がなかったが、ついに平成一六年（二〇〇四）、佐賀県唐津《からつ》市の遺跡で東国防人に関する貴重な木簡《もっかん》が出土した。また、東北地方の城柵との後援の役割を果たした関東地方の状況などが、発掘調査で出土する膨大な文字資料によってわかってきた。これらを通じて、東アジア世界の諸外国、そして国内の隼人・蝦夷との緊張関係のなかで古代日本の軍事体制が整備され、実践的かつ合理的な施策が実施されていた事実を検証してみたい。

辺境とは中央の鏡である。隼人・蝦夷の目に古代国家がどう映るように辺境政策を推進したかは、とりもなおさず、古代国家自体がどうありたいと願ったかを示しているともいえる。その一方で、防備をはじめとする一連の政策でつねに過重な負担を余儀なくされたのは東国の人々であり、また、ほかならぬ「辺境」の住人たちであった。この章では、こうした観点から古代国家の辺境政策と、それに巻き込まれた人々の姿を具体的にみていこう。

1

◉古代山城《やまじろ》鞠智《きくち》城の八角形建物跡
鞠智城跡は熊本県の菊池平野北端にある。文武《もんむ》天皇二年（六九八）に大野《おおの》・基肄《きい》両城とともに修理されている。異様な八角形建物は、百済《くだら》の二聖《イーソン》山城にもあり、辺境支配の象徴的建物である。

古代地方都市・多賀城

古代地方都市の条件

近年、縄文《じようもん》・弥生《やよい》時代などの大規模な遺跡、たとえば青森県三内丸山《さんないまるやま》遺跡や佐賀県の吉野ヶ里《よしのがり》遺跡などが発見されるたびに、「縄文都市」「弥生都市」などと華やかなキャンペーンが展開されている。しかし、そもそもこれらを「都市」とみるためには、前近代社会においてどのようなものを都市と呼ぶのかについての十分な検討が必要であろう。

一般的に都市という概念は、農村と対比される人間の居住区であり、比較的大規模な人口をもち、非農業的な産業、つまり商業と工業をその基盤にもつものとみられている。この概念に基づくならば、古代の日本においては、その都市の典型は中央の都城《とじよう》に求められる。ならば、その都城を模した地方行政の中心・国府《こくふ》は、はたして古代都市と見なすことができるだろうか。まずは都城における都市計画を参考にしながら、地方都市成立のための主要な条件をあげてみよう。

①都市計画の根本をなすものは、直交する道路によって町を区画する方格地割《ほうかくじわり》である。従来、歴史地理学の研究者によって、国府においても方八町などの方格地割の存在が指摘されてきたが、周防《すおう》国府跡など各地の発掘調査の成果では、八、九世紀段階に方格地割遺構を確認することがで

きなかった。しかし、国府は地域社会に自然に成立したものではなく、中央権力がつくりだしたものであるということを考慮すれば、方格地割に基づく国府が存在する可能性を否定すべきではない。

②都市全体の地区構成と各地区の建物配置など、実態の検討も必要である。都市は各種の生産機構を集中して設定・管理し、都市民の大量消費と流通に対処した。国府ではこれらの施設が郷《ごう》ぐらいの広さのなかに存在し、特別の行政区画を形成する。そのため、都市としての境界を方格地割の範囲内だけで考えるのか、あるいは方格地割のみにとらわれず、そういった関連施設をも含む「国府域」といったものを設定するのか、都城とは異なる、古代地方都市独自の領域設定も必要となる。

③都市は、行政・軍事および経済活動などを円滑に運用するために、あらゆる交通・流通体系の結節点に位置する必要がある。これらを整備することで、都市はその成熟度を飛躍的に増大させることができる。その意味から、国府と道・港津・河川および市場など、交通・流通体系を明らかにしなければならない。

④古代の都市空間を検証するうえで欠かすことができないのが、人口集住がもたらす疫病《えきびょう》や火災などの都市災害を鎮圧するための、都市独自の祭祀《さいし》である。そして、都市祭祀が実施された広がりを確定できるならば、方格地割や地区構成という視覚的都市空間とは別の要素から都市空間を把握することができるのである。

これら地方都市形成の諸条件を具体的に検証できるフィールドとして、現状では大宰府《だざいふ》と、陸奥《むつ》国府の置かれた多賀城《たがじょう》がある。ここでは多賀城を例に、辺境における古代地方都市の実像を、右記①から④の各条件に照らし合わせながら明らかにしていきたい。

多賀城に見る都市的諸要素

まず、①の方格地割について考えてみよう。

多賀城跡《たがじょう》の南西部にあたる微高地では、政庁中軸線に一致する南北大路《おおじ》（幅一七メートル。のちに二三メートルに拡幅）や南辺築地《ついじ》に平行する東西大路（幅一二メートル）をはじめ、東西・南北の小路《こうじ》が多数発見されている。南北大路は、南門から南に向かってまっすぐ延びるメインストリートで、いわば多賀城の〝朱雀《すざく》大路〟である。

発掘調査によれば、このような大路・小路は八世紀後半に整備され、つづく九世紀初頭に行なわれた改修で、これを基準とした町並みが成立している。九世紀前半ごろには、城内の実務官衙《かんが》が急増しており、町並みの造成が多賀城の機能整備の一環として行なわれ、方格地割《ほうかくじわり》が充実していったことがわかる。

また、八世紀段階の建物などの方向も注目される。多賀城近隣の山王《さんのう》遺跡や高崎《たかさき》遺跡などの建物の軸線は、多賀城の政庁中軸線や外郭線と方向が一致する。一方、多賀城の西方約二キロメートルにある新田《にいだ》遺跡の建物遺構の方位は、政庁中軸線・外郭南辺のいずれの方向とも一致しない。このことから、多賀城に近い範囲では、多賀城や多賀城廃寺からのなんらかの規制を受け、やや離れた地域になると地形に合わせて建物がつくられているのである。

つぎに、②の地区構成についてはどうであろうか。東西大路に面した区画では、一町四方の区画全体を占めるような上級官人たちの住居跡がみられる。とくに山王遺跡千刈田《せんかりだ》地区からは、大規模な四面庇《ひさし》付《つ》き建物跡が検出されたほか、奢侈《しゃし》品である中国産陶磁器などが出土した。第四章で紹介した、右大臣への馬の貢進に関する仮領収書「右大臣殿餞馬収文《せんばしゅうもん》」と書かれた題籤軸《だいせんじく》もここから出土しており、この遺跡が中央とやりとりができる施設、つまり、国司《こくし》（守）の館であると想定できる。

また、山王遺跡多賀前《たがまえ》地区においても、一三世紀

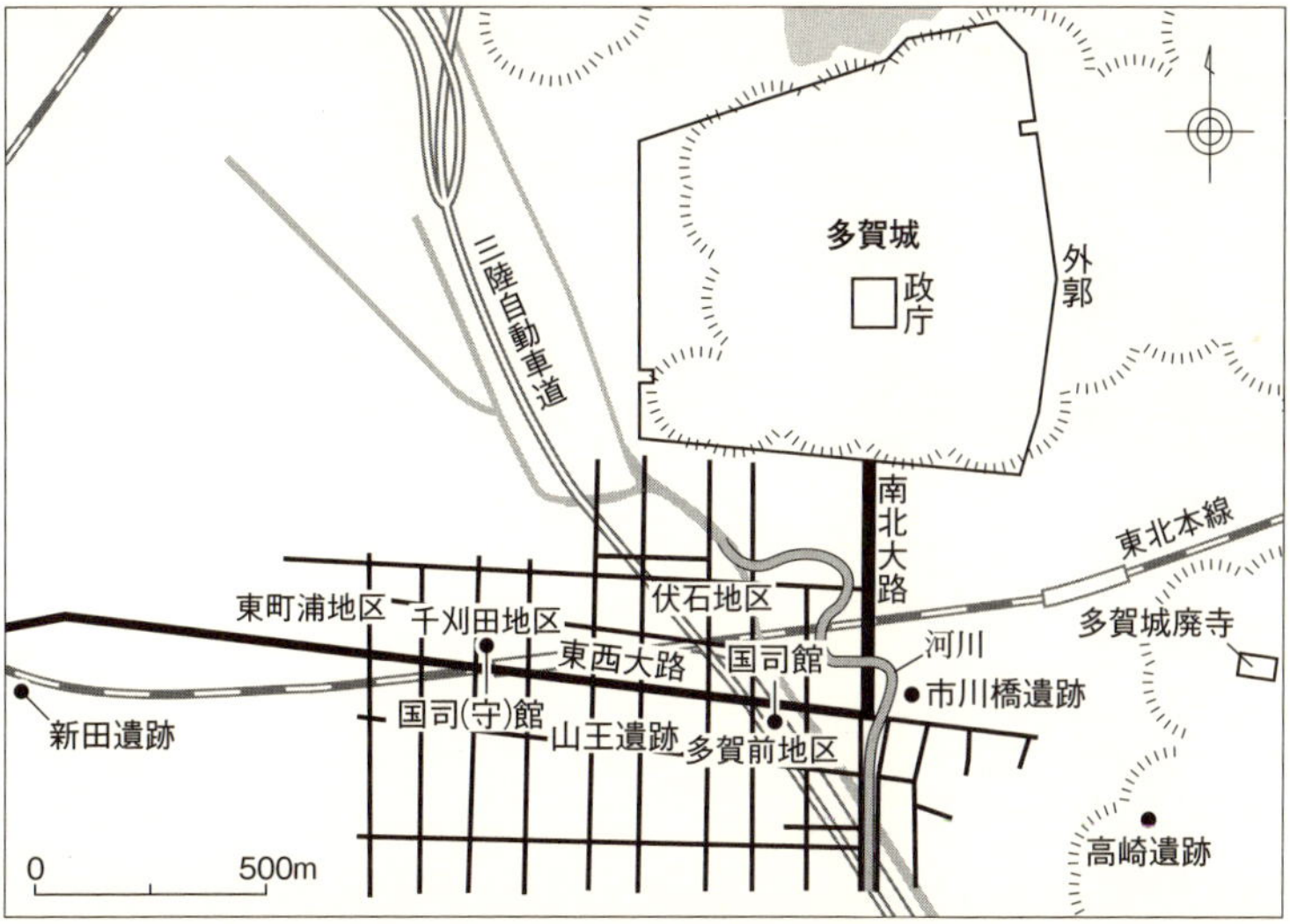

◉多賀城南面の遺跡と方格地割
南北大路を横切る川に架かっていた橋の跡も、発掘により確認されている。

に描かれた『北野天神《きたのてんじん》縁起絵巻《えんぎえまき》』の菅原道真《すがわらのみちざね》邸のような、遣水《やりみず》状の遺構を中心とした建物配置になっており、国司の館とされている。ここから出土した多量の供膳《きょうぜん》用土器のなかに「宮城《みやぎ》」「賀美《かみ》」「曰理《わたり》」といった陸奥《むつ》国内の郡名とみられる墨書《ぼくしょ》があることを考慮すると、国司が郡司《ぐんじ》らを招いて饗宴を行なったのであろう。

一方、大路からやや離れた地域には、陸奥国内の郡にかかわる施設や工房、下級役人たちの住居などが置かれていた。

伏石《ふせいし》地区では、東西大路から一区画分離れたところに、小規模な掘立柱《ほったてばしら》建物跡と鍛冶《かじ》工房跡・井戸跡・畑跡などが確認された。この井戸から、会津《あいづ》郡の郡司三等官である主政《しゅせい》の作成した解文《げぶみ》（上申書）の控えをまとめた題箋軸が出土している。郡主政の上申書の控えならば、本来は郡家《ぐうけ》に保管されるべきであるが、この題箋軸は陸奥国府である多賀城下の山王遺跡から出土したのである。このことは、国府には各郡の出先機関があったことを意味している。現在、東京に各道府県の出張所が設けられているのと同じ方式である。

このほかにも、多賀城の町並みのなかには漆《うるし》作業や鍛冶《かじ》にかかわる工房跡、牛馬処理工房跡があり、さらに周辺には、大規模な製鉄・製塩関係の生産遺跡も見つかっている。

河川跡から出土した牛・馬などの多量の獣骨や骨角《こつかく》製品は、解体の痕跡《こんせき》を明瞭に残す。平城京《へいじょうきょう》における官営の牛馬処理工房と同様、多賀城でも動物の解体から皮革生産・骨角細工までの一連の作業を行なう工房の存在が確認できる。

鉄は武器をはじめ工具・農具などの製造に不可欠の素材である。製鉄遺跡として注目されるのが、柏木《かしわぎ》遺跡である。この遺跡は多賀城の東方約四キロメートルにあり、丘陵斜面を段築《だんちく》状にして、製鉄炉・木炭窯《がま》・鍛冶工房などの遺構をコンパクトに配置している。精錬炉は八世紀前半のものとみられるが、これは多賀城の創建年代に相当し、まさに多賀城直営の製鉄所であったといえる。

また、多賀城の外郭東南地区からは「所出塩竈」や「塩竈木運廿人」と記された木簡《もっかん》が出土しているが、後者は「塩竈《しおがま》に使う薪《まき》を運ぶ二〇人」という意味で、多賀城が松島《まつしま》湾沿岸での製塩作業自体を管理していたことを示す資料である。

③の水陸交通と港湾については、多賀城外前面の道路網から主要官道へのアクセスはほとんど不明であり、わずかに中世の多賀城周辺の状況から古代の姿を類推するしかない。中世には現在の仙台市岩切《いわきり》にあった冠川明神《かむりがわみょうじん》（延喜《えんぎ》式内社《しきないしゃ》志波《しわ》彦神社《ひこじんじゃ》。のちに塩竈

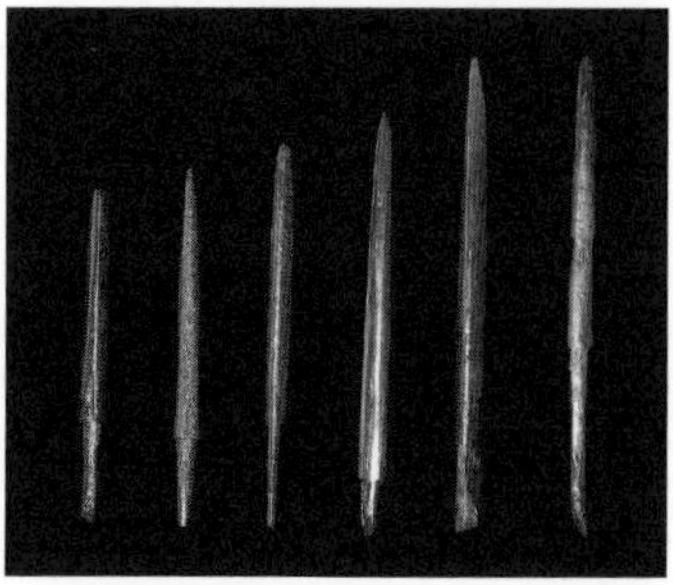
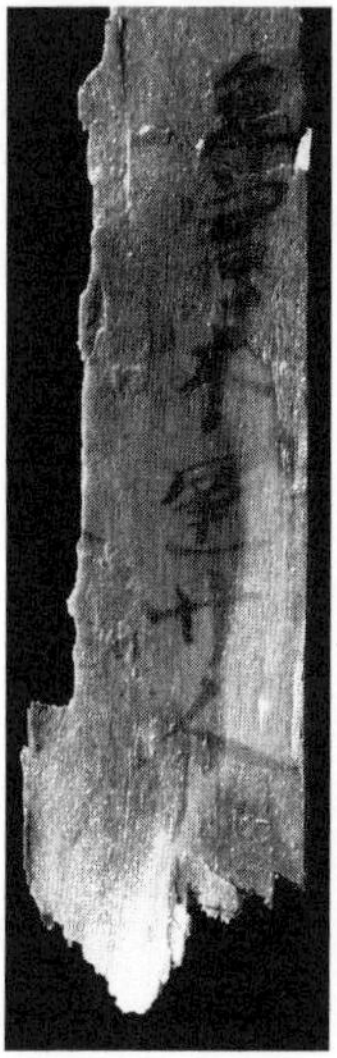

◉多賀城における多様な生産物
右上は挽物《ひきもの》の椀で、ロクロで精巧に仕上げられている。右下は骨製の鏃《やじり》。鉄製ではなく、あえて硬い鹿の角を削って加工している。左は製塩用の燃料となる木材を運ぶ人足のことを記した木簡。「塩竈木運廿人」と書かれている。

神社内に移遷）付近で、北上する本道「奥大道《おくたいどう》」と古代多賀城の地へ向かう支道「奥細道《おくのほそみち》」とが分かれていた。

一方、水上交通と港湾についてみると、多賀城の東門から塩竈浦に道が通じている。そこは陸奥国一宮《いちのみや》、塩竈神社の所在地であり、塩竈津は陸奥国の「国府津《こうづ》」たる重要な港であった。現在も「香津《こうづ》千軒《せんげん》」「香津町」（香津は国府津のあて字）という地名が残っている。

国府関連の港には、もうひとつ、冠川《かむりがわ》（七北田川《ななきたがわ》）の河口に開けた「湊浜《みなとはま》」があった。多賀城跡の南面の発掘調査で検出された一〇世紀前半とみられる運河状遺構は、多賀城から南の「湊浜」へ通じる水路と考えられる。

最後に④であるが、多賀城で行なわれていた、いわゆる都市固有の祭祀としては、つぎのようなものがあった。

懺悔滅罪《さんげめつざい》のため、多数の灯明をともして仏菩薩《ぼさつ》に供養する法会《ほうえ》が「万灯会《まんどうえ》」である。もっとも古い記事は『日本書紀《にほんしょき》』の白雉《はくち》二年（六五二）一二月にあり、難波長柄豊碕宮《なにわのながらのとよさきのみや》への孝徳《こうとく》天皇の遷移に伴い、朝庭内に二七〇〇あまりの灯明をともして経典を読ませている。『続日本紀《しょくにほんぎ》』には、聖武《しょうむ》天皇が天平《てんぴょう》一六年（七四四）一二月に金鐘寺《こんしゅじ》と朱雀大路で一万灯を供養したとある。

この法会に用いられたとみられる油煙状の煤《すす》の付着した多量の土器が、高崎遺跡井戸尻《いどじり》地区（六四〇点）と山王遺跡東町浦《ひがしまちうら》地区（二〇〇点以上）の二か所で発見されている。朱雀大路での例を参考にすれば、山王遺跡東町浦地区では、土器の出土地点の南に近接する東西大路で万灯会が執り行なわれていたとみてよいであろう。

また、多賀城南門の西南方約二五〇メートルにある運河の堆積《たいせき》土からは、一一世紀頃のものと考えられている木簡一点が発見されている。表に「百恠平安符未申立符」、裏に「奉如実急々如律令」（抜粋）と記されているこの木簡は、城内へ侵入しようとする百怪を鎮《しず》め除くための呪符《じゅふ》で、道饗祭《みちあえさい》（227ページ参照）のとき、未申《ひつじさる》（西南）隅に立てられた符にあたる。

このほかにも多賀城では、穴を掘って土器を埋設した遺構が、道路の交差点（辻）や区画内部で発見されている。これらの土器埋設遺構は、その場所に施設を建てる際の地鎮などの祭祀《さいし》に伴うものと思われる。とくに、道路部分で発見された埋設遺構は辻にあり、埋設時期が明確なものはすべて一〇世紀前半に限定され、道路の造成工事中や改修中に埋設されたことが確認できる。つまり、これらは辻を中心とした道路という特定の場所を意識して、限定された時期に計画的に行なわれた祭祀遺構であるといえる。

以上の点を総合的に判断するならば、多賀城は古代地方都市と見なすことができるであろう。

地方都市たる多賀城への人口集中の一端は、徭丁《ようてい》

3

◉多賀城外郭の未申（西南）隅に立てられた呪符
裏面には「急々如律令」と書かれている。これは「早急に律令のように厳しく罰せ」という意味。呪いが早く確実に効力を発揮することを願う、道教の呪句である。邪悪なものが城内へ侵入しようとするのを阻止するために立てられたもの。

（雑徭《ぞうよう》を負担する丁《てい》。つまり年間六〇日以内で雑役に徴発された成人男子）と兵士にある。多賀城には、ほかの国府と異なって多数の兵士が常駐していたが、その数は弘仁《こうにん》年間（八一〇～八二四）で五〇〇人という。また、多賀城で働いた徭丁は、弘仁一三年に定められた大国の定員によれば計約七〇〇人とされる。このなかには文書作成に携わる書手、紙漉《す》き・文書の装丁、筆や墨・文箱《ふばこ》や木簡・兵器などの製作に携わった工人、その他さまざまな雑用に従事した人々が含まれる。

多賀城に限らず、国府は構成員の中心になる国司が中央からの派遣官であるゆえに、その維持には国府周辺に集住させたこれらの人々の労働力提供が不可欠であった。しかも八世紀に編纂《へんさん》された『出雲国風土記《いずものくにふどき》』からは、国府に接して郡家・軍団・駅家《うまや》などの諸施設が集結している様子がうかがわれ、国府所在郡そのものが他郡と異なる存在であったことは間違いない。これらの国府関連施設の維持と生産・流通機能の促進のために、労働力の提供者として多くの人々を集住させ、周辺を整備し、一定の領域を設定する必要があったのである。

現段階では、一般諸国の国府については、政庁などを中心とした発掘調査のみにとどまっており、広範囲の周辺調査にまでは至っていない。そうした状況下では、これまでに述べた多賀城における都市としての諸条件が、多賀城の特殊性によるものなのか、それとも、ある程度一般諸国の国府に及ぼしうるものなのかは結論づけがたい。

しかし、以上の検討から、辺境の地に整然とした古代地方都市が存在したことは確実である。多賀城の威容は周辺住民や蝦夷《えみし》に対して、圧倒的な示威効果を発揮したであろう。

鎮護国家――「最勝王経」と「孝経」

陸奥国で「最勝王経」を転読

福島県南部の玉川《たまがわ》村江平《えだいら》遺跡は、福島空港の南西約二キロメートル、阿武隈《あぶくま》川東岸の河岸段丘上に立地する。この付近は古代白河《しらかわ》郡の北端にあたり、南東約一〇キロには白河郡家《ぐうけ》に比定される関《せき》和久《わく》遺跡などがある。この遺跡は、周辺から「寺」と書かれた墨書土器《ぼくしょどき》が出土していることや、以下に述べるような木簡《もっかん》の記載内容から、仏教に関連する施設とされている。

木簡は遺跡南西の沢地から出土した。この沢地からは、ほかに土師器《はじき》や須恵器《すえき》、竹製縦笛《たてぶえ》、木製容器、横槌《よこづち》・鍬《くわ》などの農耕具、鉄製紡錘車《ぼうすいしゃ》、瓢箪《ひょうたん》や桃の種などが出土しており、儀式に用いられた祭祀具《さいし》を一括《いっかつ》して投棄したと考えられる。

〔表〕最勝□□佛説大□〔辨〕功徳四天王経千巻又大□〔般〕□百巻

〔裏〕合千巻百巻謹呰万呂精誦奉天平十五年三月□〔二または三〕日

長さ二四〇×幅三六×厚さ四ミリメートル

短冊《たんざく》形で、表面の書き出し部分は墨痕《ぼっこん》がきわめて薄く、文字の字画が部分的に失われている。これはおそらく、一定期間、外に掲示されていたために風化したのであろう。

冒頭二文字を「最勝」と釈読《しゃくどく》するならば、これは経典名「最勝王経《さいしょうおうきょう》」と想定できる。さらに「四天王《してんのう》経《きょう》」は、「最勝王経」との関連でいえば、「最勝王経」巻第六に収められている「四天王護国品《ごこくほん》」のことであろう。また、裏面の最後には「精誦奉天平《てんぴょう》十五年三月□日」と読誦《どくじゅ》しおえた日付を記している。

木簡の内容は、「最勝王経」のうち「大弁《だいべん》（天《てん》）品《ほん》」「功徳天品《くどくてんほん》」「四天王品」の三品を「合千巻」、くわえておそらく大般若経《だいはんにゃきょう》を「百巻」、呰万呂《あざまろ》という人物が読誦したというものである。その読誦を終えた年月日が「天平十五年（七四三）三月□日」なのである。「最勝王経」は唐《とう》の義浄《ぎじょう》訳「金光明最勝王経」（一〇巻本）のことで、「金光明経《こんこうみょうきょう》」と同じく鎮護《ちんご》国家の経典である。この「最勝王経」は、大宝《たいほう》二年（七〇二）に入唐《にっとう》した僧道慈《どうじ》が養老《ようろう》二年（七一八）に帰朝した際

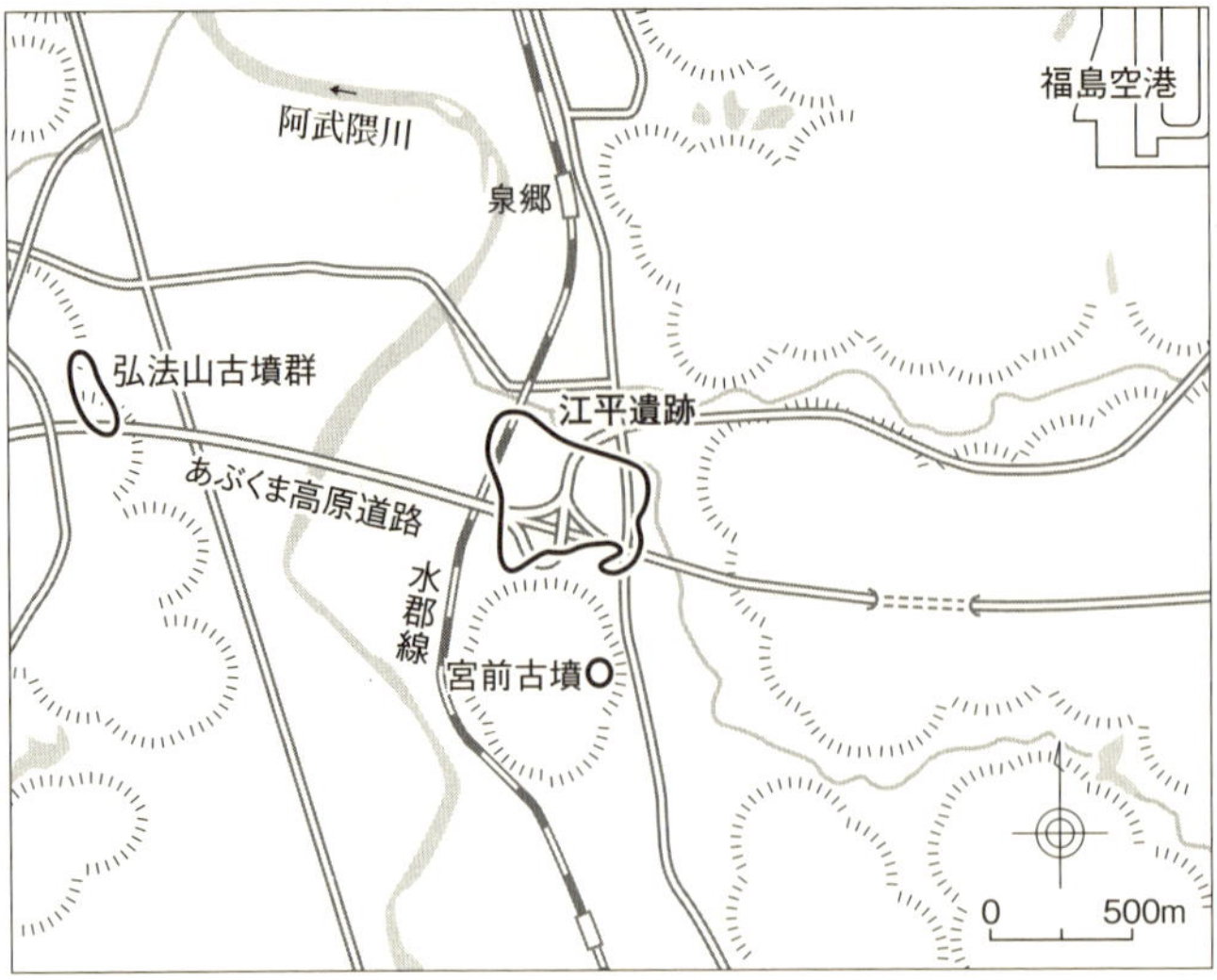

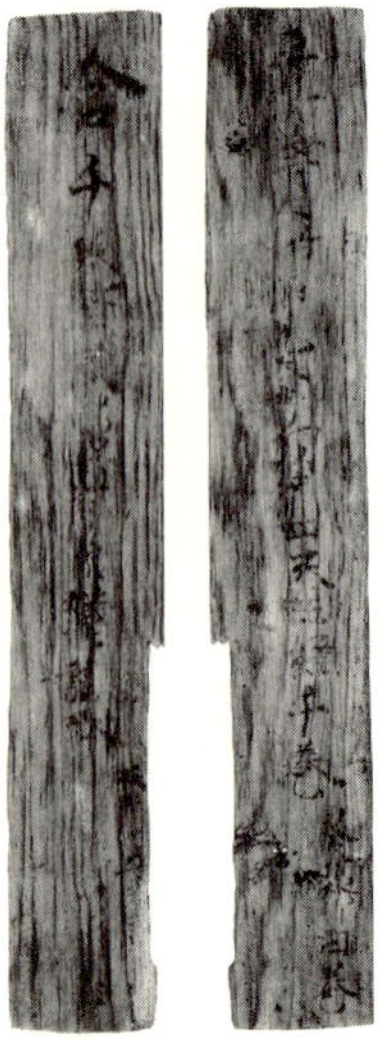

4

に将来したもので、政府は神亀《じんき》五年（七二八）に、諸国でそれまで使用されていた「金光明経」（四巻本・八巻本）にかわって「金光明最勝王経」をそれぞれ一部頒布した。『続日本紀《しょくにほんぎ》』天平十三年三月二十四日条の、いわゆる国分寺《こくぶんじ》建立の詔《みことのり》によれば、「金光明最勝王経」「妙法蓮華経《みょうほうれんげきょう》」それぞれ一部を書写することを命じている。この詔のなかで国分僧寺の名は「金光明四天王護国之寺」、国分尼《にじ》寺の名は「法《ほっ》華《け》滅罪之寺」としたが、「金光明四天王護国之寺」はいうまでもなく、「金光明最勝王経」の経名と巻第六「四天王護国品」に基づくものである。

さて、『続日本紀』天平十五年正月十二日条によれば、仏教に深く帰依した聖武《しょうむ》天皇が全国に発した有名な詔は、「仏法の正しい教えを広めるため、天平一五年正月一四日から〝七七日〟つまり四九日間、全国各地で〝金光明最勝王経〟を転読させ、その間の殺生を禁じ、また大養徳《やまと》国（大和国）の金光明寺で全国の模範となる法会を行なえ」というものであった。この命令に従い、金光明寺では、正月一四日から五〇日目の三月四日に読経を終えている。

この木簡の年紀の記載「天平十五年三月□日」は、日付の部分が二日か三日か確定できないが、『続日本紀』天平十五年正月十二日条に見える正月一四日の転読開始日から四九日後が三月三日であることと、見事に符合する。したがって、この木簡は正月一二日の詔を受けて、陸奥国内で「最勝王経」の読経を四九日間実施し、終了した時点で書き上げられたものと考えられる。

◉「最勝王経」読誦を示す木簡と江平遺跡周辺図
古墳時代、阿武隈川両岸に宮前《みやまえ》古墳・弘法山《こうぼうやま》古墳群などの多数の古墳がつくられた。なかでも宮前古墳は大型の切石積みの石室をもつ、終末期の古墳である。また、この地域は中世豪族石川氏の重要拠点ともなっていた。

この木簡に類似したものとして、「大般若経」の転《てん》読《どく》札《ふだ》があげられる。転読札とは、ある経典を略読しおえたことを示す木札である。「大般若経」の読誦《どくじゅ》には呪術《じゅじゅつ》的な効果があるとされ、中世には写経・刊経と並んでしきりに転読が行なわれた。こうした転読札は、現在でも数多くの寺院に残されている。

律令《りつりょう》国家は、仏教政策のなかでも鎮護国家の経典としての「金光明経」および「最勝王経」を広めるために、その転読を諸国に命じた。その政策は、ついに国分寺造立という大事業へと展開する。江平遺跡の「最勝王経」の読誦札の発見によって、あらためて「金光明最勝王経」が当時の国家における根本経典のひとつであったことが判明した。

同時に、律令国家が諸国に命じた「金光明最勝王経」の転読が、陸奥国《むつのくに》南部の山間部においても励行されていたことが、全国ではじめて立証されたのである。

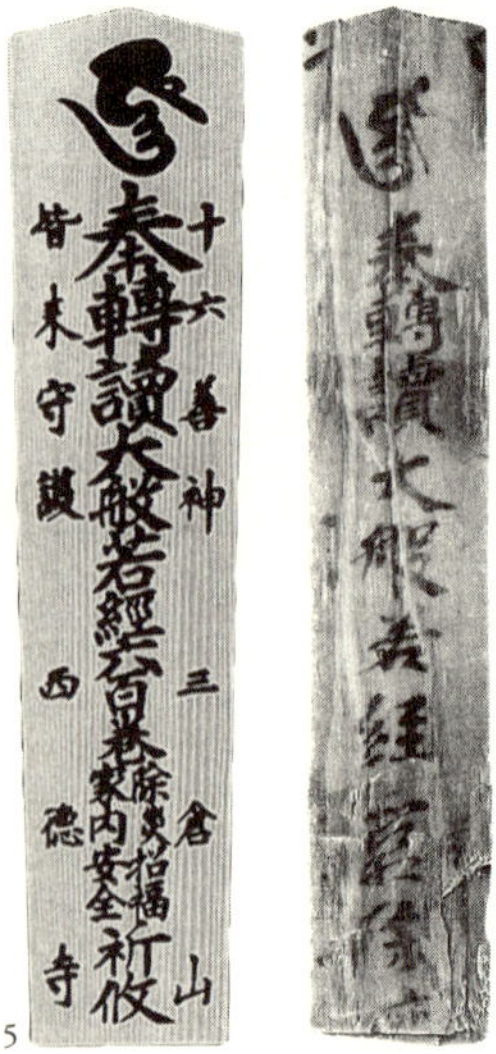

5

◉中世と現代の「大般若経」転読札
右は中世都市、広島県草戸千軒町遺跡出土の転読札。冒頭に「奉転読大般若経…」と記す。この書き方は、左に示す現代の転読札にも受け継がれている。これは千葉県香取《かとり》郡にある西徳寺《さいとくじ》（真言宗）の転読札。

孔子を祀る儀式「釈奠」と孝経

昭和五九年（一九八四）、岩手県奥州《おうしゅう》市胆沢城《いさわじょう》跡で漆紙文書《うるしがみもんじょ》が発見された。わずか三一センチメートルしかない文書の断片である。手がかりは「孝道尊卑《こうどうそんぴ》」などの文言の記載で、孝経《こうきょう》にかかわるものであろうことは予測できた。京都三千院《さんぜんいん》が所蔵する建治《けんじ》三年（一二七七）書写の「古文孝経孔氏《こぶんこうきょうくし》伝《でん》」の影印本《えいいんぼん》と照合してみると、漆紙文書の文字群とまさに合致した。

孝経は、孔子《こうし》が弟子の曾参《そうしん》に孝道《こうどう》を述べたものを曾参の門人が記録したものとされ、儒学《じゅがく》の経典である経書《けいしょ》のひとつである。孝経は数奇な運命をたどって今日に遺《のこ》された。秦《しん》の始皇帝《しこうてい》の焚書《ふんしょ》にあって、あやうく失われるところであったが、顔芝《がんし》という人物が匿《かく》したことにより、難をまぬがれたという。さらに漢《かん》の武帝《ぶてい》の時代、魯《ろ》の恭王《きょうおう》が孔子の旧宅の壁のなかから別の孝経を得た。前者は今文《きんぶん》（隷書《れいしょ》）で記されていたことから「今文孝経」といい、後者は古文（科斗文字《かともじ》）で記されていたから「古文孝経」という。前者については後漢《ごかん》の鄭玄《じょうげん》の注である「鄭注《じょうちゅう》」、後者については前漢《ぜんかん》の孔安国《くあんこく》の注である「孔伝《くでん》」が、代表的な注釈書とされてきた。

日本への孝経伝来は古く、すでに推古《すいこ》天皇一二年（六〇四）、聖徳太子《しょうとくたいし》の憲法十七条のなかで引用されている。律令《りつりょう》制下では

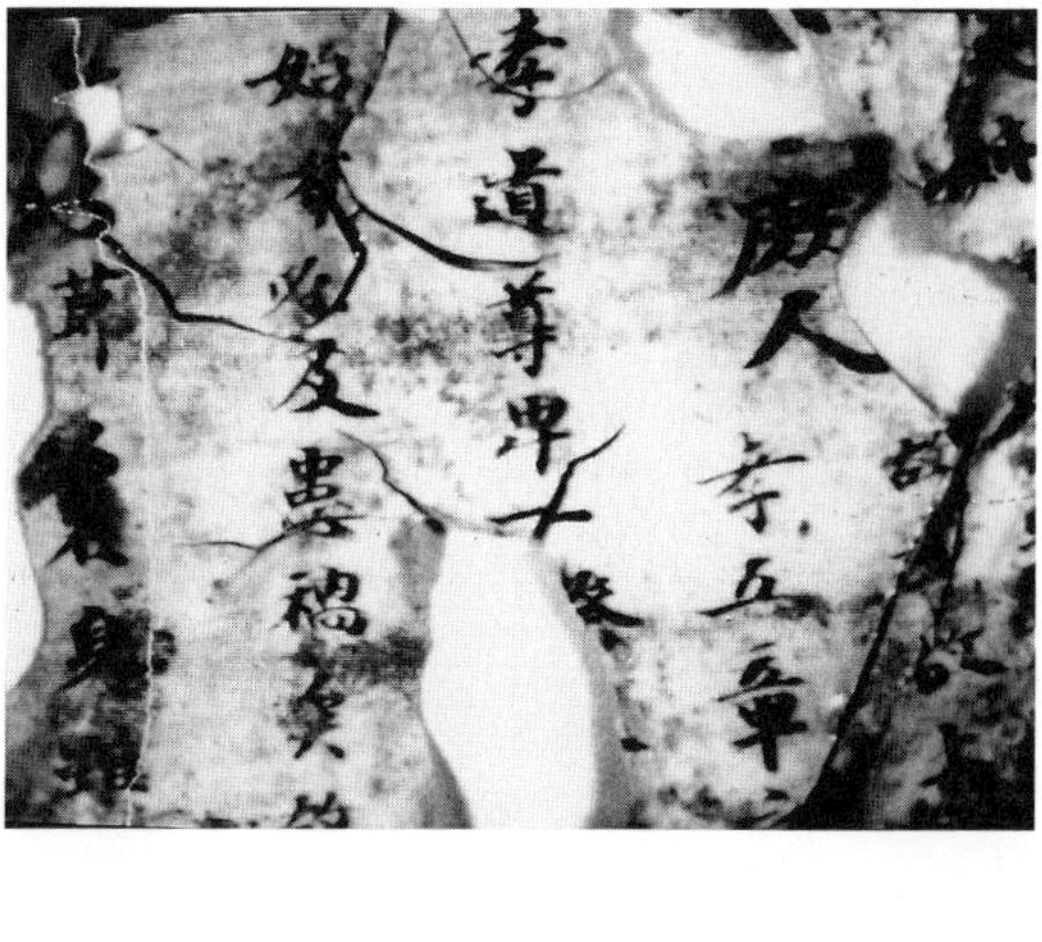

6

◉胆沢城出土の「古文孝経」漆紙文書
赤外線テレビカメラによる写真。「古文孝経」は二二章から成り立っているが、この部分は「孝平章七」にあたる。右上の大きな文字「庨（庶）人」のみが経文、残りは注文（注釈部分）。

とくに重んじられ、学生はかならず論語《ろんご》・孝経を兼修すべきこと、孝経を学ぶには「孔伝」「鄭注」を使用すべきことを規定している。また天平宝字《てんぴょうほうじ》元年（七五七）、孝謙《こうけん》天皇は唐《とう》の玄宗《げんそう》の詔勅発布に倣い、家ごとに孝経一本を備えるよう、天下に詔《みことのり》した。胆沢城から出土した漆紙文書は、まさにこの孔安国が注を付した「古文孝経」、つまり「古文孝経孔氏伝」の写本であり、本来は巻物の形で保存されていたものの一部を漆桶《うるしおけ》の蓋紙《ふたがみ》として切り取ったものであった。

この写本は書体から奈良時代のものと考えられる。この推定が正しければ、胆沢城の造営は延暦《えんりゃく》二一年（八〇二）だから、書写は造営に先行していることになる。「古文孝経」は教科書であって、通常の行政文書とは異なることを考慮すると、あとから胆沢城に持ち込まれたものと思ってよい。だが、そうするとなぜ廃棄されたのかが問題になる。ともに出土した土器の年代からすると、廃棄されたのは九世紀なかばごろである。時間がたてば不要になる行政文書と違って、教科書はほぼ恒

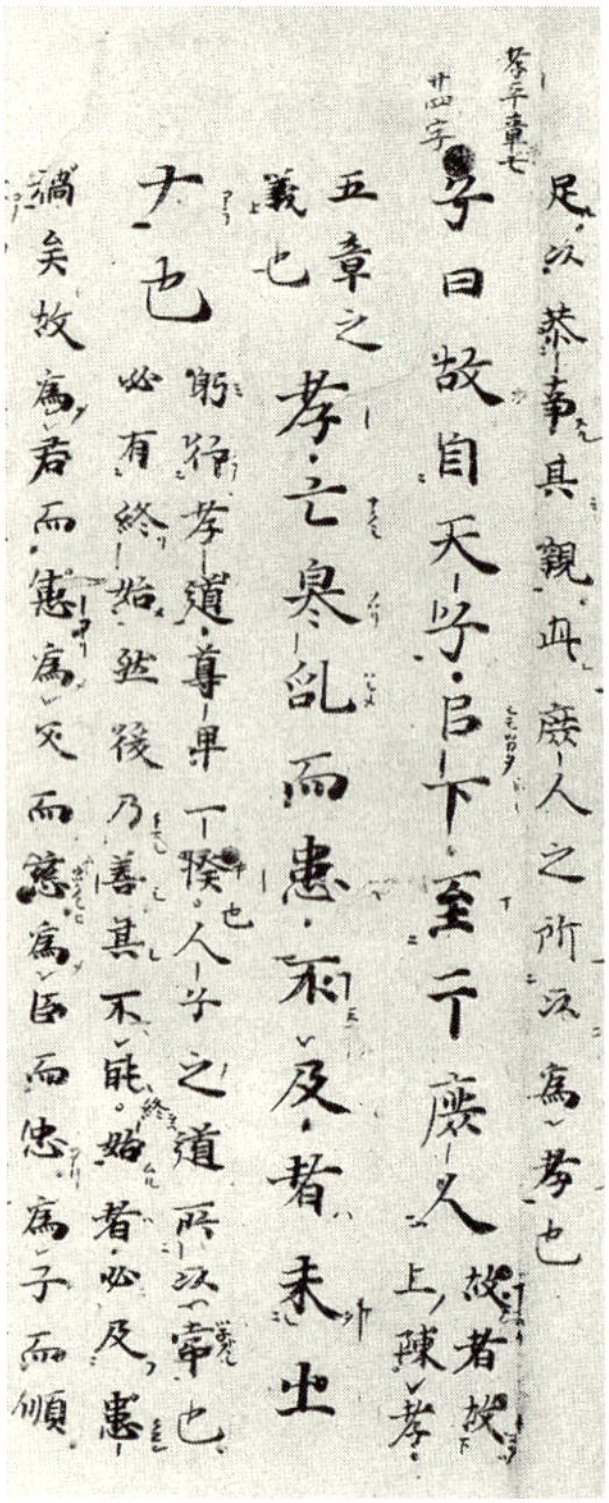

7

◉三千院本「古文孝経孔氏伝」
京都三千院《さんぜんいん》に伝わる建治《けんじ》三年（一二七七）書写のもの。前ページの漆紙文書にある「廃人」が右下に、「孝道尊卑」の文字が注文の左から三行目に見える。両者の文字配置が一致しないのは、三千院本が一行一七～一九文字で書かれているのに対し、漆紙文書は行頭部分から復元すると、推定で一行二八文字前後で書かれているため。

久的な価値をもつものだから、保存されるのが普通である。なぜ漆工人《うるし》に下げ渡されて、漆桶の蓋紙にされてしまったのか。

まず考えられるのは、長期間使用されて破損がはなはだしいために廃棄されたということである。これは当然想定できることで、どんな文書にも当てはまる。だが、廃棄された時期を考えると、そのような一般的事情にとどまらない可能性も浮かび上がってくる。

古代中国では「孔伝」と「鄭注」で真偽の争いが起こり、しだいに争いが激化したため、唐の玄《げん》宗《そう》は七二二年（開元《かいげん》一〇年）、みずから「御注孝経《ぎょちゅうこうきょう》」一巻をつくった。それを受けて日本でも、清和《せいわ》天皇が貞観《じょうがん》二年（八六〇）に詔を発して、従来使用していた「孔伝」「鄭注」をやめ、玄宗の「御注」を使用すべしとした。「孔伝」を個人的に学ぶのはかまわないと付言されていたとはいえ、読書始《とくしょはじめ》・釈奠《せきてん》など公式の儀式では「御注」が使われることになったのである。読書始は、天皇・皇太子・親王および貴族の子弟が七、八歳になったときにはじめて経書の読み方を博士から教わる儀式であり、釈奠は孔子を祀《まつ》る大典で、二月上旬と八月上旬の丁《ひのと》の日に大学寮《だいがくりょう》で経書が講義された。いずれの儀式においても、もっとも重要な経書は孝経であった。

国府でも釈奠の儀式は中央のやり方にのっとって行なわれていたため、テキスト変更の影響が及んだのであろう。漆紙文書「古文孝経孔氏伝」の断片は、陸奥国府である多賀城の、山王遺跡多賀前地区内の一〇世紀前半の溝からも出土している。胆沢城は国府所在地ではなかったが、鎮守府《ちんじゅふ》が置かれていたため、〝第二国府〟的な性格をもっており、国府で行なわれるさまざまな儀式がなされていた。この漆紙文書は、貞観二年の制によって「御注孝経」を使用することになったために不要になった「古文孝経孔氏伝」が廃棄された、そんな事情を示しているのではないか。

また、この漆紙文書には訓点《くんてん》その他の書き込みがいっさい認められず、頻繁に利用された形跡がうかがえない。これは、官人たちがみずからの教養のために読んだりしたものではなく、釈奠をはじめとする公式の儀式にのみ使われたことを示すものではないだろうか。

この「古文孝経孔氏伝」の漆紙文書は、先の最勝王経《さいしょうおうきょう》の転読と同様、古代国家の施策が辺境において忠実に励行されていたことを示している好例といえよう。

辺境防備の兵士たち

北部九州の防備「防人」——甲斐国の戍人木簡の発見

防人《さきもり》は七世紀後半、倭国《わ》・百済《くだら》連合軍が唐《とう》・新羅《しらぎ》軍に白村江《はくそんこう》で大敗したことから、唐などの侵攻に備えて北部九州の沿岸に配置された兵士である。古代の日本では二一歳から六〇歳の男子に兵役の義務があり、東国（山梨・長野・静岡を含む関東地方）から派遣された彼らは家族と別れ、九州の地に赴いたのである。

『万葉集《まんようしゅう》』にはその防人たちが家族への想《おも》いをうたった歌が数多く収められている。

父母《ちちはは》が　頭《かしら》かき撫《な》で　幸《さ》くあれて　言ひし言葉《けとば》ぜ　忘れかねつる　（四三四六番）

（父母が頭を撫でて、達者でいろやと言った言葉が忘れられない）

我《わ》ろ旅は　旅と思《おめ》ほど　家《いひ》にして　子持《こめ》ち痩《や》すらむ　我が妻《み》かなしも　（四三四三番）

（おれは旅は旅だとあきらめるが、家にいて子を抱え、痩せておろう妻がいとしい）

防人は、古代国家が一般農民に課したもっとも苛酷《かこく》な制度のひとつとして語られてきたが、ほとんど資料がないために、これまでその実態は明らかではなかった。その防人に関する木簡《もっかん》が、唐津《からつ》湾《わん》に面した名勝〝虹の松原〟の背後の佐賀県中原《なかばる》遺跡から出土した。

平成一六年（二〇〇四）二月に唐津を訪れ、墨痕《ぼっこん》の薄れた木簡《もっかん》に向かうと、「甲斐《かい》」の二文字が眼に飛び込んできた。後日、九州の友人から「山梨県出身の平川さんが甲斐国（山梨県）防人を真っ先に解読したのは話ができすぎだ」と冷やかされた。

唐津は古代肥前《ひぜん》国松浦《まつら》郡内にあたり、大陸への起点として対外的にも重要な拠点であった。中原遺跡は松浦川上流に置かれた松浦郡家《ぐうけ》の出先施設とも考えられる地である。その地から発見された木簡は、彼らの様子を現地においてなまなましく記録したもので、考古学・古代史そして国文学の世界が久しく待ち望んでいた資料といえる。

内容は防人の名簿であり、防人が「戍人《じゆにん》」として守備地（戍）に配されていたこと、出身地「甲斐国」と名前、食料支給に関することなどが記されていた。人名の氏名《うじな》に見える「小長谷部《おはせべ》」や「日《くさ》下《か》部公《べのきみ》」などは、甲斐国の有力氏族名としてこれまでの史料に見えており、甲斐国出身者にふさわしい。また、人名に天平宝字《てんぴょうほうじ》三年（七五九）に改められた「公」（それ以前は「君」）の姓が用いられていること、二次文書（木簡の表面を削って再利用した文書）に「□〔延〕暦八年」（七八九）という年号があることなどから、八世紀後半のものであるとわかる。

『続日本紀《しょくにほんぎ》』によれば、天平宝字元年に東国から防人を派遣する制度が廃止されている。律令《りつりょう》政府が東国防人を廃止したのは、東北地方で蝦夷《えみし》との関係が緊迫し、関東からの大軍の派遣を必要とし

8

◉甲斐国の「戍人」（防人）木簡（部分）
釈文は以下のとおり（裏面省略）。
□□
小長□部□□〔東〕　甲斐國□〔津〕戍□〔人〕不知状之
□□家□□〔注〕　首小黒七把
「首小黒七把」の部分は、木簡の再利用に際して書かれた二次文書で、上下逆に書いてある。

たからである。防人を所轄する大宰府《だざいふ》は、再三東国防人の復活を申請したが認められなかった。そこで、九州にそのままとどまっていた防人を再徴発することになったのである。

ここで前ページの木簡の「甲斐国□戍人」の右下に小さな文字で記された「不知状之」（状を知らず＝詳しいことはわからないという意味）に注目してみよう。兵士などに徴発された人々の名簿は、「〇〇国〇〇郡〇〇里戸主〇〇〇〇戸」のように、必ず戸籍に記載されている本貫地《ほんがんち》（本籍地）を明記することになっていた。「不知状之」とは、甲斐国出身として把握されてはいるが、防人として徴発されてから約三〇年の時が過ぎ、郡以下のデータはわからなくなっていることを注記したものであろう。木簡が記す甲斐国の防人は、三年間の任期満了後も故郷に帰らないで北部九州にとどまっていた人々で、二五歳ぐらいで九州の地に赴いたとすれば、土着化していたのを再徴発されたころは、おそらく五五歳ぐらいになっ

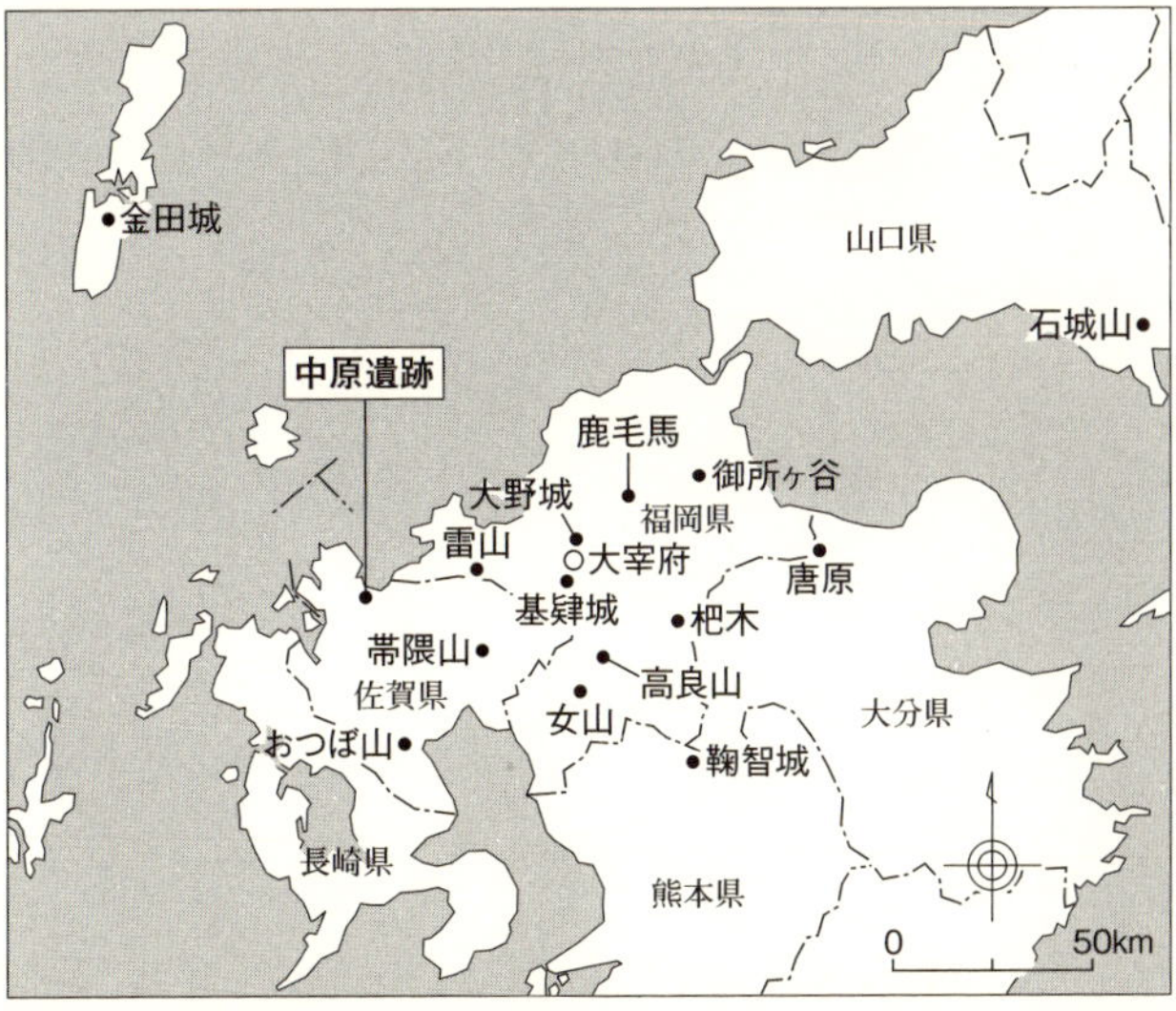

◉北部九州に広がる山城・神籠石と中原遺跡の位置
白村江《はくそんこう》の敗戦以降、北部九州に相次いで築かれた山城・神籠《こうご》石《いし》などは、唐・新羅軍の侵攻に備える軍事施設という面に加え、近年は国内支配の拠点としての役割が指摘されている。

ていたであろう。

先に掲げた防人歌で明らかなように、防人たちの望郷の念は断ちがたいものであり、天平一〇年（七三八）の正倉院文書《しょうそういんもんじょ》「駿河国正税帳《するがのくにしょうぜいちょう》」からは、防人たちが国単位で帰国していたことが読みとれる（甲斐国は三九人）。しかし当時の情勢からすれば、東国防人は、勤務を終えて故郷に帰ると三年間は兵役が免除されるが、その後ふたたび徴兵され、今度は東北地方に派遣されたに違いない。故郷に残してきた家族への思いや、故郷に帰ろうと思えば帰れる手段をもちながら、なおも九州の地にとどまる防人がいたのは、苛酷な兵役を逃れたい一心からの自己防衛手段ではなかったか。

軍事訓練以外の防人の日常生活は、一般農民の生活と大差なかったようであり、守備地の近くに土地を与えられ、耕作し食糧にあてた。木簡に見えるように、三〇年を経てもふたたび甲斐国の防人として徴用されたのは、彼らが出身国単位でまとまって生活していたことを示しているのではないか。おそらく実態としては、防人として最初に任に着いたときに、出身国ごとに農耕地をまとめて支給されて〝甲斐国村〟のような集落をつくり、そのまま不法滞在が暗黙のうちに認められていたのであろう。

坂東の支援

つぎに、東北地方の防備体制について見ていきたい。

律令《りつりょう》国家の東北政策において、人と物との過重な負担を強《し》いられたのは、坂東諸国《ばんどう》（出羽国《でわのくに》の防備については北陸道諸国も含む）である。この点については当時の史書が大筋を記録にとどめているが、より具体的な姿については、やはり出土文字資料に頼らざるをえない。東北各地では出土文字資料だけでなく、土器などの遺物や竪穴《たてあな》住居跡の形態そのものに坂東諸国の痕跡《こんせき》をとどめていることが、さかんに指摘されている。また、その本国である坂東地方においても東北地方との交流を物語る事例が報告されており、文字資料でも注目すべきものが出土している。

常陸国府《ひたちこくふ》の所在地、茨城県石岡市《いしおか》で発見された鹿《か》の子《こ》C遺跡は、国府《こくふ》工房とほぼ断定されている。この工房は、蝦夷《えみし》征討期である延暦《えんりゃく》年間（七八二～八〇六）には〝兵器工場〟と化し、胡籙《やなぐい》（矢を入れて背に負う道具）・弓矢などの製作のため多量の漆《うるし》が使用された結果、二八九点もの漆紙文書《うるしがみもんじょ》が出土している。その文書のなかでも、兵士一人分の兵具検閲簿とされるつぎのものが注目される。

大刀《たち》　鞆《とも》　脛裳《はばき》　腰縄《こしなわ》　頭纒《はちまき》　水甬《みずおけ》　塩甬　小鉗《かなはし》　縄解《なわとき》
□部真村年□〔五〕十五

9

◉全国最大規模を誇る国府付属の武器製造工場
鹿の子C遺跡には連房式竪穴遺構などの施設が計画的に配置され、組織的な兵器生産が行なわれていたらしい。鏃《やじり》・甲《よろい》の小札《こざね》・刀子《とうす》などの出土品や、武器にかかわる漆紙文書が発見された。

弓　□〔箭〕　大刀　鞆　弦《ゆみつる》□〔袋〕　□袴　脛裳　腰縄
頭纆　水甬　塩甬　小鉗　縄解
□麻呂年卅五
箭　大刀　鞆　頭纆

この時期の軍団の兵士は、みずから装備する戎具《じゅうぐ》（兵具）を律令（軍防令）により明確に定められていた。また当時の史書にも、蝦夷を征討する目的で、坂東諸国の兵士の戎具点検が命ぜられている。この遺跡の漆紙文書群は延暦年間を中心とすることが明らかであり、蝦夷征討に向けて陸奥《むつ》国の隣国である常陸国の兵士が武装して出征する様子を伝える、貴重な史料といえる。

このように、陸奥国の隣国が軍事的負担を負う傾向は、同じく隣国である下野《しもつけ》国の国府跡（栃木市）の木簡にもうかがわれる。国府の政庁西に接したところから約五〇〇〇点にものぼる木簡の削り屑《くず》が出土し、それらは内容から延暦九年から一〇年にかけての短期間に捨てられたものであることがわかった。一例として、つぎの木簡をあげる。

10

◉兵士一人分の兵具検閲簿
推定径約一三cm、ほぼ漆桶の形状どおりの円形に遺存している漆紙文書。赤外線テレビカメラによる写真である。

□□□□〔依〕國三月廿日符買進□□
□〔同〕六月廿三日符買進甲料皮

これは、六月二三日付の国府からの命令により、某郡から甲《よろい》をつくるための革を買い、進上したことを示す。『続日本紀《しょくにほんぎ》』延暦九年閏《うるう》三月四日の勅《ちょく》に、蝦夷征討のために諸国で革《かわ》甲二千領をつくらせたとある。東海道駿河《するが》以東と東山道信濃《しなの》以東は国別に数量が決められ、三年以内につくり終えることとされた。この木簡もこうした中央の命令に従い、各国で着々と兵器の生産を推し進めていたことを物語るものであろう。延暦年間の五万人、一〇万人という大規模な蝦夷征討軍の派遣は、坂東諸国の人々にとって想像を絶する負担であったに違いない。

一方、史書などにはあまり記載されていないが、当事国（陸奥・出羽）の負担と疲弊にも注意しなければならない。

城柵と軍団の兵士

政府は蝦夷に対して懐柔策をとる一方、東北地方の行政府には軍隊を常駐させ、防衛機能を備えさせた。これが東北経営の拠点となった〝城柵《じょうさく》〟である。

城柵は行政上の施策遂行の中心的施設であるとともに、行政区画をも意味し、一郡ないし数郡の令《りょう》制郡の併設が企図された。城柵の造営は、多くの民がその地域に定住し編戸《へんこ》されることで、はじめて意義を生ずる。この律令《りつりょう》国家の積極的な施策は、在地勢力の強い抵抗を生み出した。いわゆる蝦夷の反乱である。

蝦夷との戦闘が長引くにつれ、坂東諸国からの鎮兵はしだいに廃止され、多賀城《たがじょう》・胆沢城《いさわじょう》などの城柵の守備には、陸奥《むつ》国内の軍団の兵士があたるようになる。陸奥国には、白河《しらかわ》・行方《なめかた》・磐城《いわき》・安積《あさか》・名《な》取《とり》・玉造《たまつくり》・小田《おだ》の七軍団が設置されていた。この七団は、下の図に示すように、陸奥国の郡を越えた広域な行政ブロックに基づき、巧みに配置されていた。

この軍団の兵士が、国府《こくふ》の置かれた多賀城と鎮守府《ちんじゅふ》の置かれた胆沢城にどのように配置されたかを明確に伝える木簡《もっかん》・漆紙文書《うるしがみもんじょ》が出土している。

まず、多賀城に勤務する兵士に関するものである。多賀城跡から出土したこの木簡は、平安時代初頭のものと考えられる。その表面《おもてめん》には、つぎのように記されている。

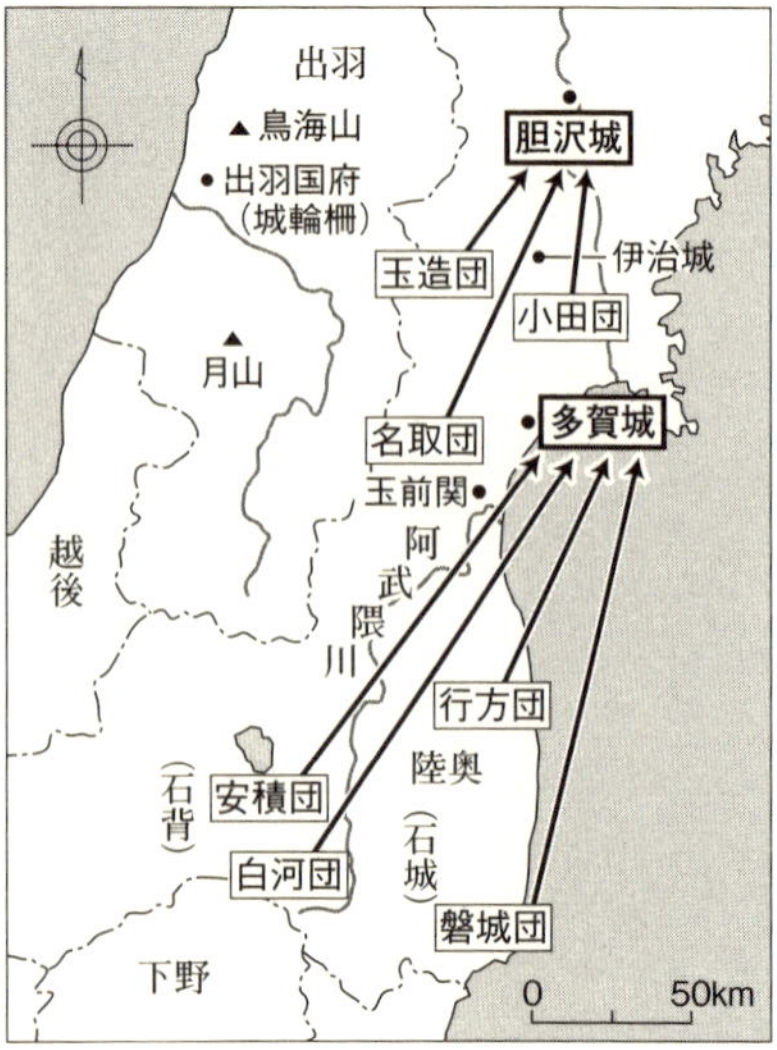

●陸奥国内における軍団兵士の動き
国府である多賀城と、鎮守府である胆沢城から出土した木簡と漆紙文書によって、軍団兵士の合理的な動員方法が証明された。阿武隈川が動員の境界線であることがわかる。

安積団解　□□《申》番□　□事

畢番度玉前剗還本土安積団会津郡番度還

五三九×三七×五ミリメートル

これは、多賀城に勤務していた安積団に所属する会津郡の兵士が、当番を終え、多賀城の南にある玉前《たまさき》関を越えて出身地に帰ることを、安積団の役人が多賀城に上申した形式の通行証（二点発行）であり、そのうちの留め置かれたものである。安積団は、陸奥国南部の山道地域の会津・安積・信夫《しのぶ》郡の兵士から編成されていた。玉前は東北本線と常磐《じょうばん》線が合流する宮城県岩沼《いわぬま》市南長谷《みなみはせ》の玉崎付近と思われ、古代にも山道と海道が合流するこの地に関が置かれていたことがわかる。玉前に「剗」（関所）があったことは文献資料にはなく、この木簡によってはじめて明らかになった。

同じく多賀城跡から出土した漆紙文書には、行方団（福島県相馬《そうま》地方）の役人が九日から一八日までの合計一〇日分の公粮《こうろう》（日当の食料）を請求したものがある。これらの文字資料からすると、多賀城での勤務には、阿武《あぶ》隈川《くまがわ》以南の兵士たちがあたっていたようである。

一方、鎮守府が置かれた胆沢城跡からは、昭和五六年（一九八一）以降、相次いで漆紙文書が発見された。約五〇点に達するなかで、とくに目立つのが軍団関係の資料である。そのひとつが次ページの文書で、二つ折りの紙片を広げるとおおよそ縦二七・五センチメートル、横三一・五センチ、内容から推してほぼもとの一紙に相当すると考えられる。

これは、流行病で臥《ふ》せってしまったために「戍所《じゅしょ》」（守備地）に赴けない射手二人のことを、軍団の主帳《しゅちょう》牡鹿連《おしかのむらじ》氏縄が使いとして上申したことを記す、承和《じょうわ》一〇年（八四三）二月二六日付の文書である。冒頭の差出し部分と文末の署名部分とを欠くが、ほぼ一通の文書に近い状態で残存している。主帳の氏名《うじな》が牡鹿連であること、また牡鹿郡の兵士は小田団に属していたことから、この文書は小田団から胆沢城へ上申された文書だとわかる。『続日本後紀《しょくにほんこうき》』承和十年正月八日条によれば、当時、全国的な疫病の流行のため、多数の死者が出たという。おそらく、陸奥国の牡鹿《おしか》地方（宮城県石巻《いしのまき》市および桃生《ものう》郡一帯）にも病が蔓延《まんえん》し、胆沢城管下の戍所に勤務する兵士二人も、二月二五・二六日と相次いで病に倒れたのであろう。その欠勤届は二六日付で、胆沢城に迅速に提出されたのである。

また、玉造団の役人志太《しだ》の某《なにがし》（志太郡の人であろう）が、延暦二一年（八〇二）の胆沢城造営時に上申した文書や、柴田《しばた》郡の兵士歴名簿があることから、胆沢城には玉造団や名取団（名取・柴田・刈《かり》

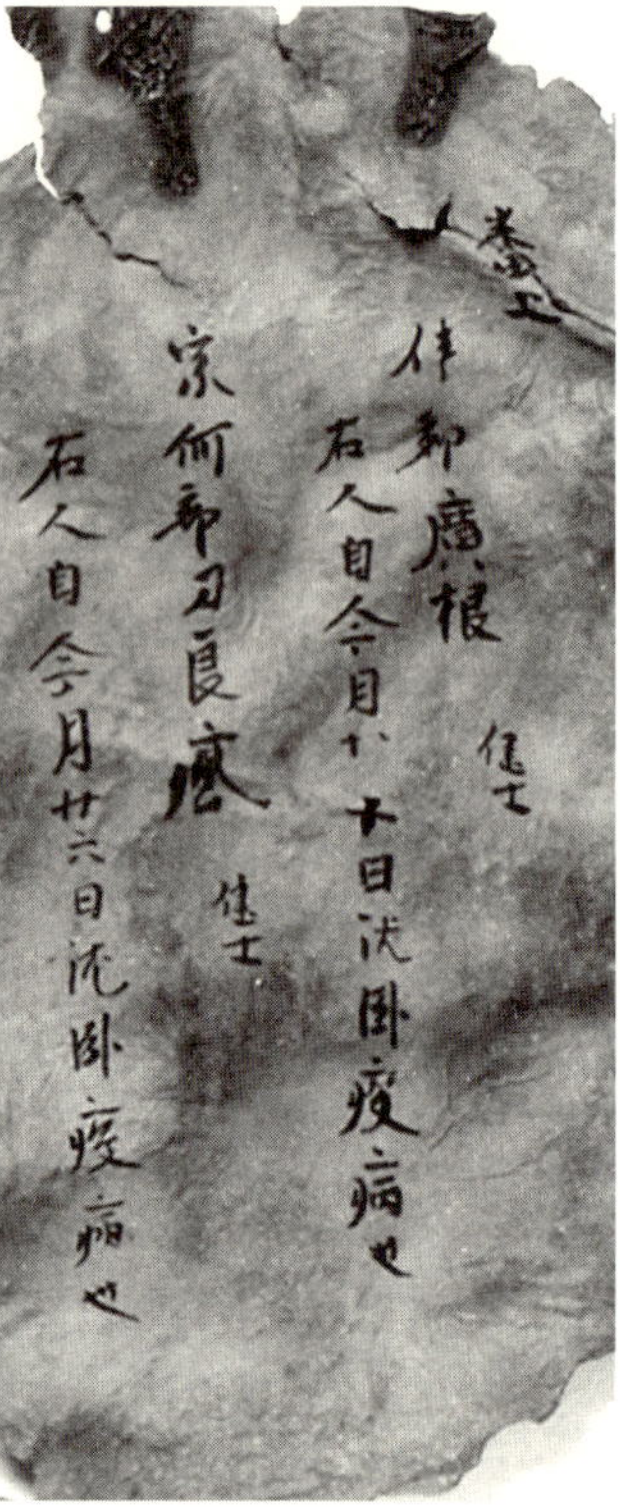

11

◉軍団から胆沢城に提出された欠勤届（部分）
釈文は以下のとおり。
番上
伴部広根　健士
右人自今月廿五日沈臥疫病也
宗何部刀良麿　健士
右人自今月廿六日沈臥疫病也

田《た》の三郡からなる）も上番していたことがわかる。

このように、超大国である陸奥国の行政は、国府多賀城と鎮守府胆沢城で大きく二分されていた。また養老《ようろう》二年（七一八）に陸奥国から石城《いわき》・石背《いわしろ》両国が一時分立したときも、現在の福島県域と宮城県亘理《わたり》郡、つまり阿武隈川以南をその範囲としており、古代の陸奥国においては、阿武隈川以南と以北では政治的にも文化的にも大きく二分されていたことがわかる。兵士の徴発も、陸奥国南部の旧石城・石背両国（阿武隈川以南）の兵士は多賀城（宮城県）へ、阿武隈川以北の宮城県南および県北の兵士は胆沢城（岩手県）へ、それぞれ赴いたようである。じつに合理的な行政措置ではないか。

現代にも残存する辺境像

打ち続く蝦夷《えみし》との戦いで、敵味方ともに多くの死傷者を出し、殺生のもととされていた辺境。その支配拠点である多賀城《たがじょう》や胆沢城《いさわじょう》、さらに出羽国《でわのくに》の秋田城などの城柵《じょうさく》では、日夜、読経する僧の声や悪霊退散を祈禱《きとう》する陰陽師《おんみょうじ》の呪文《じゅもん》が、東北の寒空に響き渡ったことであろう。

中央政府にとって、対蝦夷政策は最大の関心事のひとつであった。多賀城や胆沢城などはそれを遂行する辺境の役所であるからこそ、都市景観はどこの地方よりも整備されて国家の威容が誇示され、仏教（最勝王経《さいしょうおうきょう》）・儒教（孝経《こうきょう》）などによる教化《きょうげ》を目的とした儀式も、諸国のどこの役所よりも忠実に励行されたのではないだろうか。軍事体制もまったく同様である。古代国家はそのめざす中央集権国家の理想像を、かつては有力な勢力が比肩し抗争した国内の地ではなく、未知なる辺境世界に求めたのであろう。いいかえれば、古代国家が理想とした姿は、辺境を〝鏡〟とすることでこそ、みえてくるのである。

その一方で、辺境は国家があくまでも政治的に創出した地域設定だということに留意する必要がある。第四章でとりあげたように、権勢者の欲する漆《うるし》・金・馬などの産出地でもある辺境を、たんに遅れた地域・未開な地域と位置づけることは誤りである。

辺境は、古代国家の理想像を貫徹させる対象地であった。それゆえに、古代国家の盛衰は辺境の地をバロメーターとしてみることができる。つまり、辺境世界の消失は古代国家の終焉《しゅうえん》でもある。ただし、実際には一度生み出された辺境世界像は、残映としてまた差別の対象として再生産され、長い歴史のなかで消えることなく、現在も生きつづけているのだということを忘れてはならない。

第九章

古代から中世への
ターニング・ポイント

これまで第一章から第八章にわたり、現代的視点に基づいて、「日本の原像」としての新たな古代史像を探り、描いてきた。最後に、古代から中世への転換期について触れておきたい。

従来、律令《りつりょう》国家から王朝国家への転換期、あるいは古代国家の最後の段階とみられてきたのは、おもに一〇世紀から一一世紀であった。そこでこの章では、従来の政治・土地制度や税制などの側面からみたこの時代の歴史像を概観したうえで、さらに踏み込んで、時代の大きな転換を表層と深層の両面からみてみたい。すなわち、古代国家確立の象徴的要素と、社会の深層において大きな波動で変化を遂げるいくつかの要素——技術・信仰・集落立地など——について検証したい。それによって、時代の移り変わりや歴史の転換期とは、どのようなものなのかがわかるであろう。

そもそも律令国家とは、朝廷のもと、律および令を基本法典として支配を行なう中央集権国家であり、土地・資源・労働力・生産物・宗教など、すべてを国家が一元的に管理することを理念としていた。そのため、中央政府は戸籍や計帳《けいちょう》などの籍帳《せきちょう》を通して人民を把握・管理し、徴税や労働力徴発など、より直接的な支配のために国—郡—郷（里）という行政単位を置き、国司《こくし》を頂点としてこの責務にあたらせた。しかし、実際に地方行政の中核を担ったのは、国司ではなく郡司《ぐんじ》である。彼らの多くは旧来その土地を支配していた地方豪族であり、郡家《ぐうけ》（郡役所）を拠点として、生産手段を集中させ、労働力を独自に編成していた。

地方豪族はその農業経営にあたって、私有する労働力や家畜だけではなく、貧しい農民を一時的、季節的に雇用して多くの臨時労働力を投入した。その好例が、福島県いわき市荒田目《あっため》条里《じょうり》遺跡出土の郡符《ぐんぷ》木簡《もっかん》である。内容は、郡司（大領《だいりょう》）に支給された田（職田《しきでん》）の田植えのため、里長《りちょう》の妻である「里刀自《さとじ》」に率いられた三六人を雇用すべく召し出したものであり、当時の田植え労働の編成が明らかになった。

　こうした一〇世紀以前の状況は、その後、どのように展開していくのか。従来の研究を簡単に整理しよう。

　発掘調査によれば、郡役所の遺跡（郡家遺跡）は一〇世紀なかばになると消滅しており、そのころには郡家における地方政治が行なわれなくなっていたことがわかる。郡司などの地方豪族は、判官代《はんがんだい》など国庁の役人の職名を帯びて国府《こくふ》に勤務し、在庁の一員となっていった。一方、任国に赴いた国守である受領《ずりょう》は、かつての郡司に郡内の徴税のすべてを任せるのではなく、京から引き連れてきた一族郎等による徴収を、しだいに拡大していった。その受領のもとで、新たな開発領主となって在庁にその位置を占めるようになった地方豪族が、一一世紀以降の在庁官人制の担い手となる。

　しかし、地方豪族がすべて受領のもとに編成されてしまったわけではない。荘園《しょうえん》の寄進というかたちで王臣家《おうしんけ》と結託した新興の有力者、いわゆる富豪層が成長し、受領と対立することになるのである。結局は上《じょう》

1

●八世紀の郡印と一二世紀の村印
右は八世紀の千葉県八街《やちまた》市滝台《たきだい》遺跡出土「山邊郡印《やまのべぐんいん》」で、文字の彫りが深いことに注目したい。左の岩手県平泉《ひらいずみ》町出土「磐前村印《いわさきそんいん》」は一二世紀のもので、彫りが浅い。こうした鋳造技術の違いからも時代の変化を読みとることができる。

皇《こう》や摂関家《せっかんけ》・寺社を領主とし、地方の富豪層の私宅を庄《しょう》とする荘園と、受領の支配領域との棲《す》み分けができあがり、荘園公領制と呼ばれる土地制度が成立したと考えられている。

そもそも律令国家の全国支配は、その地の豪族を郡司などに任命して取り込んでいく「在地首長制」を基盤としていた。しかし、九世紀末になると、集落の共同体成員から首長へ、そして首長から大王へという貢納物の系譜を引く人頭税《じんとうぜい》が消え、土地所有者に小作料を支払うという意味での地代が、同時に国家への租税でもあるという時代がやってきたのである。

以上のような地方における政治・土地制度や税制などの変遷は、九世紀に始まり、一〇世紀を中心としながら一二世紀にかけて、きわめて漸次《ぜんじ》的に進んでいく。

もちろん、この変遷の過程自体は重要である。しかし、古代から中世への転換点を把握するためには、むしろ古代国家が備えていた象徴性と社会基盤の変化に焦点をあてたほうが、より明確になるのではないか。つまり、古代統一国家がその確立に伴い、国家的威容を誇示することを目的として新たに導入・整備した諸制度・施設などに着目すべきであろう。具体的には、政務と儀式の場、および道路・戸籍・貨幣といった国家の象徴が、いつどのように変革されたのかを明らかにすることが重要である。また、社会基盤というべき技術・信仰、さらには集落などの変革の状況を明確にできるならば、その開始点をもって時代転換の始動と見なすことができる。この両者——国家の象徴と社会基盤——の変革がほぼ合致する時期こそ、古代から中世へのターニング・ポイントと意義づけるにふさわしい。以下、具体的にみていこう。

政務の場の変革

朝堂院から内裏へ

はじめに、国家の中枢ともいうべき政務の流れと場について、坂上康俊《さかうえやすとし》が適切に整理しているので、その概略を紹介しておきたい。

平安京《へいあんきょう》の北中央に平安宮（大内裏《だいだいり》）がある。その平安宮の南正面に開いているのが朱雀門《すざくもん》で、この門をくぐって進めば応天門《おうてんもん》、そして会昌門《かいしょうもん》にぶつかる。この会昌門を入ったところが朝堂院《ちょうどういん》と呼ばれる区画であり、暉章堂《きしょうどう》・含章堂《がんしょうどう》など一二の朝堂が立ち並んでいた。ここで行なわれた「朝座政《ちょうざせい》」からみていくことにしよう。

早朝に出勤してきた官僚たちは、朱雀門から入って朝堂院に至り、自分の役所の所定の位置につく。そしてまず、それぞれの官司《かんし》の代表が暉章堂にいる弁官《べんかん》のもとに出向いて、その官司が担当しているさまざまな案件の処理を願い出て、指示を仰ぐ。きちんとした書類が整ったら、今度は弁官（弁《べん》と史《し》）がその書類を携えて東第二堂の含章堂に出向く。含章堂には大納言《だいなごん》・中納言《ちゅうなごん》・参議《さんぎ》たちが控えている。続いて大納言以下が弁・史とともに大臣が座をもっている昌福堂《しょうふくどう》に出向く。ここで史が書類を読み上げ、公卿《くぎょう》たちの議論を経て、その日いちばん上席である大臣の決裁というかたちで処理されることになる（公卿聴政《くぎょうちょうせい》）。

こうした朝座政はもっとも格式の高い政務処理のあり方であった。ただし春から秋にかけての、朝堂に座をもっている官司にかかわる政務についてのみ当てはまるものであって、それ以外の官司や冬期の全官司の政務処理は、奈良時代の初めから、朝堂院の外に配置された各官司の曹司《ぞうし》（庁舎）で行なわれていたと考えられる。朝堂院のすぐ東側に設けられた太政官《だじょうかん》曹司（弁官曹司）で行なわれる公卿聴政のことを、略して「官政《かんせい》」と呼ぶ。

ところが、平安時代に入ると、この朝座政がほとんど開催されなくなった。また、公卿の内裏伺《し》候《こう》が日常化したことに伴い、官政も変化する。太政官曹司ではなく、内裏東側の建春門《けんしゅんもん》近くに設けられていた、太政官の書記局である外記《げき》が勤務する太政官候庁《こうちょう》（外記庁とも）で、政務処理が行なわれるようになったのである。実施される場所にちなんで、これを「外記政《げきせい》」という。官政の実施はごく一部に限られ、通常は外記政の場で太政官の政務処理がなされるようになった。

朝堂院の配置

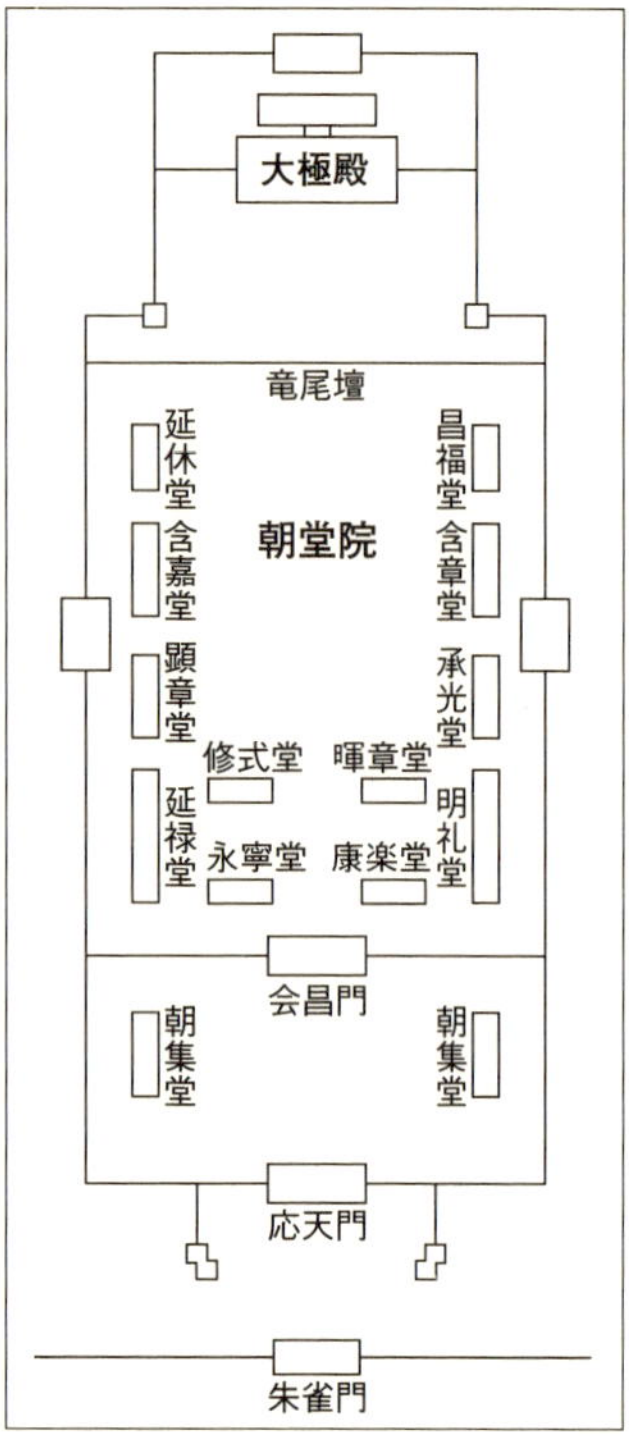

外記庁の位置

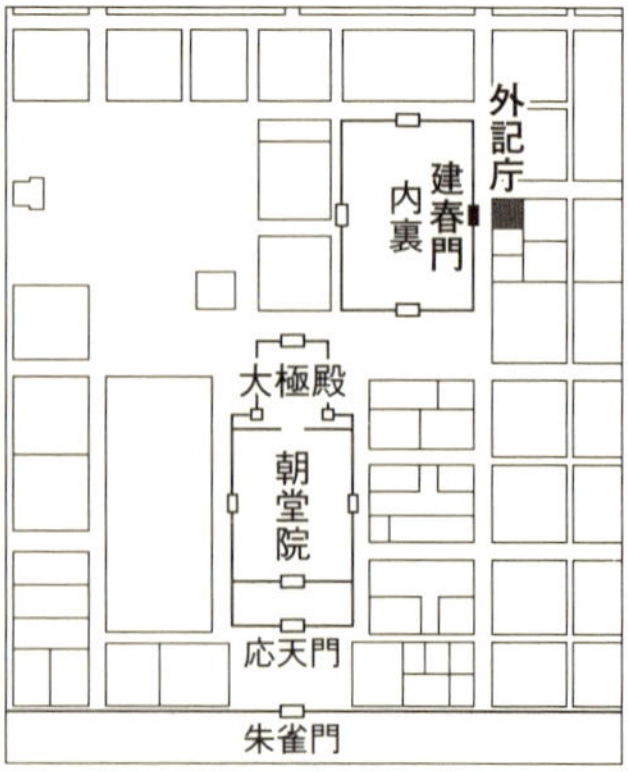

さらに時代が下ると、公卿たちの内裏内での詰所《つめしょ》が、内裏の正殿でもあり桓武《かんむ》以下の歴代天皇が日常的に政務をみていた紫宸殿《ししんでん》（南殿《なでん》ともいう）を間近に見る宜陽殿《ぎようでん》に置かれ、そこで公卿による政務処理が行なわれていたことが知られる。やがて天皇が紫宸殿にすらめったに出てこないようになり、いつも清涼殿《せいりょうでん》にいるようになると、公卿たちは天皇を追いかけるように、紫宸殿のすぐ東の左《さ》近陣《こんのじん》（陣座《じんのざ》）に詰めるようになった。

一〇世紀なかばの『西宮記《さいきゅうき》』などによれば、在京諸司・諸国から太政官に上申されてきた案件の

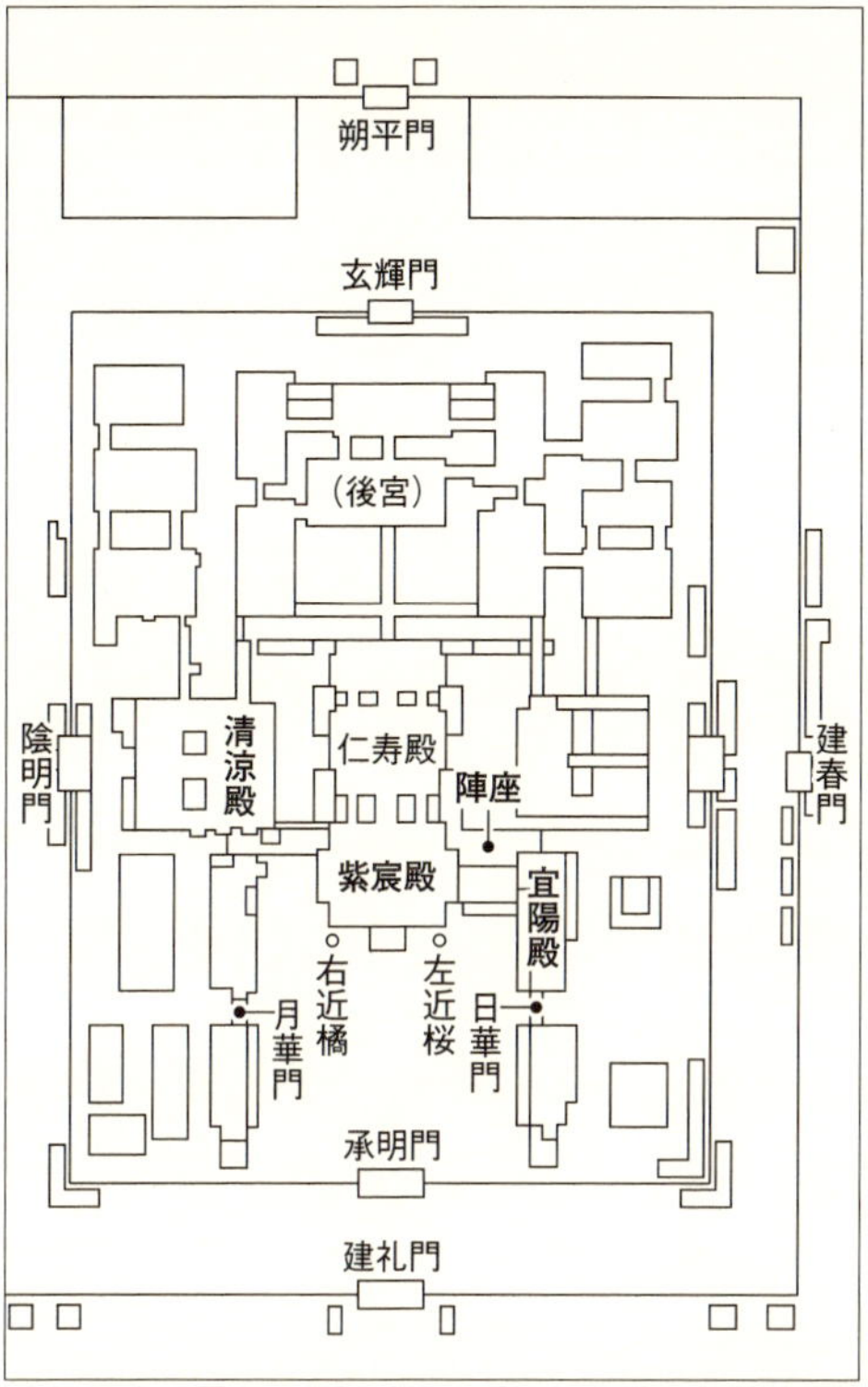

●内裏の構成
内裏《だいり》は大内裏の一部で、天皇の平常の御在所のこと。内裏の正殿は紫宸殿で、北側に仁寿殿、東側に宜陽殿、西側に清涼殿などが配されている。仁寿殿のさらに北側の殿舎は後宮を形成している。

うち、公卿たちに諮《はか》るべきものは、外記庁内の侍従所（南所《なんしょ》）での公卿聴政（南所申文《なんしょのもうしぶみ》）や、内裏の陣座での公卿聴政（陣申文《じんのもうしぶみ》）に持ち込まれて、決裁を仰ぐようになっている。天皇に最終決裁を仰ぐ場合には、公卿の代表（原則は大臣）が、清涼殿にいる天皇のもとに出向く官奏《かんそう》という儀式にかけられた。

以上のような政務処理の全体的変遷を整理すれば、公卿の日常の執務空間が天皇にひきずられて移動していくのに伴い、太政官の政務の場が朝堂院からしだいに内裏ないしその近辺へ、つまり、より天皇の私的な空間へと移っていったといえるだろう。

国府政庁から国司館へ

公的空間から私的空間へと政務の場が移動する傾向は、朝廷同様、各地の国府《こくふ》においても明らかである。

国府の政庁は、近江《おうみ》・下野《しもつけ》・肥前《ひぜん》国府などの発掘調査によって、以下のような共通した特徴が明らかになってきている。

①政庁域の中央北寄りに正殿、その南北に前殿や後殿を置くことがある。正殿や前殿の東西には、南北棟の脇殿を対称形に配し、正殿前方に広場が設けられている。

②周囲を塀や溝によって区画し、南に門を開く。

③殿舎や区画施設はほぼ同位置で建て替えることが多く、基本的に当初の建物配置が長期間にわたり受け継がれている。

④八世紀後半ないし九世紀に、掘立柱《ほったてばしら》建物から礎石《そせき》建物に変わる。

⑤八世紀以降存続してきた政庁は、一〇世紀頃には廃絶する。

大宰府《だざいふ》政庁は、瓦葺《かわらぶき》礎石建物で構成されていて、南には、宮でいえば朝集殿院《ちょうしゅうでんいん》にあたる区画をも備えていた。大極殿《だいごくでん》・朝堂院《ちょうどういん》・朝集殿院を小型化、簡略化した形式といえる。大宰府管内の肥前国府の政庁も、大極殿・朝堂院形式とみることができ、国府政庁の正殿は大極殿にあたり、脇殿は朝堂の変化した建物といえる。

国府政庁が大極殿・朝堂院をひとつの原形としたものとすれば、その機能も類似したものであったろう。律令《りつりょう》の規定などによると、国府では、元旦には長官である国司《こくし》が郡司《ぐんじ》や下級役人らを従え、「庁」（おそらく正殿であろう）に向かって拝礼し、そのあとに国司が年賀を受ける儀式が行なわれたという。政庁はそうした儀式の場としてふさわしい構造をとっていたのである。このほかにも政庁では、宮の朝堂で政務を執り行なったのと同じように、各種の政務報告などがなされたのであろう。

2

●伯耆国府の構成
鳥取県倉吉《くらよし》市に現存する国庁裏神《こくちょうりじん》社《じゃ》での発掘調査によって、国庁は後殿・正殿・前殿・東西脇殿・南門などから構成されていたことが明らかになった。

このように、国府政庁は国の政治・儀式のもっとも重要な場として整えられた。そしてそれが一〇世紀に失われたのである。

同様のことは陸奥《むつ》国府でもあった多賀城《たがじょう》の政庁域からも確認できる。築地《ついじ》で区画された約一〇〇メートル四方のなかに、正殿を中心に東西脇殿などの主要殿舎や広場が配置されていることがわかった。また、発掘調査の結果、第Ⅰ期（神亀《じんき》元年〔七二四〕頃完成）から第Ⅳ期までの変遷が明らかとなり、政庁域の終焉は一〇世紀中ごろから後半とみられている。これもすでにみた国府政庁の特徴と合致するといえるだろう。

一方、国府政庁との対比で注目されるのが、国司在任期間中の居宅であった国司の館《たち》である。政庁のような格式はないが、これも公的施設としてつくられた。当初は雑徭《ぞうよう》などの労役によって造営・修理され、のちには正税《しょうぜい》の負担によって修理された。また、破損した場合には前任の国司が修理の費用をもち、修理工事は後任の国司が行なうように定められた。

このような国司の館は、「正倉院文書《しょうそういんもんじょ》」や『万葉集《まんようしゅう》』によれば、たんに国司の居宅という意味をもつだけではなく、別の重要な役割を果たしていたことがわかる。国司の館は、公廨稲《くがいとう》（正税の保全を図るために設けられた官稲《かんとう》で、のちには国司の給与として機能した）を基盤にする出挙《すいこ》（国による稲の強制貸し付け）経営の拠点だったのである。場合によっては、国司の館以外にも私宅を国内各地にもち、出挙の経営にあたっていたようである。また、国司の館は、客屋や倉庫を含む数棟の建物からなり、国司らの宴の場として利用された。

このように、八世紀から一〇世紀にかけての国司の館は、国司の経済活動の拠点であった。しかし、そのために、やがて国司の私富の蓄積が進行するに伴って、在地の豪族、百姓などとの対立が激化することになった。

元慶《がんぎょう》七年（八八三）六月六日の大宰府《だざいふ》からの報告によれば、六月三日の夜に群盗一〇〇人あまりが筑後守《ちくごのかみ》の都朝臣御酉《みやこのあそんみとり》の館を囲んで彼を射殺し、財物を略奪したという。なお、筑後国司館跡の発掘調査では、溝で四角く囲まれた九世紀なかばから一〇世紀初頭のものとされる数棟の建物跡が確認され、区画内の土壙《どこう》から「介《すけ》」と記された墨書土器《ぼくしょどき》が出土しており、国府の次官である筑後介の館であった可能性もあるとされている。

天安《てんあん》元年（八五七）六月には、対馬《つしま》の郡司ら三〇〇余人が対馬守である立野正岑《まさみね》の館を襲撃しており、元慶八年六月に石見国権守上毛野朝臣氏永《いわみのくにごんのかみかみつけののあそんうじなが》が邇摩《にま》郡大領に襲撃された際にも、館が取り囲まれているようである。

このように、国司の館が襲撃の対象になったのは、そこが国司の私富の蓄積の場だったからである。苛酷《かこく》な政治が行なわれた際には、真っ先に攻撃の対象となったであろう。国司の館の存在の大きさは、九世紀になって政府が、国司館を官舎帳に記入して維持しようとしたことでも明らかである。平安時代中・後期の公私文書を収載した『朝野群載《ちょうやぐんさい》』には、新任国司が館に着館したときに雑人《ぞうにん》が見参したり、入館にあたって吉日を選ばせたりしていることがみえるが、このことは国府政庁に対して国司の館の地位がしだいに重くなっていったことを示している。

八世紀以来存続してきた国府政庁は一〇世紀には廃絶してしまうが、一方、国司の館はその政庁機能を受け継ぐとともに、経済活動の拠点としても整備されてゆくのである。

郡家から豪族居館へ

九世紀後半以降、郡司《ぐんじ》制度にも大きな変化がみられた。

郡家《ぐうけ》には「正倉《しょうそう》」「郡庁」「館《たち》」「厨家《くりや》」などの施設があった。正倉は、農民から租税や出挙《すいこ》によって徴収した稲をおもに収蔵した倉庫である。郡庁は郡家の政庁であり、政務を執ったり儀式を行なうところである。国府の政庁と同様に、南門を含む区画施設が正殿・東西脇殿・前庭を「ロ」の字形に取り囲む配置をとることが多い。館は「宿屋」「向屋《むかいや》」「副屋《そえや》」「厨《くりや》」から構成される。郡家の厨家は、郡家における宴会や、郡司ら役人や公的な使者などの食膳を準備し、食料を管理していた施設である。

発掘調査によれば、こうした郡家は九世紀代でほぼ終焉《しゅうえん》している。正倉は、本稲を蓄えておく必要も本稲そのものもなくなり、徴税されたものは直接に中央へ集積されるといった、当時の地方財政の変容により廃されていったと考えられる。また、政務や儀式の場としての郡庁の消滅は、郡司制度の改変を象徴している。つまり、九世紀なかば以降、郡司の徴税権をはじめとする諸権限を国司が掌握したため、郡内の支配拠点としての郡家はしだいに存在意義を失っていったのである。

それにかわって郡内に台頭してきた新興豪族は、独自に開発した田を中央の有力な王臣家《おうしんけ》などに寄進し、その権威を背景に、在地の支配を強めていった。つぎに紹介する新潟県長岡市《ながおか》門新《かどしん》遺跡と山形県米沢市《よねざわ》古志《ふるし》田東《だひがし》遺跡は、一〇世紀における新興豪族の居館の代表的なものである。

　門新遺跡は島崎川《しまざきがわ》低地に位置し、遺跡周辺は旧河道による自然堤防状の微高地であった。島崎川流域は、古代において越後国《えちごのくに》古志《こし》郡に属しており、製鉄跡や須恵器《すえき》窯跡《かまあと》などの生産遺跡が多く分布する。また、七世紀後半の白鳳《はくほう》期に創建された横滝山廃寺《よこたきやまはいじ》があり、さらに門新遺跡に先行する八幡林《はちまんばやし》・下ノ西《しものにし》両遺跡などの役所の存在から、古志郡の中枢地域であったと考えられる。

　八幡林遺跡は八世紀前半から九世紀前半にかけて機能した官衙《かんが》遺跡であり、遺構と多量に出土した文字資料の内容から、古志郡家あるいは古志郡司の大《だい》領《りょう》（長官）にかかわる施設ととらえられている。八世紀前半には城柵《じょうさく》または関《せき》機能を有する国レベルの施設も併置されていた。また「大家驛」と記された墨

3

◉整然と配置された八、九世紀の郡家
横浜市緑区の武蔵《むさし》国都筑《つづき》郡家跡の復元模型。西側（左）の台地には、総柱式の掘立柱建物が整然と配置された、租稲などを収納する正倉群がある。北東（右上）で発見された大型掘立建物群が郡庁であると考えられている。

書土器の出土から、同駅が八幡林遺跡に近接して存在したことがわかり、北陸道は従来考えられていた海岸ルートではなく、内陸部の島崎川沿いのコースをとることが確実となった。

この八幡林遺跡の南東八〇〇メートルにある下ノ西遺跡は、島崎川低地の微高地に位置し、北側には島崎川・小《お》島谷《じまや》川《がわ》・梅田《うめだ》川《がわ》の合流点を控え、さらには北陸道が付近を通過するなど、水・陸上交通の要衝の地に立地する。検出された遺構には、最大のものでは桁行《けたゆき》七間《けん》におよぶ掘立柱《ほったてばしら》建物二棟、道路、井戸三基などがあり、ともに出土した遺物から、八世紀前半から一〇世紀前半にかけて構築されたと思われる。遺跡の性格については、郡家およびその関連施設であった可能性が高い。

全国的に郡が変質を遂げる九世紀後半から一〇世紀、これら八幡林遺跡・下ノ西遺跡は廃絶し、それにかわるように門新遺跡が出現する。門新遺跡の調査成果を要約すると、つぎのとおりである。

自然河川の蛇行《だこう》部によって三方を囲まれた約三二〇〇平方メートルの範囲に、一一棟の掘立柱建物を中心とする、多数の遺構が検出された。掘立柱建物の時期は、ともに出土した遺物などから一〇世紀代のものと考えられ、さらに三時期に区分される。一〇世紀前半が遺跡の最盛期であり、平面積が二〇〇平方メートルを超える掘立柱建物を中心とした、倉庫など六棟の付属建物を伴っている。遺跡の内外を分ける明瞭な外郭施設が存在し、内部も溝・柵などで整然と区分される。また、川岸には船着き場状の遺構が確認され、物資の輸送などに内水面の積極的な利用がうかがえる。こうした遺構の内容や漆《うるし》作業・鍛冶《かじ》作業などの手工業生産の存在などから、この遺跡は新たな地域支配の拠点（開発領主の居館）であった可能性が高い。なお、その後は建物の規模が貧弱になり、周囲に畠《はたけ》を伴うなど、開発拠点としての性格は失われていったらしい。

一方、米沢盆地にある古志田東遺跡は、松川《まつかわ》扇状地の扇央部から末端部にあたり、標高二五七メートルの平坦《へいたん》な水田地帯に位置している。旧松川が形成した肥沃《ひよく》な堆積《たいせき》物で覆われる低湿地は水田耕作に適しており、また、河川は運河としての利用も可能であるので、地方豪族は河川が大きく蛇行する対岸に、その拠点となる居館を構えたのである。

この遺跡の発掘調査の結果、主殿とみられる大型の掘立柱建物跡は、桁行《けたゆき》一〇間（二四・四メート

門新遺跡（上）と古志田東遺跡（下）の遺構配置

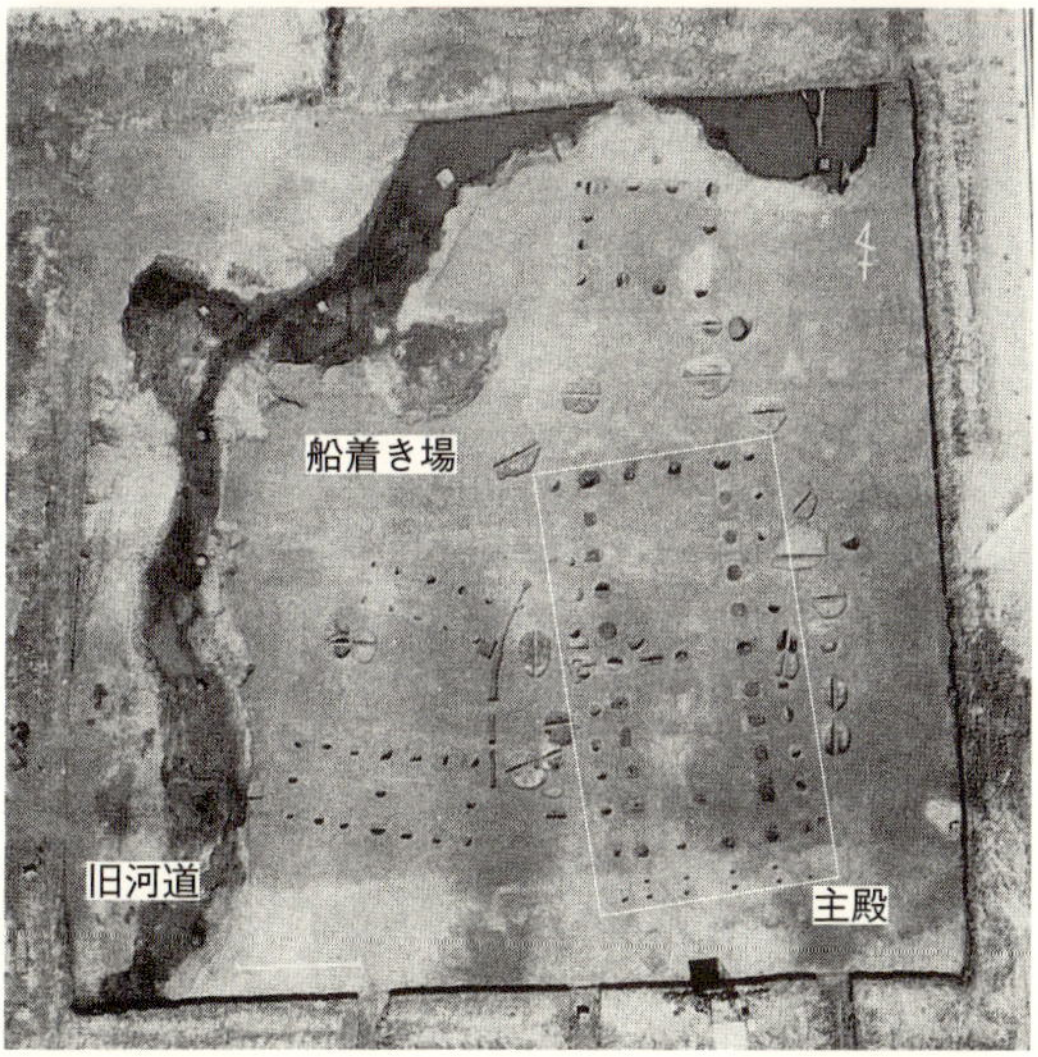

4

ル）×梁行《はりゆき》三間（八・四メートル）、廂を含めた建物総面積はおよそ三二〇平方メートル（約一〇〇坪）という巨大なものであった。この建物跡の周辺を倉庫跡などが取り囲んでいる。河川跡は、南側から北東方向に蛇行し、幅約一〇メートル、深さは約一メートルある。

　遺物の大半は河川跡から出土し、およそ五〇〇〇点に及ぶ土器の大半が原状に近い状況で出土したことから、祭祀《さいし》に使用したのち、一括《いっかつ》廃棄されたのであろう。土器の年代は九世紀中ごろから一〇世紀初頭である。木簡《もっかん》は一五点確認されたが、その主要なものとして、以下の三点があげられる。

①〔表〕有宗
　〔裏〕案文　　長さ（四五）×幅二〇×厚さ七ミリメートル

②□代田人廿九人　九人　女廿人　又卅九人　女卅一人　男八人　（二六五）×（一九）×五ミリメートル

③□船津運十人　（一六三）×（一六）×四ミリメートル

①の木簡は「有宗案文《ありむねあんもん》」と記された題簽軸《だいせんじく》である。「案文」とは文書の控えを意味し、この遺跡内において、有宗という人物の作成した文書を巻子《かんす》仕立てで保管していたことを示す。②は、動員した田人《でんじん》（農耕の民）の人数を数度にわたり累計した記録簡であり、田人のうち女性が七割から八割を占めている点が注目される。②以外にも、四歳から一六歳の小子という未成年者をも含め、労働力と

して二五八人にも及ぶ男性を大規模に動員した際の記録簡が出土している。③は表面《おもてめん》に「□船津運十人」と記されており、河川の船着き場より出土したものであることから、船荷の荷下ろしに動員された労働者の人数を記した記録簡である。労働力を動員し、把握した拠点であったことがわかる。

この遺跡で発見された三面廂の大型建物は主殿と考えられ、現段階においては山形県内の古代建物跡として最大級の規模である。また、河川に人工的な船着き場を設けたこと、その船着き場からあがったところに倉庫建物を建てたことが確認できる。荷の運搬用と思われる修羅《しゅら》は「ソリ」に近い形態であり、河川跡の東岸近くから出土している。

このように、門新・古志田東の両遺跡は在地有力者層の拠点であり、大規模な農業経営と手工業生産、そして河川を利用した流通機能を備えた施設である。九世紀後半から一〇世紀の地方行政は、国府と郡の支配形態に大きな変質をもたらした。王臣家などと結びついて台頭しつつあった在地勢力は、郡を媒介として在地を掌握することに、かつてほど積極的な意義を見いだしえなくなる。彼らは、従来の郡家《ぐうけ》にかわってみずからの手で新たな拠点を設営し、中世の地方社会へと連動してゆくのであろう。

以上みてきたように、一〇世紀には政務の中心は、従来の官衙施設からしだいに為政者の私的空間へと移行したことがわかる。それに伴って、従来型の中央集権体制は弱体化し、律令《りつりょう》制度は終末を迎えるのである。

古代国家の象徴の変貌

道路規模の縮小

古代国家は中央と地方との連絡を緊密にする必要から、通信と交通の制度を整備した。それが全国的な計画道路網と駅伝制の整備であった。とくに中央から七道《しちどう》の諸地域を貫く「駅路《えきろ》」は、巨大な直線道路として威容を誇った。それはまさに古代国家の権力を誇示する存在であり、またそれゆえに、駅の施設を利用できるのは少数の役人だけに限られた。

佐賀市にあった肥前国府《ひぜんこくふ》の南方には、国分尼寺《こくぶんにじ》・僧寺の前面を通って東方に向かう道路があった。昭和四七年（一九七二）、その延長とおぼしき痕跡《こんせき》が、佐賀平野を約一六キロメートルにわたり一直線に通っていることを、歴史地理学者が航空写真によって確認した。現地調査したところ、各所に切通し《きりどおし》（山・丘などを切り開いて通した路）の跡が存在することが判明し、西海道《さいかいどう》肥前路の駅路跡《えきろ》とされた。

この道路痕跡《こんせき》は、その後の発掘調査によって平地部で最大幅一五メートル、切通し部で六メートルほどの、奈良時代の道路であることが確認されている。その後、各地で直線道路の跡が認められ、発掘調査によって確認されたところも多い。

古代の道路は、平地では両側に側溝を備えており、奈良時代の駅路の道幅は、両側溝の中心から中心で測って九メートル、一二メートル、一五メートルなどである。また、駅路の通過地以外でも幅六メートル前後の奈良時代の道路が発掘されており、これらは伝馬《てんま》の道である「伝路《でんろ》」にあたるものではないかと考えられる。このように道路幅が三メートルの倍数になっているのは、丈《じょう》（約三メートル）を単位として道路幅が設定された結果であろう。ちなみに、奈良盆地の幹線道路である下ツ《しもつ》道《みち》の幅は二三メートル（約八丈）、難波京《なにわきょう》の朱雀《すざく》大路の延長になる難波《なにわ》大道《だいどう》は一八メートル（六丈）であったことが、発掘の結果わかっている。二三メートルといえば、片側三車線の高速道路上下線の道幅に近い。

ところが、平安時代になると様相が一変する。大阪府高槻《たかつき》市で発掘された山陽道駅路は、奈良時代には九メートルから一五メートルの幅があったとみられるのに対して、平安時代には幅六メートルにせばめられていることがわかった。同様に、石川県津幡《つばた》町加茂《かも》遺跡で発掘された北陸道能登《のと》路は、奈良時代には幅九メートルだったものが、平安時代には六メートルになっている。また、群馬県で発掘された東山道駅路は、奈良時代と平安時代とで経路が異なっていて、奈良時代の駅路は幅九メートルまたは

●佐賀平野にある古代の道路の痕跡
佐賀県神埼《かんざき》町上空から東方やや北寄りを撮影した写真である。写真中央、丘や森を切り通す道路痕跡が、平野部を約一六㎞にわたって一直線に貫いているのがわかる。

一三メートルであるが、九世紀に敷設された路線は幅六メートル前後を示す。

つまり、平安時代の「駅路」が奈良時代の「伝路」と同じ道幅になったのである。これは平安時代の駅路敷設に際し、一部で奈良時代の伝路が利用されたためではないかとみられている。駅路と伝路を整理統合して、原則として伝馬も駅路を通るようにしたため、かつての伝路の道幅が基準になったのではないかと理解されている。また、奈良時代の駅路が広すぎて維持管理が困難であったことも、道幅をせばめることになった理由のひとつであろう。

もっとも、現在までに発掘された古代道路のすべてが、平安時代に六メートルにせばまっているわけではない。福岡県筑後《ちくご》市鶴田《つるた》市ノ《いちの》塚《づか》遺跡で発掘された西海道駅路は、はじめは一一メールの道幅であったが、のちに九メートルにせばめられた。また、東京都国分寺《こくぶんじ》市西国分《にしこくぶ》地区で発掘された東山道武蔵《むさし》路

6

◉平安時代にせばめられた道幅
牓示札出土で有名な石川県津幡町加茂遺跡では、古代北陸道の支線である能登路が検出されている。奈良時代に幅九mあった道路が、平安時代には六mにせばめられたので、計四本の側溝がある。

は、当初は一二メートルだったものが、のちに九メートルにせばめられている。
これらの道路がせばめられた年代は確定できないが、いずれにしても、のちに狭められたことは共通した事実である。そして、この事実はまさに、道路が古代国家の権威の象徴としての意味を失い、より実質的な交通路となったことを示している。

戸籍制度の消滅

戸籍は律令《りつりよう》体制下、班田収授《はんでんしゆうじゆ》の実施と姓氏身分の確定のために、六年ごとにつくられた。一方、計帳《けいちよう》は調庸《ちようよう》収取のための基礎台帳として、毎年つくられた。これらを総称して籍帳《せきちよう》制度という。籍帳制度は、民衆の把握と租税の徴収の根本となる制度であり、国家による支配の象徴ともいうべきものであった。

平安時代に入ると、はやくもこの籍帳制度が行き詰まってしまう。崩壊の原因は、大きく二つあげられる。

ひとつは、籍帳による支配に対する抵抗、および籍帳からの離脱行為としての浮浪・逃亡である。浮浪・逃亡によって口分田《くぶんでん》を支給されなくなってでも、租庸調という税負担を拒否しようとしたものと理解できる。

もうひとつは、当時の日本には基本的に「家」という概念自体が乏しかったことである。中国の籍帳制度が、同居共財、つまり同じ所に住み家計をともにする人々を「家」とし、国家がそれを

「戸」として把握するものであるのに対し、当時の日本では家計という概念が明確ではなく、家族構成員さえ定まっていなかったのである。そのような実態からいえば、当初から籍帳制度の実施には無理があったというほかない。

しかし、造籍にあたる国司《こくし》や郡司《ぐんじ》の成績は、その支配下の人々の租税負担能力の増減によって左右されたから、建て前上は現状維持の数字を確保しなくてはならない。このため、戸籍にはしだいに虚偽の記載が目立つようになってきた。

平安時代の戸籍としては、延喜《えんぎ》二年（九〇二）の阿波国《あわのくに》、同八年の周防国《すおう》、長徳《ちょうとく》四年（九九八）の某国、寛弘《かんこう》元年（一〇〇四）の讃岐《さぬき》国のものなどが、それぞれ一部分ではあるが残存している。これらの形式はほぼ共通しており、奈良時代の戸籍と違って戸主との続柄はいっさい記されておらず、したがって姓氏や身分を確定する役には立たない。

また、当時はすでに班田収授も行なわれなくなっているので、そのための戸籍とも思われない。だとすれば、むしろ調庸を徴収するための台帳である、かつての計帳に類するものであると考えるのが自然である。

ところが、延喜二年の阿波国戸籍には、一〇〇歳以上の女性が多数みられる。また、延喜八年の周防国戸籍の場合も、その内容は一見してでたらめであることがわかる。久米直阿古人丸《くめのあたいあこひとまる》の戸は、一八人のうち調庸を負担すべき課口《かこう》は四人にすぎず、一三人までが女性であり、また最年少者は戸主の阿古人丸四三歳で、家族の平均年齢はじつに六五歳となる。ある戸では九三人のうち課口わずか四人、八三人が女性となっており、別の戸は三一人中で課口二人、女性二五人といった調子である。いうまでもなく、このような家族構成など到底ありえない。

一〇世紀段階では、調庸の負担は男子のみにかかる。二一歳から五九歳を正丁《せいてい》、六〇歳から六四歳を老丁《ろうてい》、六五歳以上を耆老《きろう》といい、老丁の庸調負担は正丁の半分で、耆老は全免となり、課口とはこの正丁と老丁を指している。したがってこの戸籍に基づけば、各戸の調庸負担は著しく少ないことになる。平安時代の戸籍が、調庸などの負担をまぬがれるために記載を偽っていることは明白である。

ただし、国司の側からいえば、課口の少ないことを口実に中央に送る調庸を少額にとどめることができるわけで、国司は実際にはこのような戸籍の記載とは無関係に調庸を徴収し、中央に納めるぶんとの差額を着服していたのであろう。戸籍は国司・郡司が作成して中央へ提出したものであるから、偽籍は国司と郡司が結託して作成したものと思われる。

こうして戸籍は完全に有名無実と化してしまったのである。

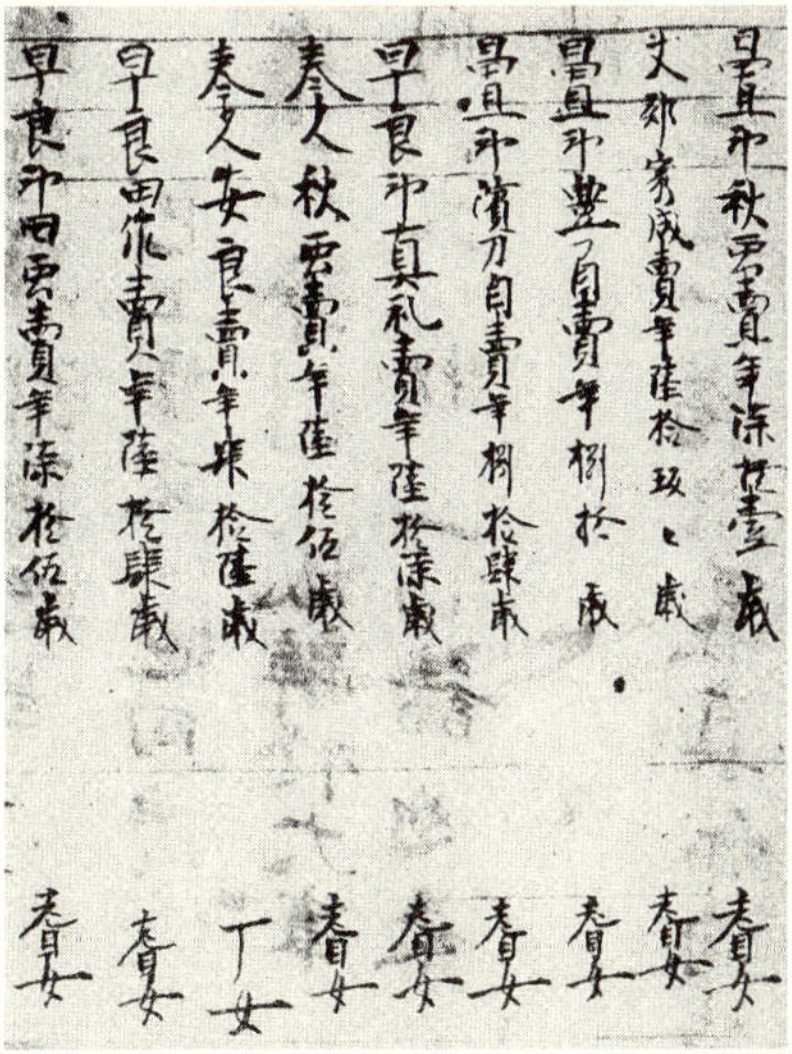

7

◉女性ばかりの一〇世紀の戸籍
延喜八年の周防国の戸籍。戸主久米直阿古人丸の戸の構成員は一八人で、そのうち一三人が調庸の負担のない女性であり、しかも六五歳以上の耆女《きじょ》が一〇人を占めている。なお、八行目の耆女は老女（六〇～六四歳）の誤り。

貨幣鋳造の終焉

和銅《わどう》元年（七〇八）、中国の開元通宝《かいげんつうほう》を手本にして、和同開珎《わどうかいちん》が発行された。その最大の目的は、平城京《へいじょうきょう》遷都（七一〇年）を控えての都城《とじょう》建設のための財源づくりであった。

当時の銭一文の価値は成人男子が一日働いた労賃に相当し、銅素材よりもかなり高い法定価値を与えられた。したがってその貨幣価値と流通は、国家によりつねに保証され、かつ〝梃入《てこい》れ〟される必要があった。そこで政府は、官人の給与や労働者の賃金の支払い手段として和同銭をあてた。また、古代特有の銭貨流通策として、銭を蓄えた者に位階を与えるという蓄銭叙位令《ちくせんじょいれい》を実施した。このほかにも雑徭《ぞうよう》や調《ちょう》を銭で納めさせることにより、銭貨の普及に努めた。

その結果、銭貨は平城京と畿内では貴族・寺院が中心となって市場で流通したが、畿外では従来どおり稲や布が交易の手段として用いられていた。八世紀後半になると、私鋳銭《しちゅうせん》の横行や飢饉《ききん》による米価の高騰によって銭の価値が低下、妻子までを担保にして借金をする下級官人も現われるようになり、人々の生活を苦しくさせた。政府は高い価値を付与した新銭の発行により対処したが、価値の下落は止まらなかった。

九世紀に入ると、貨幣の流通範囲は平安京とその周辺に限定されるようになった。平安京では貧民層にまで銭が流通したが、銭を持っていても、価値が下落しているために米は買えないという、奇妙な状況が発生した。そこで政府はつぎつぎと新銭を発行し、旧銭の一〇倍の価値を付与して、銭貨の価値を高めようとした。しかし、銅の不足やインフレの進行に伴う価値の低下と鋳造経費の節減の必要から、銭はしだいに小型になり、鉛の含有量が多い粗悪品の鋳造を余儀なくされ、これがまた新たなインフレをもたらすという悪循環を引き起こした。

やがて平安京では大規模な造営工事が行なわれなくなり、貨幣発行の本来の意義が薄れてしまった。また、インフレの進行により富の所有として銭が不安定なものとなり、天徳《てんとく》二年（九五八）に発行した「乾元大宝《けんげんたいほう》」をもって、二五〇年にわたる鋳造貨幣の歴史は幕を閉じた。

一一世紀に入ると、土地売買に用いられる交換手段も銭から稲・布などに逆戻りする。そして以後六〇〇年間、江戸時代に入るまで、わが国は中国からの輸入貨幣に頼ることになるのである。

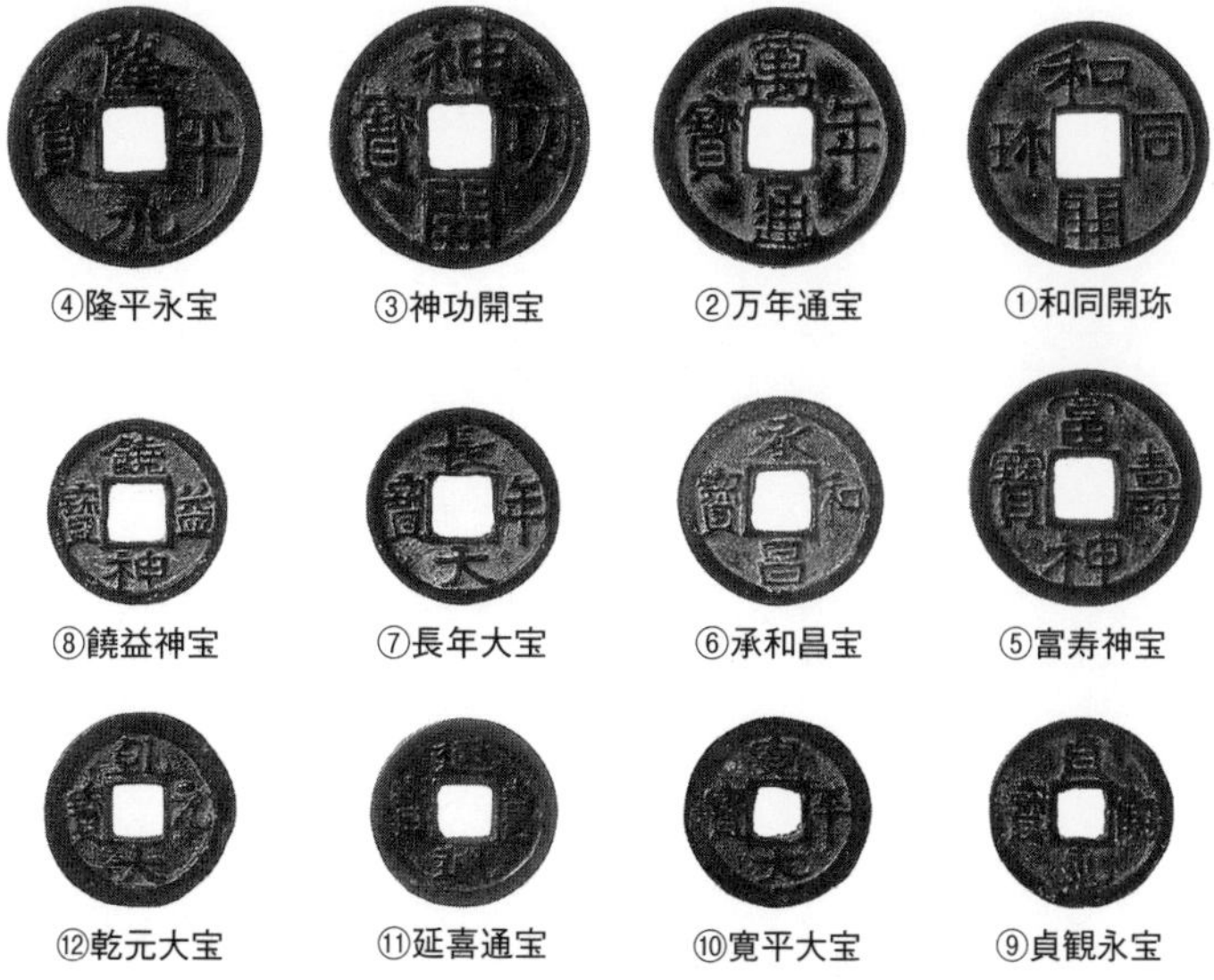

8

●古代の銭貨「皇朝十二銭」
②万年通宝は、①和同開珎よりひとまわり大きいが、以後は⑥承和昌宝までは縮小傾向、⑦長年大宝以降は小型となる。一〇世紀に発行された⑫乾元大宝は鉛の含有量がとくに多く、一〇〇％近いものもある。写真は原寸の約八〇％。

技術の変革

技術から読む①——古印

古代国家の質的変革は、これまでみてきたような政治・経済といった社会の表層のみにはとどまらない。社会の深層としての庶民の生活・生業にも、大きなうねりを読みとることができるのである。その現われのひとつとして、ここではものづくりの技術の変化に焦点をあててみようと思う。

中国の古印は青銅の鋳造印《ちゅうぞういん》で、秦《しん》の始皇帝《しこうてい》（在位紀元前二四七〜二一〇年）から漢代《かん》（紀元前二〇二〜紀元後二二〇）にかけて公印が制度化され、中央集権国家の権威のシンボルとなった。

わが国では、古代国家の確立に伴い、八世紀に入って天皇印をはじめとする公印がつくられた。印文は陽刻の篆書体《てんしょたい》で、大きさは法令により天皇印である内印《ないいん》が方三寸（約九センチメートル角）、外印《げいん》（太政官印《だじょうかん》）が方二寸半（約七・五センチ角）、諸司印《しょし》（民部省《みんぶしょう》・大蔵省《おおくら》など）が方二寸二分（約六・六センチ角）、さらに大宝《たいほう》四年（七〇四）に全国一斉に鋳造された諸国印が方二寸（約六センチ角）と定められた。古代の公印は厳密に大きさが定められ、しかも役所の格付けによって、その大きさをしだいに減じたのである。

一方、郡印《ぐん》は公印でありながら法令に大きさの規定がなく、遺《のこ》された資料をみるかぎり、書体も一定していない。

たとえば、天平《てんぴょう》二〇年（七四八）の文書に捺《お》された山背《やましろの》（城）国《くに》「宇《う》治《じ》郡印」の書体は、大宝四年にはじめて鋳造された国印と同様に篆書体《てんしょ》であった。ところが、天平勝宝三年《てんぴょうしょうほう》（七五一）の「阿拝《あべ》之印」（伊《い》賀《が》国阿拝郡）をはじめとして、正倉院文書《しょうそういんもんじょ》などの印影資料によると、七六〇年代までのものはすべて楷書体《かいしょたい》に一変し、宝亀《ほうき》年間（七七〇～七八一）以降、ふたたび篆書体に復している。一方、国印もこの時期にはほとんどの国で改鋳されているが、変わらず篆書体である。つまり、天平宝字年間（七五七～七六五）前後に限って、国印と郡印は篆書体と楷書体とで明確に区別されているのである。

この郡印の改鋳時期、天平宝字年間はまぎれもなく藤原仲麻呂《ふじわらのなかまろ》政権下にあたる。その仲麻呂政権下の施策のうち、少なくともつぎの二点が郡印の改鋳に深くかかわると考えられる。

ひとつは、天平宝字二年、右大臣に就任して権力を掌握すると、仲麻呂は姓名を藤原恵美朝臣押《ふじわらのえみのあそんおし》勝《かつ》と称し、すぐに恵美家印を官印として使用することを認めさせたこと。もうひとつは、仲麻呂は藤原氏の私印とされる「積善藤家《せきぜんとうけ》」「内家私印《ないけしいん》」を保持したが、両私印とも、このころの私印にはまったく類例のない本格的な篆書体であったことである。

そもそも、秦の始皇帝が全国統一（紀元前二二一年）の施策のなかでもっとも重視したことのひとつが、

◉郡印の書体の変遷
「宇治郡印」の書体は、文書に捺された印影から、天平二〇年には篆書体だったものが、天平宝字五年には楷書体、承和一四年にはふたたび篆書体と変化したことがわかる。

文字の統一だった。始皇帝は皇帝の詔勅《しょうちょく》などには篆書体を使うこととしたが、篆書体は曲線が多く、短時間に多くの文字を書くためにはかなり不便な書体だった。そこで役人たちは文書作成のときに篆書の曲線を直線に改めて、より速く書けるように工夫した書体として隷書《れいしょ》を用いた。この隷書は、六朝《りくちょう》（二二二～五八九）を経て隋代《ずい》（五八一～六一八）には楷書《かいしょ》体となった。

先の二点からわかるように、仲麻呂は印や書体に思い入れがあった。その仲麻呂が皇帝の書として篆書体を重視したことは、想像にかたくない。つまり篆書体は、天皇印（御璽《ぎょじ》）をはじめ二官八省印、そしてクニノミコトモチ、つまり天皇の代理として諸国を治める国司《こくし》の用いる諸国印までがその使用範囲とされ、地方豪族である郡司《ぐんじ》（郡の役人）が用いる郡印にはその使用を禁じ、楷書体に改めさせたのであろう。楷書体の郡印が藤原仲麻呂の施策であると推定することは、天平宝字八年（七六四）九月に謀反《むほん》が発覚して仲麻呂が斬首されたあとの七七〇年代には、すでに郡印が篆書体に復していることからもうなずける。

さて、それではこうした古代印のあり方は、その後、どう変化したのであろうか。

岩手県平泉《ひらいずみ》町柳之御《やなぎのご》所《しょ》遺跡は、これまでの発掘調査により、日常的な生活空間ではなく、公的な儀式などを行なった都市平泉の中核をなす場であったことが明らかになった。しかも、遺跡は一二

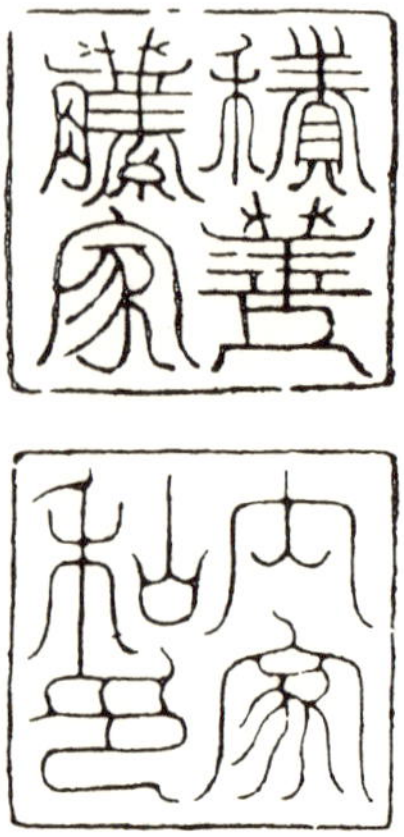

◉藤原氏の家印の見事な篆書体

私印は原則として楷書体であったが、光明皇后を含む藤原氏の私印である「積善藤家」と「内家私印」だけは、本格的な篆書体である。

世紀後半のもので、奥州藤原氏三代秀衡《ひでひら》の隆盛期にあたる。

平成一一年（一九九九）に、大規模な堀に囲まれた中心地域の発掘調査で、直径二・二～二・四メートル、深さ約三メートルの井戸跡が検出された。銅印「磐前村印《いわさきそんいん》」は、その井戸の中から白磁《はくじ》の四耳壺《しじこ》とともに出土した。壺は中国福建省《ふっけんしょう》付近が産地とされる高級品で、一二世紀後半に輸入されたことがわかっている。

この銅印は、これまで全国各地から出土した印のなかでも、もっとも保存のよいものである。当初、発掘に携わった作業員が落とした一〇円銅貨ではないかと一瞬勘違いしたほど、真新しい赤銅色の輝きがあったという。印面の彫りの凹部分に朱《しゅ》の付着が認められ、この印が実際に使用されていたことを示している。

大きさは四・七センチメートル角、高さ三・七センチ、重量一六七・四グラムである。印面の形

9

◉銅印「磐前村印」 書体は楷書である。彫りの浅さが目立ち、八～九世紀の彫りの深い出土印との違いがわかる。下は奥州藤原氏の邸宅内の井戸から出土した際の状況。きわめて良好な状態で、光沢を保っている。

状は、八世紀から九世紀の印のような四隅の鋭い正方形ではなく、やや隅丸《すみまる》の方形である。さらに、印面には明瞭な反《そ》りが認められ、外郭が印文よりやや低くなっている。また、印面の文字の彫り方はきわめて浅く、鋳出後にタガネ工具で部分的に字画の切れ目を補ったり、底部をさらったりしており、字画の断面が逆U字形となっている。この点も、八世紀から九世紀の出土印は彫りが深く、字画の断面が逆V字形である点と異なっている。

ところで、先にみたように、郡印は国印と同様に当初は篆書体を用いていたが、天平宝字年間前後に限って楷書体であった。そして、七七〇年以降はふたたび篆書体に戻っている。ただし、例外はあり、正暦《しょうりゃく》二年（九九一）の文書に押印された大和国《やまと》「添上《そうのかみ》郡印」は楷書体である。だが、この楷書体は八世紀後半の郡印とは明らかに書体が異なり、筆画にまったく勢いがなく、太くて平板である。「磐前村印」の字体も太く平板なものであり、楷書体といってよい。その点で一〇世紀末の「添上郡印」と共通した特徴をもっている。

また、密度に注目してみると、「磐前村印」は約八・〇グラム／立方センチメートルである。これまでの全国各地の出土印・伝世印の分析結果では、古代印の密度は平均七・〇グラム／立方センチ前後、近世印は平均八・五グラム／立方センチ前後という傾向を示している。

この密度の相違は、鋳造技術の差を示している。古代印と想定される銅印は、X線透過撮影によると、全体的に均一な細かい鬆《す》がみられるのに対して、近世印には見いだすことができない。この銅印全体に細かく鬆を入れる鋳造技術が、古代印の密度をおおむね七グラム／立方センチ台と低く保ち、重量を軽くしているとみられている。大根や豆腐などでは鬆のあることは品質が劣ることを意味するが、銅印全体に細かく鬆を入れるのは、現代の名工でも再現できないほど高度な鋳造技術なのである。一方、近世印は鬆が全体的に認められず、そのために密度が高く、ずっしりした重量感がある。銅印「磐前村印」の重量と密度は、むしろ近世印に近いといえる。

そもそも古代印は、あくまでも律令国家の文書行政に伴ってその存在意義をもったものである。したがって律令国家の変質とともに、一〇世紀以降の古代印は形式化し、それ以前の公印にみられる国印・郡印などの厳密な区分や、公印と私印との識別基準もしだいに失われていったと想定できる。正暦二年の大和国「添上郡印」は印影しか残っておらず、彫り方などの情報は知りえないが、明らかに八、九世紀の郡印とは異なり、「磐前村印」へと連続する特徴をみることができる。そして、一二世紀後半という明確な年代をもつ「磐前村印」は、そうした一〇世紀以降の古代印の変遷にきわめて合致する特色をも

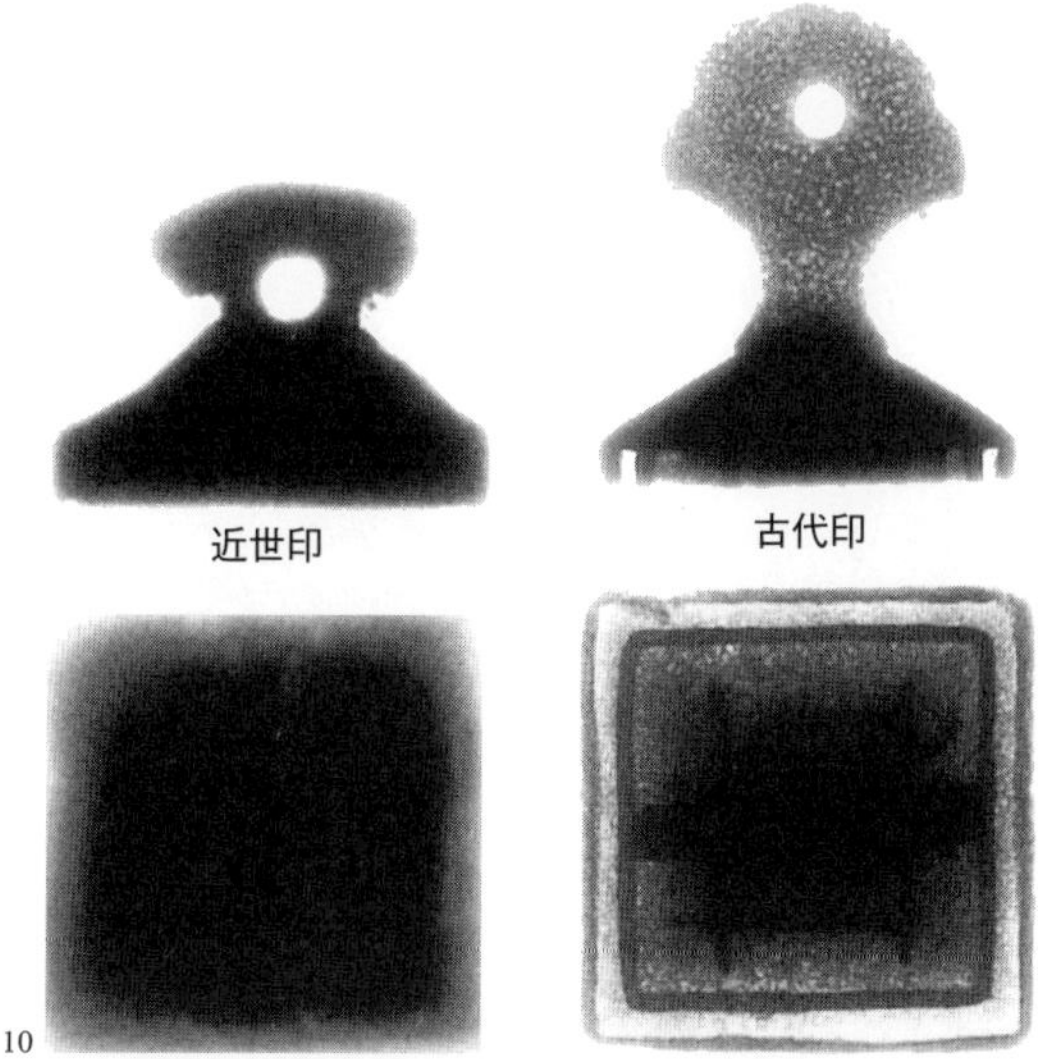

◉X線透過撮影による銅印の鬆
神奈川県大磯《おおいそ》町馬場《ばば》台《だい》遺跡出土の古代印「塡」は、全体に均等に鬆が入っている。一方、近世の伝世印には鬆が認められない。古代の青銅製品は、印のほか、鏡などでも全体に鬆が認められ、製品として軽く仕上げる高度な技術がみられる。

っているのである。

さらに鋳造技術の点についていえば、おそらく一〇世紀以降は軽量に仕上げる高度な技術が失われ、より密度の高い近世印へと続いていったのではないかという見通しが立てられる。

技術から読む②――漆塗り

日本列島で現在知られているもっとも古い漆《うるし》製品は、北海道函館《はこだて》市にある垣ノ《かきの》島《しま》B遺跡の墓から出土した、約九〇〇〇年前の赤色漆塗りの装身具様《よう》製品である。

赤色漆はベンガラ（赤色酸化鉄）漆が何回も塗り重ねられたものであるが、この重ね塗りは、縄文《じょうもん》時代に一貫して認められる技法である。さらに朱《しゅ》（辰砂《しんしゃ》＝赤色硫化水銀の粉末）の出現は、漆工技術を高度なものに変えた。たとえば、東京都中野《なかの》区北江《きたえ》古《こ》田《だ》遺跡出土の木胎漆器《もくたいしっき》では、炭粉《すみこ》漆地《うるしじ》・漆層に加えて、ベンガラと朱の赤色漆三層を確認できる。

漆器の品質を決める基本的要素は下地《したじ》である。上質の漆下地としては、漆と鉱物粒子を混ぜたもの（地《じ》の粉《こ》漆下地）、粒子が細かく均一なもの（鋳《さび》漆下地・砥《と》の粉《こ》漆下地）、炭粉粒子を混ぜたもの（炭粉漆下地）がある。鋳漆下地は近世以降であるが、ほかの下地は古代を通じてみられた。

以下、各時代の遺跡から出土した漆製品の、とくに下地の変遷に注目しながら、八世紀以降の変化を追ってみよう。

金沢《かなざわ》港に近い石川県金沢市に所在する八世紀から九世紀の戸《と》水大西《みずおおにし》遺跡からは、墨絵《すみえ》で動物が描かれためずらしい漆革箱《かわばこ》が出土している。革の上の塗装工程は下層から順に、①布着せ層（麻類）、②ベンガラ主体の漆層、③漆層、④ベンガラ主体の漆層、⑤地の粉漆下地層、⑥漆層（地固め）、⑦漆層の順であることが判明した。下塗り・中塗りが省略されたわりと簡素なものであるが、下地までの工程は丁寧である。

石川県かほく市指江《さしえ》B遺跡出土の八〜九世紀の小型鉢ないし椀は、きわめて薄手の木地で、布着せが施され、塗りも光沢がある良品である。下地の黒色地の粉は、まさしく地の粉に炭粉を混入したものである。八世紀後半から九世紀前半の官衙《かんが》関連遺跡と推定される新潟県胎内《たいない》市船戸《ふなと》川崎《かわさき》遺跡出土の盤《ばん》（平大皿）の下地、および八世紀末の長岡京《ながおかきょう》左京四条二坊出土の大鉢も、同様の特色をもっている。

ところが平安時代も後半になると、こうした漆技術に大きな変化が生じた。国府《こくふ》や郡単位に確保されていた工人はしだいに自立の道を求め、各地で新たな漆器生産が開始された。一一世紀には蒔絵《まきえ》表現において描割《かきわり》や引掻《ひっかき》（針描）技法が出現し、多

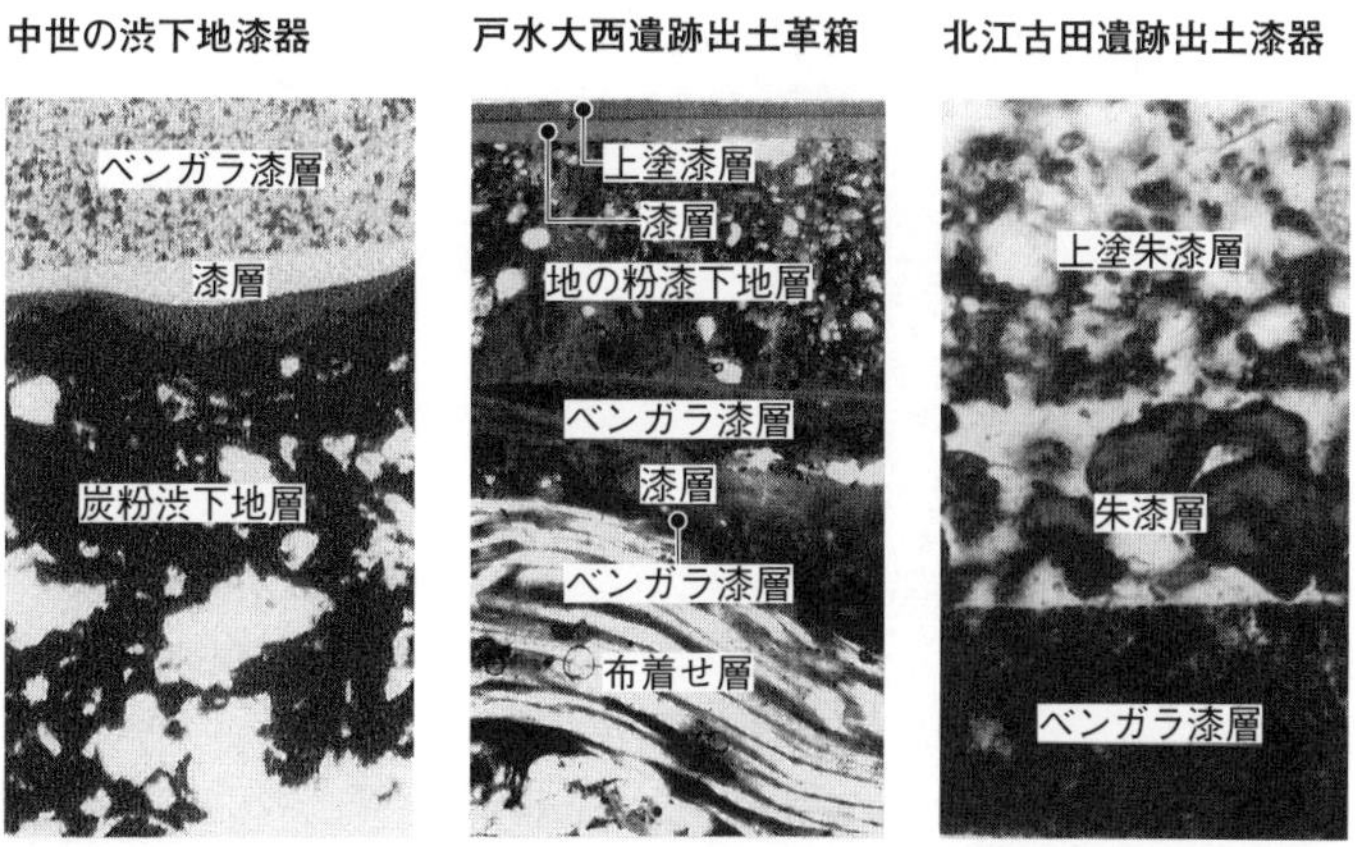

11

◉顕微鏡で観察した漆塗り技術の変遷
北江古田遺跡の縄文時代の漆器は、三層に赤色漆を塗り重ねている。戸水大西遺跡の九世紀の漆革箱は、下地までの工程が丁寧。胎内市坊城《ぼうじょう》遺跡《いせき》の中世の漆器は下地に柿渋を使用。

彩な表現が可能となる。一方で同じころ、工程を大幅に省略し、下地に漆を用いず、柿渋《かきしぶ》と炭粉を混ぜた代用品を塗って、上塗り漆も一～二回ほどで完了させる安価な渋下地《しぶしたじ》漆器が出現し、漆器の普及に拍車をかけたのである。木地の樹種も、ケヤキのかわりに安価なブナやトチノキなど、多様なものが選択されるようになる。そして一二世紀後半から末に、蒔絵意匠を簡略化した漆絵《うるしえ》(赤色漆などで文様が描かれたもの)が導入されると、渋下地漆器は一転して華やかなものとなり、需要が急増していった。

このように現段階では、一一世紀から一二世紀を境に、北陸・関東・東北において安価な渋下地漆器が普及しはじめ、しだいに土器埦《わん》が消滅して、陶磁器や瓦器《がき》埦(いぶし焼きされた瓦質土器)などと漆器の相互補完による新しい食膳様式が形成されるようになったと考えられている。土器・陶磁器が主体であった西日本でも、広島県福山《ふくやま》市草戸千軒町《くさどせんげんちょう》遺跡にみられるように、一三世紀後半には漆器の普及が確認されている。

一方、古代から漆器生産の中心地であった京都は、その周辺地域に漆器の代用品ともいわれる瓦器埦が大量流通していたにもかかわらず、瓦器埦をほとんど受け入れていない。したがって、京都で用いられていた食器は中国陶磁器と漆器ということになる。宮中や寺院の儀式、調度に不可欠な朱漆塗りの高級漆器と、量産型でありながら漆絵で加飾された渋下地漆器は、消費都市京都の必需品であり、市内各所から多様な漆器が出土している。

なお、漆の値段については、「正倉院文書《しょうそういんもんじょ》」によると奈良時代では天平《てんぴょう》六年(七三四)で漆一升が一九〇文ないし二〇〇文、天平宝字六年《てんぴょうほうじ》（七六二）では、陸奥《むつ》・上野国《こうずけのくに》の上品漆が二六〇文、中品二五〇文、越国《こし》の漆は二三〇文であった。天平宝字六年に米一升が五文から一〇文であったことを考えると、漆の貴重さが知られる。中世になるとさらに高騰し、漆一升が銭一貫文の記録もあるほどである。下地に柿渋が多用され、上塗り漆が一～二回ですまされるようになったのも、高価な漆を節約するためであったと考えられる。

新技術はつねに社会の要請、つまり需要によって生み出される。こうした漆工技法の大きな変化も、漆器使用者層の拡大とともに、遅くとも一一世紀から一二世紀には起きていたのである。

消えた墨書土器

集落における墨書土器の終焉

宮都やその周辺では七世紀以降の、その他の地域においては八世紀以降の、膨大な数の墨書土器《ぼくしょどき》が出土している。しかし、墨書土器はなぜか一〇世紀以降、列島各地から姿を消してしまう。

中・近世においても、陶磁器などに墨書・刻書したものは存在するが、第六章で述べたような古代社会全般にわたる儀式や信仰に伴うものではない。いいかえれば、古代の墨書土器のように社会の深層にまで迫る資料的意義は、やはり一〇世紀以降の墨書・刻書資料には認められないのである。

では、墨書土器はなぜ消えてしまったのか。

古代の墨書土器の本質は、一般集落においては主として信仰形態に伴う記銘であり、官衙《かんが》においても、多くは饗宴《きょうえん》などの儀式に伴う記銘である。つまり、古代の墨書土器は信仰や儀式に伴う行為として、列島各地に急速に浸透していったのである。

縄文《じょうもん》時代から人々は神を篤《あつ》く信仰していたが、文字を介して神に接することはなかった。ところが八世紀頃から、人々は招福除災や延命を祈願するために、神仏に供物《くもつ》を奉《たてまつ》り、その意向を文字によって伝えるようになる。そのひとつが墨書土器であった。したがって墨書土器の消長は、信仰形態に対応するものであり、古代社会における宗教の本質的変遷と深くかかわるとみてよい。そこで、以下、九世紀以降の仏教を中心とした信仰形態の変遷を概観してみたい。

九世紀に入ると、最澄《さいちょう》・空海《くうかい》は唐《とう》において密教《みっきょう》を学び、帰国後、天台宗《てんだいしゅう》・真言宗《しんごんしゅう》を開いた。密教は呪術《じゅじゅつ》的な要素を仏教に取り入れたもので、秘法にのっとった方式で祈禱《きとう》し、仏の力によって病気・厄除《やくよ》けや雨乞いなどの願いをかなえるものである。この加持祈禱《かじきとう》によって現世利益をはかる天台・真言両宗は、天皇をはじめ貴族の間で重んぜられた。また、密教は奥深い山岳を仏の霊地と考え、山伏《やまぶし》に代表されるような山岳修行を重視する、実践的な信仰でもあった。この信仰と日本古来の山岳崇拝とが結びついたのが、修験道《しゅげんどう》である。しかし、このような新しい仏教は、一般庶民にとっては遠い存在であった。

こうした現世利益を求める信仰に対して、一〇世紀なかばに新たに登場してきたのが、阿弥陀仏《あみだぶつ》を信仰し、来世において極楽浄土に往生することを願う浄土教《じょうどきょう》である。

平安時代、浄土教は盛行の一途《いっと》をたどり、浄土教こそ末法《まっぽう》における救済を保証する唯一の教法であり、しかも建堂造仏や経典の読誦《どくじゅ》書写を必要としない点において、広く一般民衆の仏教であると主張された。念仏そのものが救済の意義を担ってくるのであるが、この浄土教の発展に画期的な役割を演じたのが、空也《くうや》（九〇三～九七二）と源信《げんしん》（九四二～一〇一七）である。

空也が平安京《へいあんきょう》で活躍しはじめたのは承平《じょうへい》・天慶《てんぎょう》の乱（九三五～九四一年）の末期ごろであった。承平・天慶の乱は朝廷・京中を恐怖に陥れたため、空也の念仏勧進は人心に強く訴えた。

12

◉空也像

空也は京都の市中をめぐって人々に念仏を勧めたので、「市聖《いちのひじり》」と呼ばれた。その宗教活動は呪術的な面をもち、のちに空也念仏の宗徒に始祖と仰がれた。写真は、空也ゆかりの京都市六波羅蜜寺《ろくはらみつじ》に安置されている木彫像。

この空也の思想については、律令《りつりょう》時代以来の死者追善や閻魔《えんま》思想などが離れがたく溶け合っていたことが知られ、これに加えて奈良朝以来のさまざまな民間仏教的な諸要素を雑然と受け継いだところに、摂関《せっかん》・院政《いんせい》期の聖《ひじり》・上人《しょうにん》層とは異なる点がみられる。とくに墨書土器との関係で興味深いのが、つぎのような事実である。

晩年、二世《にせ》(現世と来世)の親交を誓った大納言藤原師成《だいなごんふじわらのもろなり》が死んだとき、空也は閻羅《えんら》王宮にあて、師成の優恤《ゆうじゅつ》(手厚く大切に取り扱うこと)を頼む牒状《ちょうじょう》(手紙)を書き、権律師余慶《ごんのりつしよけい》が葬儀でこれを読み上げた。そこで居並ぶ貴族が色をなしたという。ここから、空也の念仏思想は洗練された天台浄土教とは異なり、墨書土器に通じる、なまなましい土俗性を有していたことがわかる。

その後、厭離穢土《おんりえど》を説く浄土教は大乗《だいじょう》仏教の精神に強く支えられ、名利《みょうり》の外に魂の自由と一切衆生《いっさいしゅじょう》の救済を求める精神運動として興隆するが、そのピークが源信と『往生要集《おうじょうようしゅう》』であった。

さらに一二世紀後半以降には、法然《ほうねん》の浄土宗をはじめ、いわゆる鎌倉仏教という新しい仏教の展開がみられた。この新仏教の特徴は、天台・真言両宗をはじめとする旧仏教の求めた厳しい戒律や学問、あるいは寄進などを重要視せず、ただ、念仏や題目などによってのみ救いにあずかることができると説き、広く武士や庶民にもその門戸を開いた点にある。

以上のような古代から中世にかけての信仰形態の大転換こそが、土器に文字を記し、冥界《めいかい》や国玉神《くにたまがみ》などに招福除災や延命などの現世利益を願う〝墨書土器の世界〟を終焉《しゅうえん》させた要因であろう。一〇世紀なかば以降、新たに流行した浄土教は当初、墨書土器に通じる土俗性をもちながら発展し、のちの鎌倉仏教にみられるような、ひたすら念仏や題目を唱えるだけで救われるという教えは、一般庶民にまたたく間に広まったと考えられる。それまでの道教的な呪術性の高い信仰、招福除災や延命への願いを土器に記すという信仰形態は、新たな仏教の台頭によって、しだいに姿を消していったのであろう。中世・近世においても土器に墨書することはあるが、それは、古代の墨書土器のように社会の深層に入り込んだものではなかったのである。

役所における墨書土器の終焉

宮都をはじめ、地方の国府《こくふ》・城柵《じょうさく》・郡家《ぐうけ》などの諸官衙《かんが》では、多量の食器類の管理の必要から、土器に所属や用途・数量などを墨書したといわれている。その代表的な墨書土器に「厨《くりや》」関係墨書がある。

しかし、諸官衙の厨房が蔵する土器は膨大な数にのぼるはずだが、出土土器全体のなかで「厨」と表記された土器はあまりにも少なすぎる。「厨」墨書土器は、たんに所属や用途を書いたのではあるまい。おそらく、国府・郡家などの官衙内外における恒例行事や臨時行事、あるいは接客などに際して、饗饌《きょうせん》（もてなし）のために使うという「国厨之饌《くにのくりやのせん》」

13

◉「国厨」と「郡厨」の墨書土器
古代の役所で客人を饗応するときに、厨で調理したことを記した墨書土器。右の「国厨」は栃木市下野《しもつけ》国府跡、左の「郡厨」は神奈川県平塚市天神前《てんじんまえ》遺跡《せき》から出土した。

「郡厨之饌」などの意味で「国厨」「郡厨」と記銘したのであろう。したがって「厨」墨書土器の出土地点は、一応は饗饌の場、またはそれらの饗饌を調《ととの》える厨施設と想定できる。

さて、役所における墨書土器が、以上のようにもっぱら饗応の場で記載されたとすれば、その終《しゅう》焉《えん》も饗応などの変質に起因すると考えるべきであろう。

まず、一一世紀以降の官衙内における饗応においては、それまでの須恵器《すえき》を中心とする供膳具が、いわゆる「かわらけ」（素焼きの土器）などに大きく変わっていくことがわかっている。たとえば、奥州藤原《ふじわら》氏の平泉《ひらいずみ》の柳之御所《やなぎのごしょ》遺跡では、一二世紀頃の「かわらけ」が、約三万平方メートルの範囲から一五トン以上も出土している。二〇〇グラムほどの大皿状のものと八〇グラムほどの小皿状のものがあるが、両者が同じ割合で使われていたとすると、大小合わせて一〇万枚以上の「かわらけ」が出土したことになる。「かわらけ」はハレの場での器で、割れていない状態で出土することが多いことから、使い捨てで大量に消費されたことがわかる。そのような器には、饗饌を調えた「厨」名や、饗応の場での識別を目的とする施設名や職名などを、あえて記載する必要性自体が失われたとみるべきであろう。

さらに、饗宴の場そのものの変化も墨書土器を消滅させたのではないかと考えられる。九世紀後半以降、律令《りつりょう》体制の衰退とともに地方政治が大きく変質を遂げるのである。

地方政治の中心となる国府政庁においては、元日朝拝をはじめとするさまざまな儀式とそれに伴う饗宴、郡家においては、国司巡行をはじめ郡を行き交う公的諸使節に対する饗応が、ともにさかんに行なわれた。その饗宴・饗応の場においては、須恵器を中心とし、「厨」記銘を含む数多くの墨書土器が使用されたであろう。しかし先にみたように、しだいに国府政庁から国司の館《たち》へ政務の場が移り、一〇世紀には国府政庁は廃絶してしまった。郡家も衰退し、かわって郡内に大規模な農業経営と独立した行政機能を備えた居館的施設が複数存在する状況を迎えると、かつての統一的、集中的な饗応の場は失われるに至るのである。

国府や郡家における公的儀礼、および国司・郡司などが交わる饗応の場の変質は、その儀礼と饗応に伴う墨書土器の終焉へとつながっていったといえるのではないだろうか。

このように、政治的儀礼の場における饗宴と、招福除災や延命などの信仰形態の変質によって、古代特有の墨書土器の役割は、一〇世紀でほぼ終了したのである。

14

◉掘り出された膨大な数の「かわらけ」
「かわらけ」は食物を盛る器や酒杯として用いられた素焼きの土器である。ロクロと手づくねのものがあり、使い捨てで、墨で文字を記すことはほとんどない。これらは岩手県平泉町の柳之御所遺跡で出土したもの。

古代集落が消える

東国の集落――房総の例

これまで検証してきたように、一〇世紀には律令《りつりょう》国家を取り巻くさまざまな表層的、さらには深層的変化が起こっている。最後に、古代人の生活実態を示す集落遺跡の変化についてみてみたい。

千葉県の奈良・平安時代の遺跡のうち、これまでに発掘調査された遺跡は七〇〇か所を超えており、その大半がいわゆる集落遺跡である。ほとんどが開発事業に伴った発掘調査であるため、調査事例は首都圏域の下総《しもうさ》地域や上総《かずさ》地域の北半分に偏っている。

これらの地域の集落は、樹枝状に入り込んだ谷や低地に面した、標高三〇～四〇メートルほどの広く平坦《へいたん》な台地上に形成されているものが多い。主として台地上では畑作を、台地下の低湿地帯では谷地を開発して水田耕作を行なう、農村型集落が大半を占めている。

こうした集落遺跡には、古墳《こふん》時代からの地域の伝統を維持しつつ新しい文化を受け入れた「伝統的な村落」と、外部の権力者による新たな開発によって形成された「計画的な村落」という二つのタイプがある。そして、多くの集落が九世紀後半から一〇世紀前半にかけ、台地上から姿を消していることが注目される。

一〇世紀から一二世紀にかけての集落の様子は、房総に限らず全国的にもはっきりしていない。

その理由として、以下の要因が考えられている。

①これまで発掘調査が十分に行なわれなかった沖積平野《ちゆうせき》へと集落が移動していった。
②居住形態が発掘調査では痕跡《こんせき》を発見できないものに変化した。
③不安定な社会状況が集落を継続的に維持することを阻んだ。

いずれにしても、この時期の集落の数は少ないのである。ところが、「伝統的な村落」の遺跡のなかには、一一世紀中ごろまで比較的長期にわたって台地上に存続したものがある。

千葉《ちば》市谷津《やつ》遺跡は、標高二八〜三〇メートルの台地に位置しており、竪穴《たてあな》住居一六八軒、掘立柱《ほつたてばしら》建物一四棟などが確認された。五世紀末から集落が成立し、六世紀末から七世紀後半の住居は四〇軒を数える。八世紀代に規模が縮小するが、九世紀になってふたたび増加し、九世紀後半から一〇世紀にかけてピークを迎え、一一世紀前半まで続いている。九世紀後半から一〇世紀にかけての遺構・遺物としては、鋳銅《ちゆうどう》工房跡、印や錫杖《しやくじよう》の鋳型、土師器坏《はじきつき》を転用した坩堝《るつぼ》（熔けた銅を入れる容器）などがある。

袖ケ浦《そでがうら》市永吉台《ながよしだい》遺跡群は、小櫃川《おびつがわ》と養老川《ようろうがわ》の間の標高六三〜七五メートルの台地上に位置しており、遠寺原《とおてらはら》遺跡と西寺原《にしてらはら》遺跡からなる。遠寺原遺跡は八世紀後半から一〇世紀の集落で、礎石《そせき》をもつ四間×五間の四面庇《ひさし》建物跡は寺院と考えられ、それを中心に建物がL字形に並んでいる。西寺原遺跡は九世紀前半から一〇世紀末ごろまでの集落で、竪穴住居一三三軒、掘立柱建物八棟のほか、土師器を焼いた窯跡六〇基が検出された。この遺跡群は、寺院を中心に展開した遠寺原遺跡から、土師器の生産を主体とする西寺原遺跡へと中心が移っていったようである。

　このように、一一世紀まで台地上に集落が継続して営まれた遺跡には、九世紀後半から土器や鉄を生産するようになったものが多い。おそらく、台地上の豊富な樹木が土器や鉄器生産の燃料として不可欠であったために、一一世紀まで台地上に集落が踏みとどまったのであろう。

　一方、東金《とうがね》市久我台《くがだい》遺跡は、九十九里《くじゅうくり》浜《はま》平野に近接した標高六〇メートルの台地上に位置している。古墳時代後半の六世紀から集落が形成され、一一世紀まで存続した。ただし、この遺跡の最終段階の一〇世紀前半以降、集落が台地南東側に移動していく傾向がみられる。その南東側には太平洋に面する沖積地が広がっており、開発の主体が平野部に移行した可能性がある。

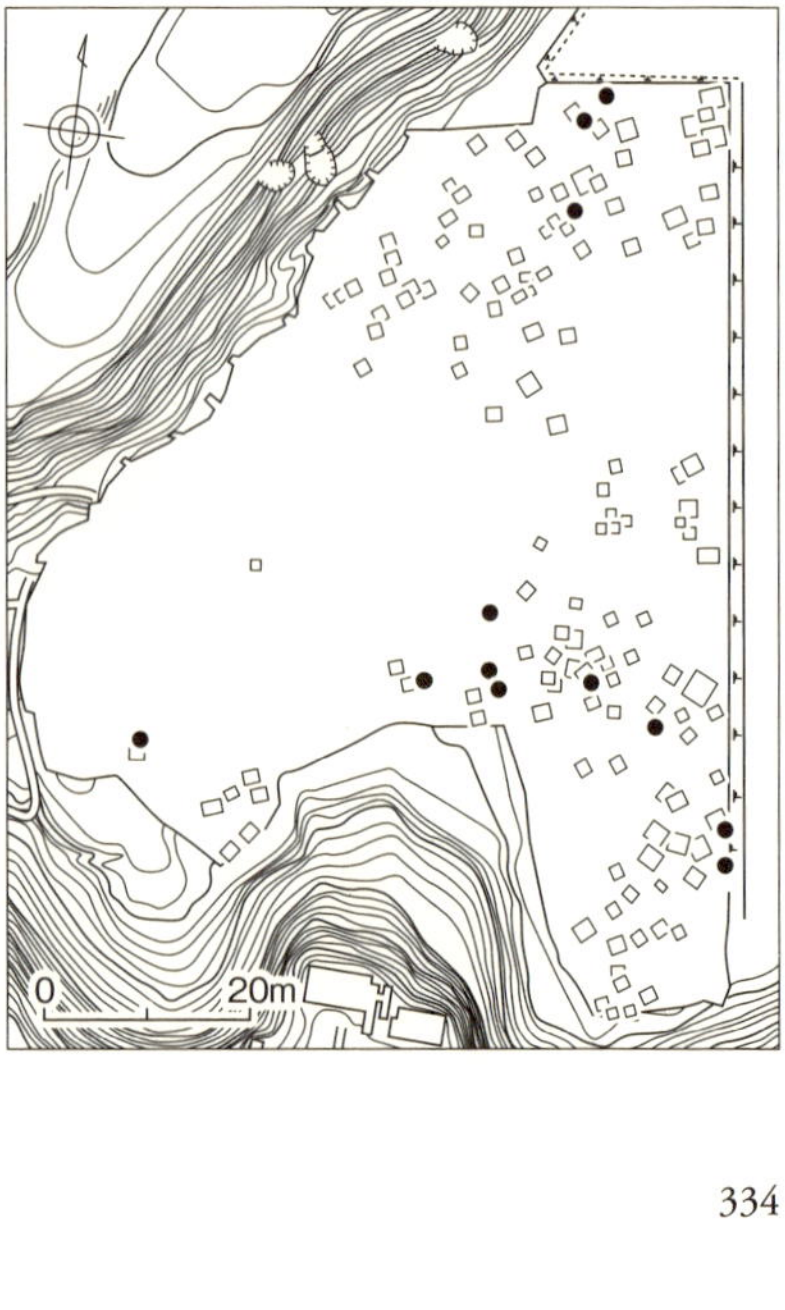

●台地から消える集落
久我台遺跡は台地上に広がる六世紀なかば～一一世紀の集落遺跡であり、二七八軒の竪穴住居跡が検出された。奈良・平安時代のものは約一七〇軒で、そのうち時期の限定できるものは、七世紀末～九世紀初頭が七六軒、九世紀前半～一〇世紀初頭が三三軒、一〇世紀前半～一一世紀初頭（●印）が一七軒と減少し、中世には墓域となっている。

この遺跡の所在地である古代の山辺郡《やまのべ》は、『倭名類聚抄《わみょうるいじゅしょう》』によると禾生《あお》・岡山《おかやま》・菅屋《すがや》・山口《やまぐち》・高《たか》文《や》・草野《かやの》・武射《むさ》の七郷からなっており、禾生郷と武射郷は海岸平野に、ほかの五郷は台地上に比定されている。こうした郷のあり方からは、台地を拠点として谷水田を耕作し、山林開発を行なっていたことがうかがえる。それが一〇世紀後半以降、海岸平野での水田耕作へと移行したのであろう。久我台遺跡は、こうした村落の変遷のなかにあって、台地上集落の最終段階を示しているのではなかろうか。

　このように房総では、鉄器生産などの特別な場合を除き、主要な古代集落遺跡は九世紀後半から一〇世紀前半にかけて台地上から姿を消している。一方で、沖積平野で確認されている条《じょう》里《り》制《せい》地《じ》割《わり》や水田遺構の年代は、館山《たてやま》市江田《えだ》条里《じょうり》遺跡の畔《あぜ》が九～一〇世紀、千葉市浜野《はまの》川神門《がわごうど》遺跡の畔が平安時代から中世、市《いち》原《はら》市市原条里制遺跡の区画水田遺構が古代末から近世となっている。おそらくは、九世紀に台地上の集落が過度に増加して食料が不足し、新たな生産基盤が必要になったため、多くの労働力を導入して沖積平野の大規模な水田開発が積極的に推し進められたのであろう。このようにして、集落が沖積平野に大きく移動していったと考えられるのである。

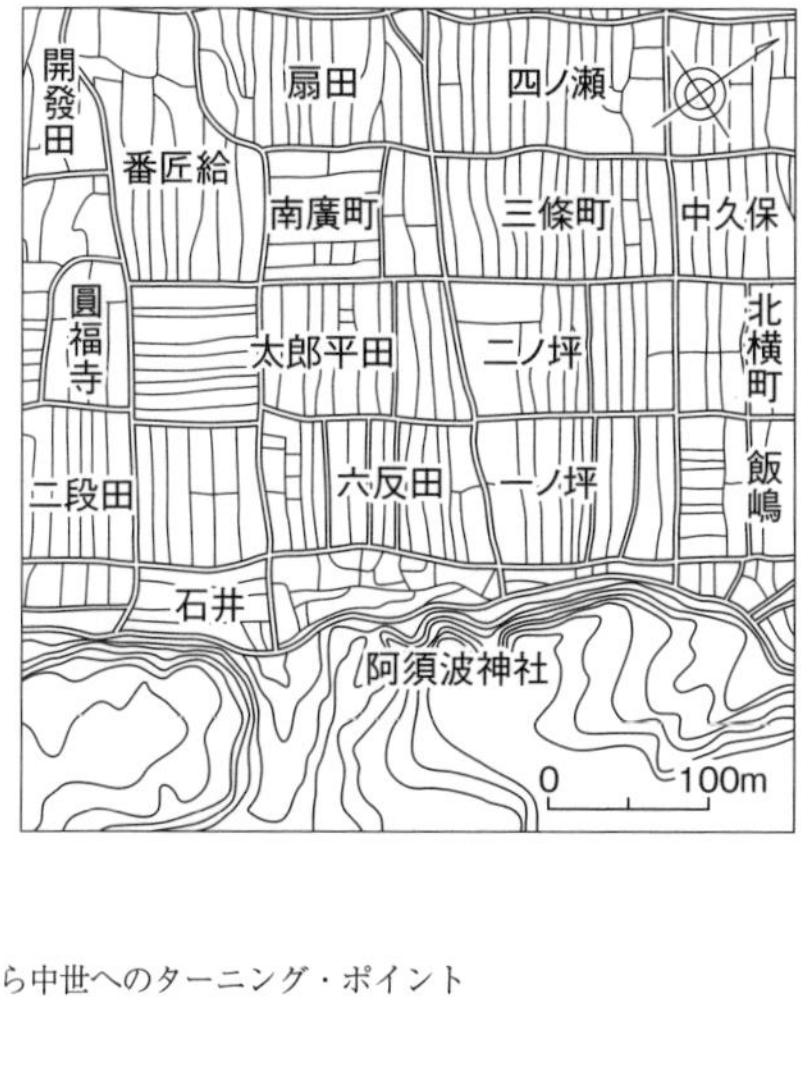

●東国集落の沖積平野開発
千葉県市原市の国分寺台地下の沖積地では、市原条里制遺構が確認されている。発掘調査の結果、条里制地割と水田跡が検出された。開田時期は、おおむね九世紀～一〇世紀と判明した。

西国と畿内の集落

西国・畿内の集落については、坂上康俊《さかうえやすとし》が整理したものに全面的に依拠して紹介しておきたい。

西海道《さいかいどう》の北部、防人《さきもり》関係の木簡《もっかん》が出土していることで知られる佐賀県唐津《からつ》市の中原遺跡《なかばるいせき》は、松浦《まつら》川下流の右岸に広がった集落遺跡である。この遺跡は、おそらくは松浦川がつくりだす砂丘列が水をせき止めて一帯が湿地化したため、奈良時代から営まれていた水田が、九世紀にはついに薦《こも》（枯れた葦《あし》や茅《かや》）で覆い尽くされてしまった。もっとも、同じく水田が営まれていた直近の梅白《うめじろ》遺跡では、古墳《こふん》時代のうちに薦層に覆われているので、このあたりの水田が平安初期に一気に湿地化して放棄されたというわけではない。ともかく九世紀には、一帯が耕作に適さない土地になり、集落も途切れるのである。

そこで九州の集落遺跡の全般的傾向をみてみると、つぎの三類型に分けられるようである。

①六世紀なかばごろの古墳時代後期に始まって、九世紀初めごろまで続くもの。

◉西国の集落——唐津平野
唐津平野は、菜畑《なばたけ》・梅白《うめじろ》・中原《なかばる》の各遺跡など、日本列島のなかでもっとも早く米づくりが始まった地域だが、九世紀には薦層で覆われ、耕作ができなくなる。

②奈良時代にのみ営まれたとみてよいもの。
③奈良時代に始まって、その後も続くもの。

このうちの圧倒的多数は、①の九世紀初めに集落の終末を迎えるものであった。

この結果は先に述べた房総の様相とはやや異なり、奈良時代に営まれた集落の消滅が、東国より一〇〇年ほど早く訪れていることを示している。その理由として、一般的に以下の三つがあげられている。

ⓐ東国よりも西国のほうが、律令制《りつりょう》を支えていた基盤が崩壊するのが早かった。いわゆる富豪層の活動は、とくに畿内や西海道《さいかいどう》で目立っている。
ⓑ西海道地方では、東国より早く湿田の乾田化といった治水灌漑《かんがい》事業が行なわれ、平野部の開発に成功したので、集落が平野部に移動した。
ⓒ弘仁《こうにん》年間（八一〇〜八二四）に頻発した風水害と飢饉《ききん》によって、集落が崩壊した。

このうちのいずれが主たる要因であったにせよ、西海道では平安時代のごく初期に、集落の景観が一変したとみてよい。

畿内の集落ではどうだろうか。畿内の古代集落の存続期間も三類型に分けられるという。

①約二〇〇年ほど続き、有力者の屋敷らしいものが含まれているもの。
②一〇〇年前後存続するが、有力者の屋敷らしいものが含まれないもの。
③五〇年ほどしか続かない短期的なもの。

畿内では六世紀末から七世紀初頭にかけてが集落の再編期とされており、古墳時代からの集落もこのころにいったん途切れるという。とくに①の多くは、おおまかにいえば六世紀末から七世紀初頭にかけて始まり、九世紀頃に消滅する。八世紀末から九世紀にかけての変化がどういった要因で起こったのかは、地形の変動などをも考慮に入れなければならないが、やはり律令制支配の変容との関係が無視できないとされている。

以上、東国・西国・畿内という三つの地域の古代集落の存続期間について、研究成果を簡略に紹介した。古墳時代から続くか、律令国家の成立期から続くかという違いはあっても、そして西のほうがやや早いという程度の地域的な差異はあっても、おおよそ九世紀から一〇世紀にかけて、生産拠点の変化や律令制を支えた社会基盤の崩壊により、それまであった集落の大半が消滅してしまうのである。

変革の一〇世紀

本章はつぎのように結ぶことができる。

儀式と政務の場は、朝廷・国府《こくふ》・郡家《ぐうけ》それぞれにおいて複雑な変遷が内包されているが、大きな流れとしては、三者とも公的な場から私的な場へという変化を確認できる。

また、古代統一国家の〝証《あかし》〟として、社会の実態とは関係なくひたすら形式重視により整備された道路・戸籍・貨幣という典型的な象徴は、一〇世紀にはそろって改変もしくは廃止せざるをえない状況に至った。しょせん、制度と実態の乖離《かいり》はいかんともしがたかったのである。

一方、そうした可視的、表層的要素に対して、集落立地をはじめ、生産物の素材や製作技法などに着目し、さらに社会の深層である信仰における変革の波動をとらえようと試みた。

一〇世紀なかばに登場した浄土教は、民間布教者の活動によって地方社会に深く浸透していった。その新たな仏教思想を受容したのは、台頭してきた富豪層であろう。

一〇世紀から一一世紀にかけて、印《いん》の鋳造も漆塗《うるし》りも、現代の技術をもってしても再現できないほど高度な渡来技術を放棄し、比較的簡略かつ安価な製作方法を選択したとみることができる。漆製品に端的にみられるように、下地には柿渋《かきしぶ》のような代用品を使用し、上塗り漆のみで類似した外見に仕上げるなど、より広範な人々が高級調度品の代表であった漆製品を手に入れることができるようになったのである。都や地方における新興勢力の台頭により、幅広い階層の人々のさかんな需要にこたえるため、技術変革が起こったのである。

結局のところ、一〇世紀後半に浄土教が浸透し、道教や在地神＝国神などと深く関連する墨書土器《ぼくしょどき》がほとんど消失したこと、および漆器技術の変革により安価な漆製品が誕生したことには、地方社会における富豪層の出現が深くかかわったとみてよい。九世紀末には、王臣家《おうしんけ》と結託した地方の有力者、いわゆる富豪層は、私出挙《しすいこ》と大規模な農業経営（営田）などによって成長を遂げ、富を蓄えた。そしてこの富豪層が律令《りつりょう》体制を基盤から大きくゆさぶり、古代国家の象徴と社会基盤の双方を変革していったと考えられるのである。

時代の移り変わり、変化とは、表層・深層のそこかしこにみられるものであるが、国家の象徴の可視的な変革と、社会基盤の深層的な変革の波動がほぼ合致した世紀が一〇世紀であり、九世紀をその前兆の世紀、一一世紀を中世社会への胎動の世紀と位置づけることができるであろう。

おわりに

「はじめに」で述べたように、日本の歴史研究は、つねに現代的視点と世界史的視野に基づき、文献史学、考古学、民俗学、国語・国文学および自然科学を含む関連諸学の学際的協業によって、政治・経済をはじめ、社会や文化の深層に迫ることをめざすべきである。本書はその考えを基本として、いくつかのテーマを掲げ、近年の発掘調査による出土資料を手がかりに、日本の原像の構築を試みた。

まず第一に重視したのは、現代的視点である。たとえば、第二章の〝稲作〟と第三章の〝自然環境〟である。稲の種子札《たねふだ》が出土する遺跡は、いずれも都や地方の有力者の拠点に限られる。しかも、九世紀の遺跡に集中している。九世紀は、日本古代史上でもまれにみる天変地異の続いた時期であり、稲の品種改良は、おそらくこうした劣悪な自然環境を乗り越えるために、安定した経済的基盤をもつ都や地方の豪族層によって実施されたのであろう。

現在、地球温暖化の影響は早くも日本の稲作にも及び、九州では水温の上昇に耐える品種の改良に着手したという。

第二の視点は、世界史的視野である。第一章の「天皇」号と「日本」国号は、成立後もその時々の政治情勢を反映して意義が変化していく。そのため研究の現状がかなり混迷状態にあるが、「天皇」と「日本」の始まりはあくまでも中国的世界のなかに位置づけて考えるべきである点を、あらためて強調した。また、第六章では文字文化の伝播《でんぱ》過程において、古代朝鮮の役割をもっと重視しなければならないとした。

第三の視点は、地域社会へのまなざしである。第四章の〝地域の生業の特化〟は、第五章の〝地域の交流ネットワークの促進〟へとつながる問題である。

地域の豊かで多様な自然が、歴史の多様性を生んだ。各地域に所在する歴史・考古・民俗などの幅広い資料と、その地域の歴史をはぐくんできた自然環境こそ、これまでの中央志向の歴史観を脱却して、豊かな地域の歴史を語る重要な素材となるであろう。

しかし今日、日本列島各地において、多くの遺跡およびその周辺環境が、急速な開発などによって危機的状況におかれている。

たとえば、最近、自動車道建設に伴う平城宮跡直下の工事が大きな問題となっている。平城宮跡・京内には、良質な水によって地下に多数の木簡や木製品などが眠っている可能性が高いが、トンネル工事などによる地下水位の低下は即、これらの消滅につながる。一二〇〇年以上、清浄な水によって地下に良好な状態で保存されてきた木簡・木製品・建築材などの資料が、現代社会の開発行為によって一瞬にして失われてしまうのである。そうなれば資料に新しい歴史を語らせることができなくなる。歴史遺産は国民共有の財産であり、歴史資料の破壊は歴史事実の湮滅《いんめつ》となることを、一人ひとりが強く認識すべきである。

このような私の歴史学に対する考え方は、三〇年近くかかわってきた博物館という研究環境のなかで醸成されてきたものであるといえる。

国立歴史民俗博物館（以下、歴博）は昭和五六年（一九八一）創設の際に、二一世紀に向けて日本の歴史と文化を総合的に研究するための二つの重要な選択をした。ひとつは歴史資料の収集、調査研究そして展示という一連の機能を有する「博物館」という形態をとること、もうひとつは、大学をはじめとする全国の研究者とともに調査研究を進める体制が確保された「大学共同利用機関」とすることである。

平成一九年(二〇〇七)三月、あらためて創設当初の原点(初代館長、井上光貞構想)に立脚し、新しい研究スタイル「博物館型研究統合」を提唱することにした。「博物館型研究統合」とは、〈資料〉〈研究〉〈展示〉という三つの要素を有機的に連鎖させ、さらにそれらの要素を国内外の幅広い人々と〈共有・公開〉することによって、博物館という形態をもつ大学共同利用機関の特徴を最大限に活《い》かした研究を推進することである。

この「博物館型研究統合」の実践例をひとつ紹介しておきたい。

現存する古代日本の石碑は、華やかな碑の文化を誇った古代中国や朝鮮の碑とは大きく異なり、数も一六碑ときわめて少ない。平成九年、歴博ではこれらの石碑に焦点をあて、企画展示『古代の碑』を開催した。開館以来、日本列島各地に現存する石碑の複製品をほぼ全点製作してきたが、この企画展でそれらがはじめて一堂に会したかたちとなった。このような試みは博物館でしかなしえないものである。

その結果、まず、一六碑のほとんどが仏教色の強いものであることがわかった。たとえば、那須《なす》国造碑《くにのみやつこひ》も碑名から政治的碑ととらえられがちであるが、あくまでも亡くなった国造をその子供が称《たた》えた、いわば供養碑である。これらの碑はいずれも文字も小さく、慎ましく書かれている。

さらに一六碑を並べてみると、なかでも多賀城碑《たがじょうひ》と多胡碑《たこひ》の二碑が、碑本体と文字の圧倒的な大きさできわだっていた。多賀城碑は多賀城の修造を記念する碑であり、その修造にあたった藤原朝猲《ふじわらのあさかり》の顕彰碑である。多胡碑は上野国《こうずけのくに》多胡郡を設置したことを記念する建郡碑である。二碑ともに政治的色彩が強いことから、文字も碑の形も、見るものに迫るような大きさとなっている。

実物を間近に比べて見ることによって、図録のような書物ではなかなか知りえないことにはじめて気づくのである。このような古代日本の石碑の本質的特徴が、博物館の複製品製作と展示によってはじめて解明されたのである。私が本書でめざした「日本の原像」への試みも、こうした実践に支えられたものである。


本書の冒頭で触れたように、網野善彦《あみのよしひこ》が、躍動する中世史像を構築する前提としてとらえた古代社会像には、大きな問題がある。網野は、九世紀以降、律令国家《りつりょうこっか》の崩壊の兆しとともに、海上交通、東西意識、生業の多様化などが顕著に表面化してくるという。しかし、本書において幅広い資料からの検討を加えた結果、律令国家の成立当初から、その枠組みのなかで、古代社会の地域交流・生業の特化などが活発な動きを示していたことが明らかになってきた。

今後、これらの視点と作業を継続すれば、よりいっそう、日本の原像に迫る可能性が高まることを信じて、私なりの研究を続けていきたい。

第六章

• 平川南編『古代日本の文字世界』大修館書店、2000年
• 国立歴史民俗博物館・平川南編『歴博フォーラム　古代日本文字の来た道－古代中国・朝鮮から列島へ』大修館書店、2005年
• 平川南・沖森卓也・栄原永遠男・山中章編『文字と古代日本1　支配と文字』吉川弘文館、2004年
• 平川南・沖森卓也・栄原永遠男・山中章編『文字と古代日本2　文字による交流』吉川弘文館、2005年
• 橋本繁「金海出土『論語』木簡について」朝鮮文化研究所編『アジア地域文化学叢書4　韓国出土木簡の世界』雄山閣、2007年
• 藤枝晃『文字の文化史』講談社学術文庫、講談社、1999年
• 国立歴史民俗博物館編『古代日本文字のある風景－金印から正倉院文書まで－』朝日新聞社、2002年

第七章

• 平川南「道祖神信仰の源流－古代の道の祭祀と陽物形木製品から－」『国立歴史民俗博物館研究報告』133集、2006年
• 平川南「古代「東国」論－歴史と文学の往来－」仁藤敦史編『歴史研究の最前線5　歴史と文学のあいだ』総研大日本歴史研究専攻・国立歴史民俗博物館、2006年
• シンポジウム「古代国家とのろし」宇都宮市実行委員会・平川南・鈴木靖民編『烽［とぶひ］の道－古代国家の通信システム』青木書店、1997年

第八章

• 平川南「古代地方都市論－多賀城とその周辺」『国立歴史民俗博物館研究報告』78集、1999年

第九章

• 坂上康俊『日本の歴史05　律令国家の転換と「日本」』講談社、2001年
• 山中敏史・佐藤興治『古代日本を発掘する5　古代の役所』岩波書店、1985年
• 河音能平「律令国家の変質と文化の転換」岸俊男編『日本の古代　第15巻　古代国家と日本』中央公論社、1988年
• 加藤友康編『日本の時代史6　摂関政治と王朝文化』吉川弘文館、2002年
• 木下良『日本を知る　道と駅』大巧社、1998年
• 国立歴史民俗博物館編『企画展示　お金の玉手箱－銭貨の列島2000年史』1997年
• 永嶋正春「縄文・弥生時代の漆研究の現状」『季刊考古学』95号、2006年
• 四柳嘉章『漆（うるし）I』ものと人間の文化史131－I、法政大学出版局、2006年
•（財）千葉県史料研究財団『千葉県の歴史　資料編　考古3（奈良・平安時代）』2001年
• 国立歴史民俗博物館編『国立歴史民俗博物館研究報告　第79集－日本古代印の基礎的研究』、1999年
• 国立歴史民俗博物館編『国立歴史博物館研究報告第22集－共同研究「古代の集落」』、1989年

あとがき

• 安倍辰夫・平川南編『多賀城碑－その謎を解く［増補版］』雄山閣、1999年
• 東野治之・平川南『よみがえる古代の碑』歴博ブックレット、（財）歴史民俗博物館振興会、1999年

全編にわたるもの

• 平川南『漆紙文書の研究』吉川弘文館、1989年
• 平川南『墨書土器の研究』吉川弘文館、2000年
• 平川南『古代地方木簡の研究』吉川弘文館、2003年
• 平川南『よみがえる古代文書－漆に封じ込められた日本社会－』岩波新書、1994年

参考文献

はじめに

- 『情況』1996年5月号別冊「日本の古代をひらく」情況出版、1996年
- 平川南監修／（財）石川県埋蔵文化財センター『発見!古代のお触れ書き　石川県加茂遺跡出土加賀郡牓示札』大修館書店、2001年
- 網野善彦『日本論の視座−列島の社会と国家』小学館、1990年
- 永原慶二『20世紀日本の歴史学』吉川弘文館、2003年
- 神奈川大学評論編集専門委員会『神奈川大学評論』53号「特集　網野善彦−「網野史学」と日本歴史学」、2006年

第一章

- 滝口宏監修／市原市教育委員会・（財）市原市文化財センター編『「王賜」銘鉄剣概報　千葉県市原市稲荷台1号墳出土』吉川弘文館、1988年
- 埼玉県立さきたま資料館編『特別展　古代金石文と倭の五王の時代』1998年
- 佐藤長門「有銘刀剣の下賜・顕彰」平川南・沖森卓也・栄原永遠男・山中章編『文字と古代日本1　支配と文字』吉川弘文館、2004年
- 布目潮渢・栗本益男『中国の歴史　第4巻　隋唐帝国』講談社学術文庫、講談社、1997年
- 大津透『古代の天皇制』岩波書店、1999年
- 新川登亀男『道教をめぐる攻防−日本の君王、道士の法を崇めず−』大修館書店、1999年
- 森公章編『日本の時代史3　倭国から日本へ』吉川弘文館、2002年
- 専修大学・西北大学共同プロジェクト編『遣唐使の見た中国と日本−新発見「井真成墓誌」から何がわかるか−』朝日新聞社、2005年
- 神野志隆光「『日本』とは何か−国号の意味と歴史」講談社現代新書、講談社、2005年
- 奈良国立文化財研究所編『平城京長屋王邸宅と木簡』吉川弘文館、1991年
- 吉田孝『歴史のなかの天皇』岩波新書、岩波書店、2006年
- 熊谷公男『日本の歴史03　大王から天皇へ』講談社、2001年
- 吉村武彦『日本の歴史3　古代王権の展開』集英社、1991年
- 東野治之『遣唐使と正倉院』岩波書店、1992年
- 東野治之『日本古代金石文の研究』岩波書店、2004年
- 米谷匡史「古代東アジア世界と天皇神話」『日本の歴史08　古代天皇制を考える』講談社選書メチエ、講談社、2001年

第二章

- 平川南「古代国家と稲−一二〇〇年前の稲の品種札の発見から」甚野尚志編『東大駒場連続講義　歴史をどう書くか』講談社、2006年
- 岡田精司『古代王権の祭祀と神話』塙書房、1970年

第三章

- 石井克己・梅沢重昭『日本の古代遺跡を掘る4　黒井峯遺跡−日本のポンペイ』読売新聞社、1994年
- （財）群馬県埋蔵文化財調査事業団『群馬の遺跡5　古墳時代Ⅱ【集落】』上毛新聞社、2005年
- 中山修一編『よみがえる長岡京』朝日カルチャーブックス41、大阪書籍、1984年
- 日下雅義「古代都京の立地環境」中山修一先生古稀記念事業会編『長岡京古文化論叢』同朋舎出版、1986年
- 林陸朗『長岡京の謎』新人物往来社、1972年
- 国立歴史民俗博物館編『企画展示　長岡京遷都−桓武と激動の時代−』2007年
- 青山宏夫『前近代地図の空間と知』校倉書房、2007年

第四章

- 大石直正「国府厨印の謎」入間田宣夫・大石直正編『よみがえる中世7　みちのくの都　多賀城・松島』平凡社、1992年
- 山里純一「日本古代国家と奄美・多禰・掖久」『東アジアの古代文化』130号、2007年
- 山里純一『古代日本と南島の交流』吉川弘文館、1999年
- 瀬川拓郎『アイヌの歴史　海と宝のノマド』講談社選書メチエ、講談社、2007年

第五章

- 薗田香融『日本古代の貴族と地方豪族』塙書房、1992年
- 平川南「海道・牡鹿地方」石巻市史編さん委員会編『石巻の歴史　第六巻　特別史編』1992年
- 平川南「特論　畝田西遺跡群出土文字資料と古代港湾都市」石川県教育委員会・（財）石川県埋蔵文化財センター『畝田西遺跡群』Ⅵ、2006年

スタッフ一覧

校正　オフィス・タカエ
図版・地図作成　蓬生雄司
索引制作　小学館クリエイティブ
編集長　清水芳郎
編集　宇南山知人
阿部いづみ
水上人江
田澤泉
一坪泰博
編集協力　青柳亮
小西むつ子
林まりこ
山崎明子
月報編集協力　㈲ビー・シー
関屋淳子
藤井恵子
制作　大木由紀夫
山崎法一
資材　横山肇
宣伝　中沢裕行
後藤昌弘
販売　永井真士
奥村浩一
協力　株式会社モリサワ

写真所蔵先一覧

所蔵先と写真提供者、撮影者が異なる場合は、（　）内にその旨を明記した。

口絵

1・17石川県埋蔵文化財センター／2文化庁（提供：多賀城市教育委員会）／3・14秋田市教育委員会／4奈良文化財研究所／5京都府向日市教育委員会／6・7・9・11・12・13多賀城市教育委員会／8芝山町教育委員会（複製：国立歴史民俗博物館）／10三重県立斎宮歴史博物館／15京都市埋蔵文化財研究所／16国立歴史民俗博物館／18撮影：杉本清

第一章

1・2市原市教育委員会／3『王賜銘鉄剣概報』（吉川弘文館）より／4埼玉県立さきたま史跡の博物館／5文化庁／6・7東京国立博物館（提供：TNM Image Archives）／8三井記念美術館／9（右）奈良県立橿原考古学研究所／9（左）・12奈良文化財研究所／10シーピーシー・フォト／11撮影：王維坤（提供：西北大学・専修大学）／13国立歴史民俗博物館／14東寺（提供：便利堂）

第二章

1『成形図説』（国書刊行会）より／2山形県埋蔵文化財センター／3・12宮内庁正倉院事務所／4個人蔵（国立歴史民俗博物館展示図録『古代日本 文字のある風景』より）／5『無形の民俗資料 記録第7集』（文化財保護委員会編）より／6会津若松市教育委員会（複製：国立歴史民俗博物館）／7いわき市教育委員会（複製：国立歴史民俗博物館）／8香芝市教育委員会／9石川県埋蔵文化財センター／10東北歴史博物館／11藤枝市郷土博物館

第三章

1撮影：平川南／2渋川市教育委員会／3国立歴史民俗博物館／4京都府向日市教育委員会／5盛岡市教育委員会／6群馬県教育委員会／7称名寺（神奈川県立金沢文庫保管）

第四章

1長野県立歴史館／2・3舞鶴市教育委員会／4宮内庁正倉院事務所／5・6多賀城市教育委員会／7（株）小倉屋山本／8鼻節神社（七ヶ浜町歴史資料館寄託）／9（下）中尊寺／10奄美市教育委員会／11北海道立埋蔵文化財センター

第五章

1『石巻の歴史 第1巻通史編（上）』（石巻市）より／2東京藝術大学／3・4・6石川県埋蔵文化財センター／5（上）津幡町教育委員会　（下）新潟県教育委員会・新潟県埋蔵文化財調査事業団／7いわき市教育委員会

第六章

1三上喜孝撮影／2・3滋賀県立安土城考古博物館（提供：国立歴史民俗博物館）／4・5（右下・左）奈良文化財研究所／5（右上）薬師寺（提供：奈良文化財研究所）／6京都大学人文科学研究所／7泉屋博古館／8韓国国立中央博物館／9長野県立歴史館／10鳥羽・海の博物館／11（上）群馬県教育委員会　（中）松江市教育委員会　（下）金沢市教育委員会（国立歴史民俗博物館展示図録『古代日本 文字のある風景』より）／12芝山町教育委員会（複製：国立歴史民俗博物館）／13鳩山町教育委員会／14宮内庁正倉院事務所／15茨城県教育財団

第七章

1・2山梨県立博物館／3国立昌原文化財研究所／4撮影：平川南／5朝護孫子寺／6奈良県立橿原考古学研究所／7画像処理：東海大学情報技術センター／8・9兵庫県立考古博物館／10千葉県教育振興財団／11宇都宮市教育委員会／12千葉県栄町教育委員会／13奈良文化財研究所／14撮影：石田哲弥

第八章

1熊本県教育委員会／2（右2点）多賀城市教育委員会／2（左）・3宮城県多賀城跡調査研究所／4福島県文化財センター白河館／5（右）広島県立歴史博物館　（左）西徳寺（提供：千葉県立中央博物館大利根分館）／6・11奥州市埋蔵文化財調査センター／7三千院／8佐賀県教育委員会／9・10茨城県教育財団

第九章

1（右）・2・8国立歴史民俗博物館／1（左）・9岩手県教育委員会／3横浜市歴史博物館／4（上）長岡市教育委員会　（下）米沢市教育委員会／5・15佐賀県教育委員会／6撮影：木下良／7石山寺／10・11（右）撮影：永嶋正春／11（中・左）四柳嘉章／12六波羅蜜寺／13（右）栃木県教育委員会　（左）平塚市教育委員会／14平泉町文化財センター

ま行

や行

ら行

わ行

な行

は行

た行

さ行

索引

000 —詳しい説明のあるページを示す。
000*—写真・図版のあるページを示す。

あ行

か行

全集　日本の歴史　第2巻　日本の原像

2008年1月30日　初版第1刷発行

著者　平川　南
発行者　八巻孝夫
発行所　株式会社小学館
〒101-8001 東京都千代田区一ツ橋2-3-1
電話　編集　03(3230)5118
販売　03(5281)3555
印刷所　凸版印刷株式会社
製本所　株式会社若林製本工場

造本には十分注意しておりますが、万一、落丁・乱丁などの不良品がありましたら、「制作局」(電話0120-336-340)あてにお送り下さい。
送料小社負担にてお取り替えいたします。
(電話受付は土・日・祝日を除く9:30～17:30までになります。)

R〈日本著作権センター委託出版物〉
本書の全部または一部を無断で複写(コピー)することは、
著作権法上の例外を除いて禁じられています。
本書からの複写を希望される場合は、
日本複写権センター(電話03-3401-2382)にご連絡ください。

©Minami Hirakawa 2008
Printed in Japan ISBN978-4-09-622102-0

小学館創立八五周年企画

全集 日本の歴史 全十六巻

編集委員 平川 南／五味文彦／倉地克直／ロナルド・トビ／大門正克

一 旧石器・縄文・弥生・古墳時代
列島創世記
出土物が語る列島4万年の歩み
松木武彦 岡山大学准教授
文字が発達する前の社会は、「モノ」が文字の代わりだった。「モノ」と人との関係から描く、斬新な列島文化史。

二 新視点古代史
日本の原像
稲作や特産物から探る古代の生活
平川 南 国立歴史民俗博物館館長／山梨県立博物館館長
二二〇〇年前、日本の稲作技術はすでにほぼ現代のレベルに達していた。出土文字資料から読み解く古代社会の実像。

三 飛鳥・奈良時代
律令国家と万葉びと
国家の成り立ちと万葉びとの生活誌
鐘江宏之 学習院大学准教授
時の支配や文字の普及から、「日本」誕生のシステムを明らかにし、国家のもとで生きる人びとの暮らしを描く。

四 平安時代
揺れ動く貴族社会
古代国家の変容と都市民の誕生
川尻秋生 早稲田大学准教授
自然災害などで変質を迫られる政治体制のなか、激動する時代像を、文学資料を駆使して鮮やかにたどる。

五
新視点中世史
躍動する中世
人びとのエネルギーが殻を破る
武家王権の誕生と展開、そして都市に群れ集う人びと。激動する社会を支えたエネルギーの源は何だったのか？
五味文彦　放送大学教授／東京大学名誉教授

六
院政から鎌倉時代
京・鎌倉　ふたつの王権
武家はなぜ朝廷を滅ぼさなかったか
武家政権はなぜ朝廷を滅ぼさなかったのか。日本独自の二重権力構造を通じて、武家政権誕生の背景を問う。
本郷恵子　東京大学准教授

七
南北朝・室町時代
走る悪党、蜂起する土民
南北朝の争乱と足利将軍
鎌倉幕府崩壊から応仁の乱まで。悪党・土民たちは徒党を組み、守護・地頭は国盗り合戦を始める、群雄割拠の時代。
安田次郎　お茶の水女子大学教授

八
戦国時代
戦国の活力
戦乱を生き抜く大名・足軽の実像
将軍・大名と兵士・民衆の両面から、戦乱の世を生き抜く人びとの実像に迫り、躍動する時代を活写する。
山田邦明　愛知大学教授

九
新視点近世史
「鎖国」という外交
従来の「鎖国」史観を覆す新たな視点
徳川幕府の外交政策はけっして「鎖国」ではなかった。外からの視点で見出された、開かれた江戸時代像。
ロナルド・トビ　イリノイ大学教授

十
江戸時代（一七世紀）
徳川の国家デザイン
幕府の国づくりと町・村の自治
天下人の国づくり、町人・百姓の町づくり・村づくりから探る、現代に連なる徳川幕府のグランドデザイン。
水本邦彦　京都府立大学教授

十一 江戸時代（一八世紀）
徳川社会のゆらぎ
幕府の改革と「いのち」を守る民間の力

倉地克直 岡山大学教授

五代綱吉から、老中田沼の時代。幕政の安定とともに産業振興策が採られ、江戸・大坂などの都市が繁栄する。

十二 江戸時代（一九世紀）
開国への道
変革のエネルギーと新たな国家意識

平川 新 東北大学教授

開国へ向かう変革のエネルギーを生み出した背景を解明し、「新たな日本」をめざす時代のうねりを描く。

十三 幕末から明治時代前期
文明国をめざして
民衆はどのように"文明化"されたか

牧原憲夫 東京経済大学講師

大衆はいかにして"文明化"されたか。天皇はいかにして大衆に"認知"されたか。文明国を目指した日本の苦闘。

十四 明治時代中期から一九二〇年代
「いのち」と帝国日本
日清・日露と大正デモクラシー

小松 裕 熊本大学教授

帝国日本の発展の陰で、懸命に生きる市井の人々の声に耳を傾け、地に足の着いた新たな近代史を掘り起こす。

十五 一九三〇年代から一九五五年
戦争と戦後を生きる
敗北体験と復興へのみちのり

大門正克 横浜国立大学教授

戦争という大きな運命に否が応でも「参加」させられることを、日々の暮らしを生きるという視点から捉える。

十六 一九五五年から現在
豊かさへの渇望
高度経済成長、バブル、小泉・安倍・福田政権へ

荒川章二 静岡大学教授

物は溢れているのになぜか満たされない。「豊かさ」というキーワードから見えてくる、欲望の現代社会史。

http://sgkn.jp/nrekishi/